큐브수학 실력 무료 스마트러닝

KB132633

첫째 QR코드 스캔하여 1초 만에 바로 강의 시청

둘째 최적화된 강의 커리큘럼으로 학습 효과 UP!

서술형 문제 풀이 강의
서술형 풀이를 쓰기 어려울 때 문제 해결 전략 강의를 통해 서술형 풀이를 체계적으로 완성합니다.

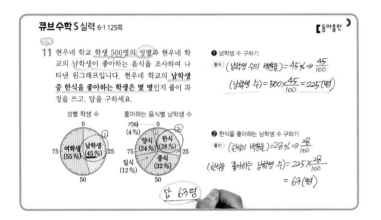

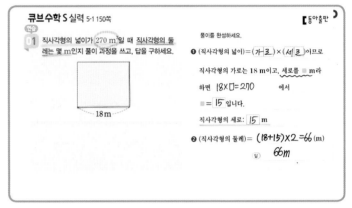

#큐브수학 #초등수학 #무료

큐브수학 실력 초등수학 4학년 강의 목록

큐브수학 초등수학 4학년 **학습 계획표**

학습 계획표를 따라 차근차근 수학 공부를 시작해 보세요.
큐브수학과 함께라면 수학 공부, 어렵지 않습니다.

단원	회차	진도북	매칭북	공부한 날	
1단원	1회	006~011쪽	01쪽	월	일
	2회	012~017쪽	02~04쪽	월	일
	3회	018~021쪽	05쪽	월	일
	4회	022~027쪽	06~08쪽	월	일
	5회	028~031쪽	09~10쪽	월	일
	6회	032~034쪽		월	일
	7회		46~48쪽	월	일
2단원	8회	036~043쪽	11쪽	월	일
	9회	044~047쪽		월	일
	10회	048~049쪽	12~14쪽	월	일
	11회	050~051쪽	15쪽	월	일
	12회	052~054쪽		월	일
	13회		49~51쪽	월	일
3단원	14회	056~061쪽	16쪽	월	일
	15회	062~067쪽	17~19쪽	월	일
	16회	068~071쪽	20쪽	월	일
	17회	072~077쪽	21~23쪽	월	일
	18회	078~081쪽	24~25쪽	월	일
	19회	082~084쪽		월	일
	20회		52~54쪽	월	일

단원	회차	진도북	매칭북	공부한 날	
4단원	21회	086~091쪽	26쪽	월	일
	22회	092~097쪽	27~29쪽	월	일
	23회	098~101쪽	30쪽	월	일
	24회	102~105쪽		월	일
	25회	106~107쪽	31~33쪽	월	일
	26회	108~111쪽	34~35쪽	월	일
	27회	112~114쪽		월	일
	28회		55~57쪽	월	일
5단원	29회	116~123쪽	36쪽	월	일
	30회	124~127쪽		월	일
	31회	128~129쪽	37~39쪽	월	일
	32회	130~131쪽	40쪽	월	일
	33회	132~134쪽		월	일
	34회		58~60쪽	월	일
6단원	35회	138~145쪽	41쪽	월	일
	36회	146~149쪽		월	일
	37회	150~151쪽	42~44쪽	월	일
	38회	152~153쪽	45쪽	월	일
	39회	154~156쪽		월	일
	40회		61~63쪽	월	일

큐브수학

실력

|진도북|

4·2

구성과 특징

진도북 `3단계 학습법`

STEP ① 개념 완성하기

알차게 구성한 개념 정리와 개념 확인 문제로 개념을 완벽하게 익힙니다.
기본 유형 문제로 다양한 유형 학습을 준비합니다.

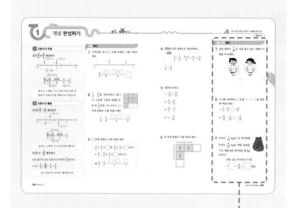

STEP ② 실력 다지기

학교 시험에 잘 나오는 문제와 다양한 유형의 문제를 `유형` `확인` `강화` 의 3단계로 학습하여 실력을 키웁니다.

`약점 체크` 틀리기 쉬운 문제를 집중적으로 학습합니다.

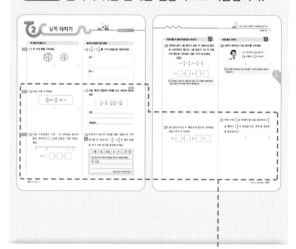

매칭북 `1:1 매칭 학습`

STEP1 · 한 번 더 개념 완성하기

STEP1의 기본 유형 문제를 **한 번 더** 공부하여 개념을 완성합니다.

STEP2 · 한 번 더 실력 다지기

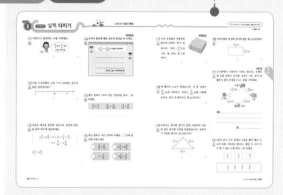

STEP2의 확인, 강화 문제를 **한 번 더** 공부하여 실력을 다집니다.

큐브수학 실력의 특징

❶ **유형 학습** 하나의 주제에 대한 필수 문제의 **3단계 입체적 유형 학습**

❷ **매칭 학습** 진도북의 각 코너를 **1:1 매칭**시킨 매칭북을 통해 **한 번 더 복습**

❸ **서술형 강화** 수학 핵심 역량의 접목/풀이 과정을 자연스럽게 익히면서 쓸 수 있는 **3단계 서술형 학습법**

STEP ③ 서술형 해결하기

풀이 과정을 자연스럽게 익히면서 쓸 수 있는 체계적인 연습 단계 실전 의 3단계 학습으로 서술형을 완벽하게 대비합니다.

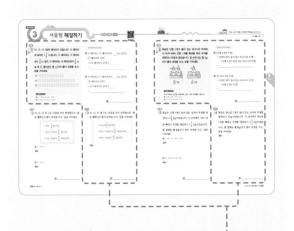

단원 마무리

한 단원을 마무리하는 단계로 해당 단원을 잘 공부했는지 확인하여 실력을 점검합니다.

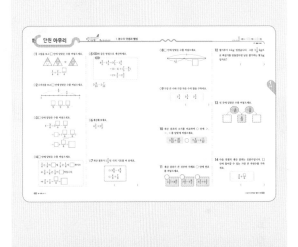

STEP3 · 한 번 더 서술형 해결하기

STEP3의 연습, 실전 문제를 **한 번 더** 공부하여 서술형을 해결합니다.

단원 평가

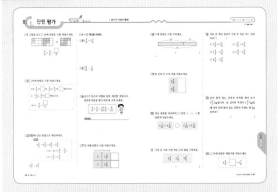

단원별로 실력을 최종 점검합니다.

차례

분수의 덧셈과 뺄셈

🕐 학습계획표

진 진도북, 매 매칭북

학습 계획 및 확인				학습 내용
STEP 1 개념 완성하기	월 일	진 008~011쪽	☐	1. 진분수의 덧셈
	월 일	매 01쪽	☐	2. 진분수의 뺄셈 3. 대분수의 덧셈
STEP 2 실력 다지기	월 일	진 012~017쪽	☐	두 분수의 합과 차 분수의 덧셈의 계산 방법 계산 결과의 크기 비교① 분수의 덧셈과 뺄셈의 활용 도형에서 변의 길이 구하기 분수의 합을 이용하여 길이 비교하기
	월 일	매 02~04쪽	☐	분수 카드로 계산식 만들기 조건을 만족하는 수를 구하여 합과 차 구하기 약점 체크 합 또는 차가 ▇인 두 수 구하기 약점 체크 분수를 만들어 합과 차 구하기 약점 체크 자연수를 두 분수의 합으로 나타내기 약점 체크 어떤 분수 구하기
STEP 1 개념 완성하기	월 일	진 018~021쪽	☐	4. 받아내림이 없는 (대분수)−(대분수)
	월 일	매 05쪽	☐	5. (자연수)−(분수) 6. 받아내림이 있는 (대분수)−(대분수)
STEP 2 실력 다지기	월 일	진 022~027쪽	☐	두 분수의 차 분수의 뺄셈의 계산 방법 계산 결과의 크기 비교② 분수의 뺄셈의 활용 빈 곳에 알맞은 분수 구하기 세 분수의 덧셈과 뺄셈
	월 일	매 06~08쪽	☐	계산 결과가 가장 작은(큰) 계산식 만들기 범위에 알맞은 수 구하기 약점 체크 이어 붙인 색 테이프의 전체 길이 구하기 약점 체크 분수의 덧셈과 뺄셈을 이용하여 해결하기 약점 체크 일정하게 줄어들 때 남은 길이 구하기 약점 체크 계산 결과가 ▇에 가장 가까운 식 구하기
STEP 3 서술형 해결하기	월 일	진 028~031쪽	☐	서술형 학습
	월 일	매 09~10쪽	☐	
평가 단원 마무리	월 일	진 032~034쪽	☐	마무리 학습
	월 일	매 46~48쪽	☐	

1
단원

※ 이번 단원에서 공부할 계획을 세우고 계획대로 공부했다면 ☐ 안에 ○표 합니다.

1 진분수의 덧셈

예제 $\dfrac{3}{4}+\dfrac{2}{4}$ 계산하기

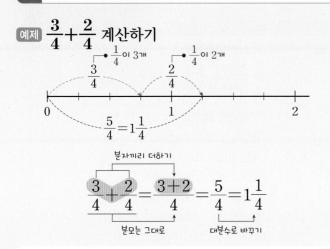

$$\dfrac{3}{4}+\dfrac{2}{4}=\dfrac{3+2}{4}=\dfrac{5}{4}=1\dfrac{1}{4}$$

분모는 그대로 두고 분자끼리 더한 후 결과가 가분수이면 대분수로 바꿉니다.

2 진분수의 뺄셈

예제 1 $\dfrac{6}{7}-\dfrac{2}{7}$ 계산하기

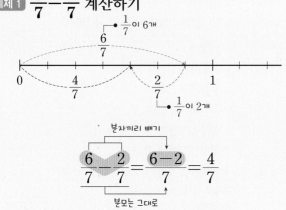

$$\dfrac{6}{7}-\dfrac{2}{7}=\dfrac{6-2}{7}=\dfrac{4}{7}$$

분모는 그대로 두고 분자끼리 뺍니다.

예제 2 $1-\dfrac{3}{5}$ 계산하기

1을 분모가 5인 가분수로 바꾸면 $\dfrac{5}{5}$입니다.

➡ $1-\dfrac{3}{5}=\dfrac{5}{5}-\dfrac{3}{5}=\dfrac{2}{5}$

1을 가분수로 바꾸어 계산합니다.

개념 확인

1 수직선을 보고 □ 안에 알맞은 수를 써넣으세요.

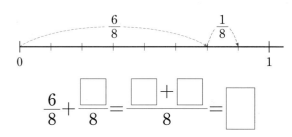

$$\dfrac{6}{8}+\dfrac{\boxed{}}{8}=\dfrac{\boxed{}+\boxed{}}{8}=\boxed{}$$

2 $\dfrac{7}{9}-\dfrac{5}{9}$를 계산하려고 합니다. 오른쪽 그림의 색칠한 부분 중 $\dfrac{5}{9}$만큼 ×로 지우고, □ 안에 알맞은 수를 써넣으세요.

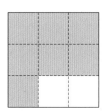

$$\dfrac{7}{9}-\dfrac{5}{9}=\dfrac{\boxed{}-\boxed{}}{9}=\dfrac{\boxed{}}{9}$$

3 □ 안에 알맞은 수를 써넣으세요.

$\dfrac{4}{5}$는 $\dfrac{1}{5}$이 $\boxed{}$개, $\dfrac{3}{5}$은 $\dfrac{1}{5}$이 $\boxed{}$개이므로 $\dfrac{4}{5}-\dfrac{3}{5}$은 $\dfrac{1}{5}$이 $\boxed{}$개입니다.

➡ $\dfrac{4}{5}-\dfrac{3}{5}=\dfrac{\boxed{}-\boxed{}}{5}=\dfrac{\boxed{}}{5}$

4 보기와 같은 방법으로 계산하세요.

보기

$$\frac{3}{6}+\frac{5}{6}=\frac{3+5}{6}=\frac{8}{6}=1\frac{2}{6}$$

$$\frac{7}{8}+\frac{4}{8}$$

5 계산해 보세요.

(1) $\frac{1}{12}+\frac{6}{12}$

(2) $\frac{5}{9}+\frac{8}{9}$

(3) $\frac{6}{7}-\frac{3}{7}$

(4) $1-\frac{4}{11}$

6 빈 곳에 알맞은 수를 써넣으세요.

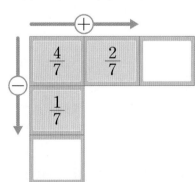

기본 유형 확인

7 계산 결과가 $\frac{7}{10}$인 식을 들고 있는 사람의 이름을 써 보세요.

민석   연희

(   )

8 크기를 비교하여 ○ 안에 >, =, <를 알맞게 써넣으세요.

(1) $\frac{5}{7}+\frac{6}{7}$ ○ $1\frac{4}{7}$

(2) $\frac{11}{12}-\frac{5}{12}$ ○ $\frac{4}{12}$

9 무게가 $\frac{7}{10}$ kg인 빈 책가방에 무게가 $\frac{8}{10}$ kg인 책을 넣었습니다. 책을 넣은 책가방은 몇 kg일까요?

(책을 넣은 책가방의 무게)

$$=\boxed{}+\frac{8}{10}=\boxed{}(\text{kg})$$

개념 완성하기

3 대분수의 덧셈

예제 1 $1\frac{3}{4}+1\frac{3}{4}$ 계산하기

(1) 그림을 이용하여 계산하기

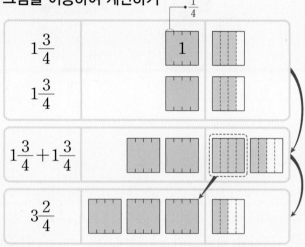

(2) 계산 방법

방법 1 자연수 부분과 진분수 부분으로 나누어 계산하기

$$1\frac{3}{4}+1\frac{3}{4}=(1+1)+\left(\frac{3}{4}+\frac{3}{4}\right)$$
$$=2+1\frac{2}{4}=3\frac{2}{4}$$

방법 2 가분수로 바꾸어 계산하기

$$1\frac{3}{4}+1\frac{3}{4}=\frac{7}{4}+\frac{7}{4}=\frac{14}{4}=3\frac{2}{4}$$
대분수로 바꾸기

참고 가분수를 대분수로, 대분수를 가분수로 나타내는 방법

$$\frac{4}{3}=4\div3=1\cdots1\rightarrow1\frac{1}{3},\; 1\frac{4}{6}=\frac{1\times6}{6}+\frac{4}{6}=\frac{10}{6}$$

예제 2 $5+2\frac{2}{7}$ 계산하기

방법 1 자연수 부분끼리 계산하기

$$5+2\frac{2}{7}=(5+2)+\frac{2}{7}=7+\frac{2}{7}=7\frac{2}{7}$$

방법 2 가분수로 바꾸어 계산하기

$$5+2\frac{2}{7}=\frac{35}{7}+\frac{16}{7}=\frac{51}{7}=7\frac{2}{7}$$
대분수로 바꾸기

개념 확인

1 $1\frac{1}{4}+2\frac{2}{4}$ 를 계산하려고 합니다. $1\frac{1}{4}+2\frac{2}{4}$ 만큼 색칠하고, ☐ 안에 알맞은 수를 써넣으세요.

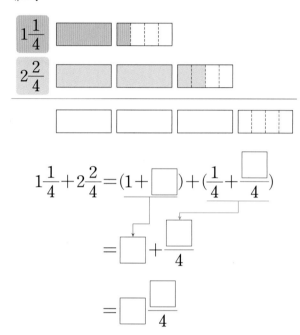

$$1\frac{1}{4}+2\frac{2}{4}=(1+\boxed{\;})+\left(\frac{1}{4}+\frac{\boxed{\;}}{4}\right)$$
$$=\boxed{\;}+\frac{\boxed{\;}}{4}$$
$$=\boxed{\;}\frac{\boxed{\;}}{4}$$

2 $2\frac{6}{7}+1\frac{5}{7}$ 를 2가지 방법으로 계산하세요.

(1) $2\frac{6}{7}+1\frac{5}{7}=(2+1)+\left(\frac{6}{7}+\frac{5}{7}\right)$
$$=\boxed{\;}+\frac{\boxed{\;}}{7}$$
$$=\boxed{\;}+\boxed{\;}\frac{\boxed{\;}}{7}$$
$$=\boxed{\;}\frac{\boxed{\;}}{7}$$

(2) $2\frac{6}{7}+1\frac{5}{7}=\frac{20}{7}+\frac{\boxed{\;}}{7}$
$$=\frac{\boxed{\;}}{7}=\boxed{\;}\frac{\boxed{\;}}{7}$$

기본 유형 **확인**

3 계산 결과를 어림하여 어림한 결과가 4와 5 사이인 덧셈식을 찾아 ○표 하세요.

$2\frac{3}{7}+1\frac{1}{7}$	$\frac{10}{6}+2\frac{3}{6}$	$3\frac{7}{8}+1\frac{4}{8}$

4 계산해 보세요.

(1) $2\frac{2}{8}+2\frac{4}{8}$

(2) $3\frac{5}{11}+1\frac{3}{11}$

(3) $2\frac{3}{6}+3\frac{5}{6}$

(4) $1\frac{7}{10}+\frac{46}{10}$

5 빈 곳에 알맞은 수를 써넣으세요.

$+1\frac{2}{3}$

$2\frac{2}{3}$

6 계산한 값을 찾아 선으로 이어 보세요.

(1) $1\frac{2}{5}+2\frac{3}{5}$ •

(2) $2+1\frac{3}{5}$ •

(3) $2\frac{3}{5}+1\frac{4}{5}$ •

• 4

• $4\frac{2}{5}$

• $3\frac{3}{5}$

7 계산이 잘못된 식을 가리키고 있는 동물을 찾아 ×표 하세요.

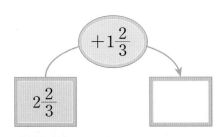

$1\frac{2}{6}+1\frac{2}{6}=2\frac{4}{6}$ ( )

$1\frac{3}{9}+3\frac{2}{9}=5\frac{4}{9}$ ( )

$2\frac{1}{10}+5\frac{5}{10}=7\frac{6}{10}$ ( )

8 설희는 책을 어제는 $1\frac{1}{5}$시간, 오늘은 $1\frac{3}{5}$시간 동안 읽었습니다. 설희가 이틀 동안 책을 읽은 시간은 모두 몇 시간일까요?

(설희가 이틀 동안 책을 읽은 시간)

$=1\frac{1}{5}+$ ☐ $=$ ☐ (시간)

두 분수의 합과 차

유형 **01** 두 수의 합을 구하세요.

 $3\frac{2}{4}$ $5\frac{3}{4}$

( )

확인 **02** 다음 수를 구하세요.

$\frac{11}{13}$ 보다 $\frac{8}{13}$ 작은 수

( )

강화 **03** 다음 수직선에서 ♥와 ★이 나타내는 분수의 합은 얼마인지 □ 안에 알맞은 수를 써넣으세요.

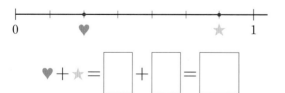

♥ + ★ = □ + □ = □

분수의 덧셈의 계산 방법

04 $4\frac{3}{11}+1\frac{9}{11}$ 를 2가지 방법으로 계산하세요.

방법 **1**

방법 **2**

05 다음 계산이 잘못된 이유를 쓰고, 바르게 계산하세요. **서술형**

$$\frac{7}{8}+\frac{4}{8}=\frac{7+4}{8+8}=\frac{11}{16}$$

이유 _____

_____

바른 계산 _____

06 유진이가 분수의 덧셈을 배운 내용으로 수학 **교과역량** 일기를 쓴 것입니다. $1\frac{6}{9}+2\frac{4}{9}$ 의 계산 방법을 써서 수학 일기를 완성해 보세요.

○월 ○일 ○요일 ☀ ⛅ ☁ ☂ ☃

오늘 학교에서 대분수의 덧셈을 계산하는 방법을 배웠다.

$1\frac{6}{9}+2\frac{4}{9}$ 는 _____

_____

과(와) 같이 계산하면 된다.

계산 결과의 크기 비교①

07 계산 결과의 크기를 비교하여 ○ 안에 >, =, <를 알맞게 써넣으세요.

$$1\frac{5}{6}+2\frac{5}{6} \quad \bigcirc \quad 2\frac{1}{6}+2\frac{2}{6}$$

08 계산 결과가 1보다 큰 덧셈식을 찾아 ○표 하세요.

$$\boxed{\frac{8}{12}+\frac{3}{12}} \quad \boxed{\frac{6}{11}+\frac{5}{11}} \quad \boxed{\frac{7}{13}+\frac{10}{13}}$$

09 계산 결과가 큰 것부터 차례로 기호를 써 보세요.

$$\boxed{\begin{array}{ll} \bigcirc \ \frac{3}{8}+\frac{1}{8} & \bigcirc \ \frac{7}{8}-\frac{2}{8} \\ \bigcirc \ 1\frac{4}{8}+2\frac{5}{8} & \textcircled{=} \ 1\frac{7}{8}+\frac{10}{8} \end{array}}$$

( )

분수의 덧셈과 뺄셈의 활용

10 형준이 어머니께서 가게에서 사 오신 채소입니다. 사 오신 감자와 고구마는 모두 몇 kg일까요?

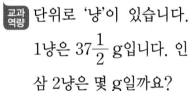

감자 $1\frac{5}{12}$ kg   고구마 $1\frac{4}{12}$ kg

( )

11 [교과역량] 한약 재료의 무게를 재는 단위로 '냥'이 있습니다. 1냥은 $37\frac{1}{2}$ g입니다. 인삼 2냥은 몇 g일까요?

식

답

12 [서술형] 오렌지 주스 1 L 중에서 준영이는 $\frac{4}{12}$ L, 동생은 $\frac{3}{12}$ L를 마셨습니다. 남은 오렌지 주스는 몇 L인지 풀이 과정을 쓰고, 답을 구하세요.

풀이

답

도형에서 변의 길이 구하기

유형 **13** 다음 삼각형의 세 변의 길이의 합은 $\dfrac{9}{11}$ m입니다. ■에 알맞은 길이는 몇 m일까요?

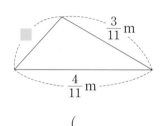

( )

확인 **14** 오른쪽과 같이 석가탑의 지대석 양 끝에서 1층 몸돌의 위쪽 끝부분의 한가운데를 이으면 세 변의 길이가 같은 삼각형이 그려집니다. 이 삼각형의 세 변의 길이의 합은 몇 m일까요?

교과역량

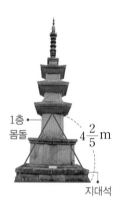

1층 몸돌

$4\dfrac{2}{5}$ m

지대석

( )

강화 **15** 다음 직사각형의 네 변의 길이의 합은 몇 m일까요?

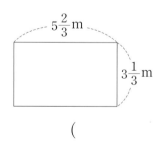

( )

분수의 합을 이용하여 길이 비교하기

16 종현이와 수진이는 각각 길이가 다음과 같은 파란색 테이프와 빨간색 테이프를 겹치지 않게 길게 이어 붙였습니다. 이어 붙인 색 테이프의 길이가 더 긴 사람은 누구일까요?

색 테이프	파란색 테이프	빨간색 테이프
종현	3 m	$2\dfrac{6}{7}$ m
수진	$1\dfrac{4}{7}$ m	$3\dfrac{6}{7}$ m

( )

서술형

17 다음은 산의 입구에서 정상까지 등반하는 거리를 나타낸 것입니다. 쉼터를 거쳐서 가는 길과 약수터를 거쳐서 가는 길 중 어디를 거쳐서 가는 길이 더 짧은지 풀이 과정을 쓰고, 답을 구하세요.

정상 $1\dfrac{4}{8}$ km
$3\dfrac{7}{8}$ km 약수터
쉼터 $2\dfrac{6}{8}$ km
$1\dfrac{5}{8}$ km 입구

풀이

답

확인, 강화 문제는 매칭북 03쪽에서 한 번 더!

▶ 정답 02쪽

1 단원

분수 카드로 계산식 만들기

18 3장의 분수 카드 중 2장을 골라 합이 가장 큰 덧셈식을 만들고, 계산하세요.

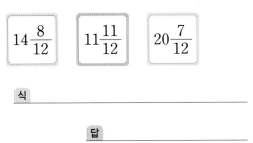

$14\frac{8}{12}$ $11\frac{11}{12}$ $20\frac{7}{12}$

식 _____

답 _____

19 3장의 분수 카드 중에서 우호와 가람이가 각각 1장씩 뽑아 뽑은 두 수의 차 구하기 놀이를 하고 있습니다. 뽑은 두 수의 차가 될 수 없는 수를 찾아 ×표 하세요.

$\frac{3}{10}$ $\frac{7}{10}$ $\frac{8}{10}$

$\frac{1}{10}$ $\frac{3}{10}$ $\frac{4}{10}$ $\frac{5}{10}$

20 분수 카드를 2장씩 모아 합이 7이 되도록 만들려고 합니다. 빈 곳에 합이 7이 되도록 분수 카드의 수를 각각 2개씩 써넣으세요.

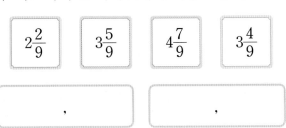

$2\frac{2}{9}$ $3\frac{5}{9}$ $4\frac{7}{9}$ $3\frac{4}{9}$

[,   ] [,   ]

조건을 만족하는 수를 구하여 합과 차 구하기

21 다음 조건을 모두 만족하는 수 중 가장 큰 수와 가장 작은 수의 차를 구하세요.

- 진분수입니다.
- 분모는 13입니다.

(   )

22 분모가 15인 분수 중 $\frac{2}{15}$보다 크고 $\frac{6}{15}$보다 작은 수를 모두 더하면 얼마일까요?

(   )

23 다음 조건을 모두 만족하는 수들의 합을 대분수로 나타내어 보세요.

- 2보다 크고 3보다 작은 분수입니다.
- 분모는 4입니다.

(   )

합 또는 차가 인 두 수 구하기

유형 **24** 분모가 7인 두 가분수의 합이 $2\frac{5}{7}$가 되는 경우의 두 분수의 쌍을 모두 구하세요.

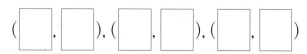

해결 두 가분수를 $\dfrac{\blacksquare}{7}$, $\dfrac{\blacktriangle}{7}$라 하고 식을 세워 봅니다.

확인 **25** 분모가 9인 두 진분수의 합과 차가 다음과 같을 때 두 진분수를 구하세요.

합: $\dfrac{8}{9}$ 차: $\dfrac{4}{9}$

( )

분수를 만들어 합과 차 구하기

26 수 카드 중에서 한 장을 뽑아 □ 안에 써넣어 만들 수 있는 가장 큰 진분수와 가장 작은 진분수의 차를 구하세요.

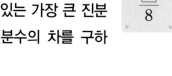

$\dfrac{\square}{8}$

4   6   7

(1) 만들 수 있는 가장 큰 진분수와 가장 작은 진분수를 차례로 구하세요.

( ), ( )

(2) 만들 수 있는 가장 큰 진분수와 가장 작은 진분수의 차를 구하세요.

( )

해결 **진분수의 크기 비교**

두 진분수 $\dfrac{\blacktriangle}{\blacksquare}$, $\dfrac{\bullet}{\blacksquare}$에서 $\blacktriangle < \bullet$이면 $\dfrac{\blacktriangle}{\blacksquare} < \dfrac{\bullet}{\blacksquare}$입니다.

27 주사위를 던져서 나온 눈 의 수를 □ 안에 한 번씩 써넣어 가장 큰 대분수와 가장 작은 대분수를 차례로 만들고, 만든 두 분수의 합을 구하세요.

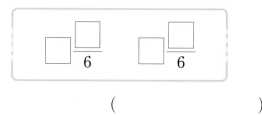

$\square\dfrac{\square}{6}$ $\square\dfrac{\square}{6}$

( )

자연수를 두 분수의 합으로 나타내기 약점 체크

28 보기와 같이 1을 분모가 같은 두 진분수의 합으로 나타내려고 합니다. 1을 분모가 5인 두 진분수의 합으로 나타내는 식을 2가지 써 보세요.

> 보기
>
> $$1 = \frac{1}{4} + \frac{3}{4}, \quad 1 = \frac{2}{4} + \frac{2}{4}$$

$$1 = \boxed{} + \boxed{}, \quad 1 = \boxed{} + \boxed{}$$

해결 분모가 같은 두 진분수의 합이 1이 되려면 분자끼리의 합은 어떤 수가 되어야 하는지 알아봅니다.

29 3을 분모가 8인 두 대분수의 합으로 나타내는 식을 2가지 써 보세요.

$$3 = \boxed{} + \boxed{}, \quad 3 = \boxed{} + \boxed{}$$

어떤 분수 구하기 약점 체크

30 선예가 생각하고 있는 분수를 구하세요.

 선예

> 내가 생각하고 있는 분수에 $\frac{3}{9}$ 을 더했더니 $\frac{8}{9}$ 이 되었어.

(   )

해결 선예가 생각하고 있는 분수를 □라 하고 알맞게 식을 세워 봅니다.

31 어떤 수에 $2\frac{1}{3}$ 을 더해야 할 것을 잘못하여 $2\frac{1}{3}$ 을 뺐더니 $3\frac{1}{3}$ 이 되었습니다. 바르게 계산하면 얼마일까요?

(   )

개념 완성하기

4 받아내림이 없는 (대분수)−(대분수)

[예제] $2\frac{2}{3}-1\frac{1}{3}$ 계산하기

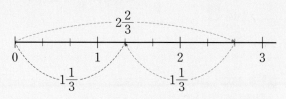

[방법 1] 자연수 부분과 진분수 부분으로 나누어 계산하기

$$2\frac{2}{3}-1\frac{1}{3}=(2-1)+\left(\frac{2}{3}-\frac{1}{3}\right)$$
$$=1+\frac{1}{3}=1\frac{1}{3}$$

[방법 2] 가분수로 바꾸어 계산하기

$$2\frac{2}{3}-1\frac{1}{3}=\frac{8}{3}-\frac{4}{3}=\frac{4}{3}=1\frac{1}{3}$$

대분수로 바꾸기

5 (자연수)−(분수)

[예제] $3-1\frac{3}{5}$ 계산하기

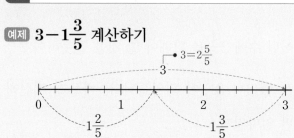

[방법 1] 자연수에서 1만큼을 분수로 바꾸어 계산하기

$$3-1\frac{3}{5}=2\frac{5}{5}-1\frac{3}{5}=1\frac{2}{5}$$

[방법 2] 가분수로 바꾸어 계산하기

$$3-1\frac{3}{5}=\frac{15}{5}-\frac{8}{5}=\frac{7}{5}=1\frac{2}{5}$$

대분수로 바꾸기

[참고] 자연수를 가분수로 나타내는 방법

자연수 ★을 분모가 ●인 가분수로 나타내기 ➡ $★=\dfrac{★\times●}{●}$

[예] 6을 분모가 4인 가분수로 나타내기 ➡ $6=\dfrac{6\times4}{4}=\dfrac{24}{4}$

개념 확인

1 $2\frac{3}{5}-1\frac{2}{5}$ 를 계산하려고 합니다. 그림의 색칠된 부분 중 $1\frac{2}{5}$ 만큼 ×로 지우고, □ 안에 알맞은 수를 써넣으세요.

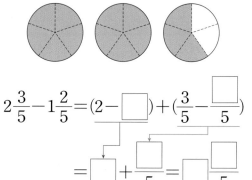

$$2\frac{3}{5}-1\frac{2}{5}=(2-\boxed{})+\left(\frac{3}{5}-\frac{\boxed{}}{5}\right)$$
$$=\boxed{}+\frac{\boxed{}}{5}=\boxed{}\frac{\boxed{}}{5}$$

2 □ 안에 알맞은 수를 써넣으세요.

$$5-3\frac{1}{4}=4\frac{\boxed{}}{4}-3\frac{1}{4}$$
$$=(4-\boxed{})+\left(\frac{\boxed{}}{4}-\frac{1}{4}\right)$$
$$=\boxed{}+\frac{\boxed{}}{4}=\boxed{}\frac{\boxed{}}{4}$$

3 □ 안에 알맞은 수를 써넣으세요.

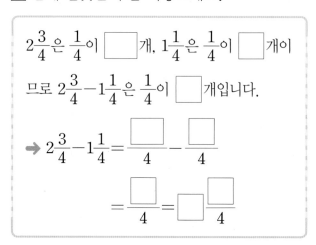

$2\frac{3}{4}$ 은 $\frac{1}{4}$ 이 □개, $1\frac{1}{4}$ 은 $\frac{1}{4}$ 이 □개이므로 $2\frac{3}{4}-1\frac{1}{4}$ 은 $\frac{1}{4}$ 이 □개입니다.

➡ $2\frac{3}{4}-1\frac{1}{4}=\dfrac{\boxed{}}{4}-\dfrac{\boxed{}}{4}$
$=\dfrac{\boxed{}}{4}=\boxed{}\dfrac{\boxed{}}{4}$

4 보기와 같은 방법으로 계산하세요.

보기

$$3-1\frac{3}{10}=\frac{30}{10}-\frac{13}{10}=\frac{17}{10}=1\frac{7}{10}$$

$$6-3\frac{3}{7}$$

5 계산해 보세요.

(1) $4\frac{2}{3}-3\frac{1}{3}$

(2) $3\frac{10}{12}-1\frac{3}{12}$

(3) $2-\frac{1}{9}$

(4) $5-2\frac{2}{6}$

6 빈 곳에 알맞은 수를 써넣으세요.

$\xrightarrow{\ -\ }$

$3\frac{4}{6}$	$1\frac{2}{6}$	
5	$2\frac{5}{7}$	

기본 유형 확인

7 빈 곳에 알맞은 수를 써넣으세요.

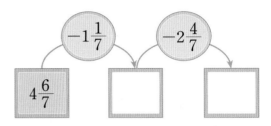

8 바르게 계산한 사람의 이름을 써 보세요.

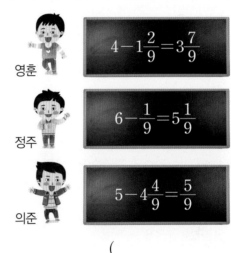

영훈: $4-1\frac{2}{9}=3\frac{7}{9}$

정주: $6-\frac{1}{9}=5\frac{1}{9}$

의준: $5-4\frac{4}{9}=\frac{5}{9}$

( )

9 도자기 체험 학습에서 진흙을 윤정이는 $2\frac{3}{5}$ kg 사용했고, 승수는 윤정이보다 $1\frac{2}{5}$ kg 적게 사용했습니다. 승수가 사용한 진흙은 몇 kg일까요?

(승수가 사용한 진흙의 무게)

$$=2\frac{3}{5}-\boxed{}=\boxed{}(kg)$$

6 받아내림이 있는 (대분수)−(대분수)

예제 $3\frac{3}{8}-1\frac{5}{8}$ 계산하기

(1) 그림을 이용하여 계산하기

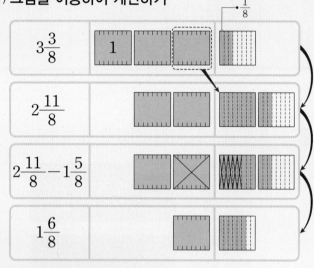

$3\frac{3}{8}$

$2\frac{11}{8}$

$2\frac{11}{8}-1\frac{5}{8}$

$1\frac{6}{8}$

(2) 계산 방법

방법 1 빼지는 분수의 자연수에서 1만큼을 가분수로 바꾸어 계산하기

$$3\frac{3}{8}-1\frac{5}{8}=2\frac{11}{8}-1\frac{5}{8}$$
$$=(2-1)+\left(\frac{11}{8}-\frac{5}{8}\right)$$
$$=1+\frac{6}{8}=1\frac{6}{8}$$

방법 2 가분수로 바꾸어 계산하기

$$3\frac{3}{8}-1\frac{5}{8}=\frac{27}{8}-\frac{13}{8}=\frac{14}{8}=1\frac{6}{8}$$

대분수로 바꾸기

참고 세 분수의 덧셈과 뺄셈

세 분수의 덧셈과 뺄셈을 계산할 때 세 자연수의 계산과 같은 방법으로 앞에서부터 두 수씩 차례로 계산합니다.

예 $7\frac{1}{3}-5\frac{2}{3}+1\frac{1}{3}$ 의 계산

$$7\frac{1}{3}-5\frac{2}{3}+1\frac{1}{3}=6\frac{4}{3}-5\frac{2}{3}+1\frac{1}{3}$$
$$①$$
$$=1\frac{2}{3}+1\frac{1}{3}$$
$$②$$
$$=3$$

개념 확인

1 수직선을 보고 □ 안에 알맞은 수를 써넣으세요.

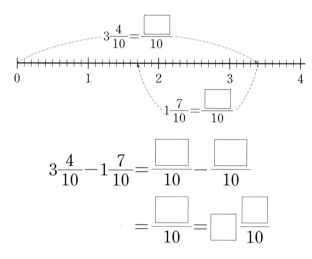

$3\frac{4}{10}=\dfrac{\square}{10}$

$1\frac{7}{10}=\dfrac{\square}{10}$

$$3\frac{4}{10}-1\frac{7}{10}=\frac{\square}{10}-\frac{\square}{10}$$
$$=\frac{\square}{10}=\square\frac{\square}{10}$$

2 $6\frac{3}{7}-2\frac{6}{7}$ 을 2가지 방법으로 계산하세요.

(1) $6\frac{3}{7}-2\frac{6}{7}=5\dfrac{\square}{7}-2\frac{6}{7}$

$$=\left(\square-\square\right)+\left(\frac{\square}{7}-\frac{6}{7}\right)$$
$$=\square+\frac{\square}{7}$$
$$=\square\frac{\square}{7}$$

(2) $6\frac{3}{7}-2\frac{6}{7}=\dfrac{45}{7}-\dfrac{\square}{7}$

$$=\frac{\square}{7}=\square\frac{\square}{7}$$

3 계산 결과를 어림하여 어림한 결과가 1과 2 사이인 뺄셈식을 찾아 ○표 하세요.

$4\frac{1}{3}-1\frac{2}{3}$	$6\frac{5}{9}-4\frac{7}{9}$	$7\frac{5}{8}-6\frac{6}{8}$

4 계산해 보세요.

(1) $4\frac{2}{8}-2\frac{7}{8}$

(2) $7\frac{5}{9}-\frac{42}{9}$

(3) $5\frac{4}{11}-2\frac{8}{11}$

(4) $6\frac{3}{12}-\frac{69}{12}$

5 □ 안에 알맞은 수를 써넣으세요.

$3\frac{2}{6} \rightarrow \boxed{-1\frac{5}{6}} \rightarrow \boxed{}$

기본 유형 확인

6 계산 결과가 $2\frac{7}{8}$인 뺄셈식에 색칠하세요.

$7\frac{6}{8}-3\frac{7}{8}$ $5\frac{3}{8}-2\frac{4}{8}$

7 계산 결과가 다른 하나를 찾아 기호를 써 보세요.

㉠ $7\frac{1}{5}-2\frac{2}{5}$

㉡ $8\frac{2}{5}-4\frac{3}{5}$

㉢ $6\frac{3}{5}-2\frac{4}{5}$

(   )

8 학교에서 상수네 집까지의 거리는 학교에서 민지네 집까지의 거리보다 몇 km 더 가까울까요?

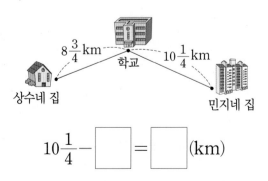

$8\frac{3}{4}$ km   학교 $10\frac{1}{4}$ km

상수네 집   민지네 집

$10\frac{1}{4}-\boxed{}=\boxed{}$ (km)

두 분수의 차

유형 **01** 빈 곳에 두 수의 차를 써넣으세요.

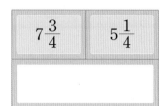

$$7\frac{3}{4} \qquad 5\frac{1}{4}$$

확인 **02** □ 안에 알맞은 수를 써넣으세요.

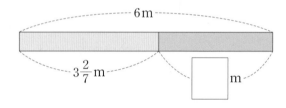

6 m

$3\frac{2}{7}$ m

□ m

강화 **03** 가장 큰 수와 두 번째로 큰 수의 차를 구하세요.

$$7\frac{4}{5} \qquad 3\frac{3}{5} \qquad 9\frac{1}{5}$$

( )

분수의 뺄셈의 계산 방법

04 잘못 계산한 것을 찾아 ×표 하고, 바르게 계산하세요.

$$3\frac{3}{4} - 1\frac{2}{4} = 2\frac{7}{4} - 1\frac{2}{4} = 1\frac{5}{4} \quad (\qquad)$$

$$5\frac{1}{4} - 2\frac{3}{4} = 4\frac{5}{4} - 2\frac{3}{4} = 2\frac{2}{4} \quad (\qquad)$$

바른 계산 _____

서술형
05 $4\frac{5}{8} - 1\frac{6}{8}$ 의 계산 과정을 보고 어떻게 계산한 것인지 설명해 보세요.

$$4\frac{5}{8} - 1\frac{6}{8} = \frac{37}{8} - \frac{14}{8} = \frac{23}{8} = 2\frac{7}{8}$$

계산한 방법 _____

06 계산이 잘못된 이유를 재희와 민수가 설명한 것입니다. □ 안에 알맞은 수를 써넣으세요.

$$3\frac{2}{6} - 1\frac{5}{6} = 2\frac{3}{6}$$

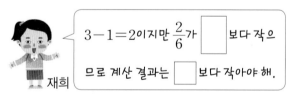

3−1=2이지만 $\frac{2}{6}$가 □ 보다 작으므로 계산 결과는 □ 보다 작아야 해.

재희

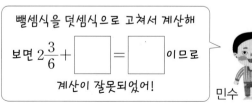

뺄셈식을 덧셈식으로 고쳐서 계산해 보면 $2\frac{3}{6} + \square = \square$ 이므로 계산이 잘못되었어!

민수

계산 결과의 크기 비교②

07 계산 결과의 크기를 비교하여 ○ 안에 >, =, <를 알맞게 써넣으세요.

$$8-3\frac{2}{3} \bigcirc 4-\frac{1}{3}$$

08 계산 결과가 2보다 큰 뺄셈식을 찾아 ○표 하세요.

 $7\frac{1}{5}-5\frac{4}{5}$ (   )

$4\frac{2}{5}-\frac{14}{5}$ (   )

$5\frac{1}{5}-2\frac{3}{5}$ (   )

09 계산 결과가 가장 작은 것을 찾아 기호를 써 보세요.

㉠ $4-\frac{9}{10}$ ㉡ $3-\frac{2}{10}$

㉢ $7-5\frac{4}{10}$ ㉣ $4-1\frac{7}{10}$

(   )

분수의 뺄셈의 활용

10 100원짜리 동전 한 개의 무게는 50원짜리 동전 한 개의 무게보다 몇 g 더 무거울까요?

50원짜리 동전   100원짜리 동전
$4\frac{8}{50}$ g $5\frac{21}{50}$ g

(   )

11 윤지는 오늘 물을 $1\frac{10}{14}$ L 마셨습니다. 오전에 $\frac{13}{14}$ L 마셨다면 오후에 마신 물은 몇 L일까요?

(   )

12 제과점에서 빵가루 5 kg 중 어제는 $1\frac{7}{13}$ kg, 오늘은 $2\frac{2}{13}$ kg을 사용하였습니다. 남은 빵가루는 몇 kg일까요?

(   )

빈 곳에 알맞은 분수 구하기

유형 **13** □ 안에 알맞은 수를 써넣으세요.

$$8 - \boxed{} = \frac{7}{12}$$

확인 **14** 빈 곳에 알맞은 수를 써넣으세요.

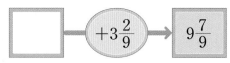

$$\boxed{} \xrightarrow{+3\frac{2}{9}} \boxed{9\frac{7}{9}}$$

강화 **15** 윤수가 $2\frac{6}{13}$에 어떤 대분수를 더했더니 $5\frac{2}{13}$

교과 역량 가 되었습니다. 어떤 대분수를 구하세요.

(   )

세 분수의 덧셈과 뺄셈

16 빈 곳에 알맞은 수를 써넣으세요.

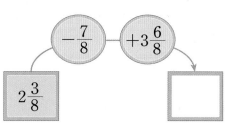

$$2\frac{3}{8} \xrightarrow{-\frac{7}{8}} \xrightarrow{+3\frac{6}{8}} \boxed{}$$

17 계산 결과가 더 큰 것의 기호를 써 보세요.

$$ㄱ\ 3\frac{3}{4} + 2\frac{2}{4} - 1\frac{3}{4}$$
$$ㄴ\ 9\frac{1}{4} - 7\frac{3}{4} + 3\frac{1}{4}$$

(   )

18 빨간색 페인트 $2\frac{4}{6}$ L와 노  란색 페인트 $2\frac{4}{6}$ L를 섞어

주황색 페인트를 만든 후 그중 $3\frac{5}{6}$ L를 사용하

였습니다. 남은 주황색 페인트는 몇 L일까요?

(   )

계산 결과가 가장 작은(큰) 계산식 만들기

19 보기 에서 두 수를 골라 ☐ 안에 한 번씩 써넣어 계산 결과가 가장 작은 뺄셈식을 만들고, 계산 결과를 구하세요.

보기
2, 4, 6

$8\dfrac{\square}{7} - 3\dfrac{\square}{7}$

(   )

20 4장의 수 카드를 한 번씩 사용하여 계산 결과가 가장 크게 되도록 (자연수)−(대분수)의 식을 만들고, 계산 결과를 구하세요.

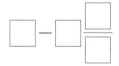

(1) ☐ 안에 수 카드의 수를 써넣어 계산 결과가 가장 큰 뺄셈식을 만들어 보세요.

$$\boxed{} - \dfrac{\boxed{}}{\boxed{}}$$

(2) 위 (1)의 계산 결과를 구하세요.

(   )

범위에 알맞은 수 구하기

21 ☐ 안에 들어갈 수 있는 자연수 중 가장 작은 수를 구하세요.

$$8\dfrac{3}{6} - 5\dfrac{5}{6} < \square$$

(   )

22 ☐ 안에 들어갈 수 있는 자연수를 모두 구하세요.

$$2 < 6\dfrac{5}{10} - 4\dfrac{\square}{10} < 3$$

(   )

23 서술형 $4\dfrac{\square}{5} - 3\dfrac{4}{5}$의 계산 결과가 1보다 작을 때 ☐ 안에 들어갈 수 있는 자연수는 모두 몇 개인지 풀이 과정을 쓰고, 답을 구하세요.

풀이 _____

_____

_____

답 _____

이어 붙인 색 테이프의 전체 길이 구하기 약점 체크

유형 **24** 길이가 $8\frac{4}{5}$ cm인 색 테이프 2장을 $2\frac{2}{5}$ cm만큼 겹쳐서 이어 붙였습니다. 이어 붙인 색 테이프의 전체 길이는 몇 cm일까요?

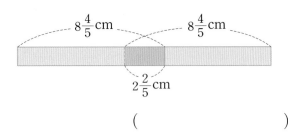

$8\frac{4}{5}$ cm $8\frac{4}{5}$ cm

$2\frac{2}{5}$ cm

( )

주의 이어 붙인 색 테이프의 전체 길이를 구하는 문제이므로 겹쳐진 부분의 길이만큼 빼야 하는 것에 주의합니다.

확인 **25** 길이가 7 m인 리본 3장을 $1\frac{3}{8}$ m씩 겹쳐서 이어 붙였습니다. 이어 붙인 리본의 전체 길이는 몇 m일까요?

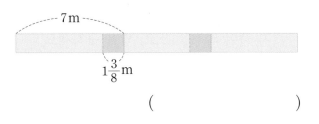

7 m

$1\frac{3}{8}$ m

( )

분수의 덧셈과 뺄셈을 이용하여 해결하기 약점 체크

생각 수학 **26** 미술 시간에 철사 공예를 했습니다. 민수는 자전거를 만드는 데 철사가 부족해서 종민이에게 $\frac{3}{4}$ m를 받았습니다. 민수가 철사를 $1\frac{3}{4}$ m 사용하고 $\frac{2}{4}$ m가 남았다면 민수가 처음에 가지고 있던 철사는 몇 m일까요?

( )

해결 주어진 문제를 읽고 거꾸로 생각하여 식을 세운 후 답을 구합니다.

교과 역량 **27** 수진이 어머니께서 이번 주의 밀가루 사용량을 메모장에 쓴 것입니다. 빵을 만들기 전에 가지고 있던 밀가루는 몇 kg일까요?

〈이번 주의 밀가루 사용 기록〉

• 월요일: 빵을 만드는 데 $1\frac{2}{6}$ kg을 사용함.

• 수요일: 칼국수를 만드는 데 $\frac{5}{6}$ kg을 사용함.

• 금요일: 과자를 만드는 데 $\frac{4}{6}$ kg을 사용하고, 남은 밀가루의 무게를 재어 보니 $\frac{3}{6}$ kg이었음.

( )

일정하게 줄어들 때 남은 길이 구하기 ^{약점 체크}

28 길이가 $10\ cm$인 양초가 있습니다. 이 양초는 15분 동안 $1\frac{3}{5}\ cm$씩 일정한 빠르기로 탑니다. 양초에 불을 붙이고 30분 후 남은 양초는 몇 cm일까요?

( )

> 해결 양초가 일정한 빠르기로 타므로 먼저 30분은 15분이 몇 번인지 알아봅니다.

29 $50\ L$의 물이 들어 있는 물탱크에 구멍이 나서 물이 새고 있습니다. 물이 20분 동안 $2\frac{7}{12}\ L$씩 일정하게 샐 때 1시간 후 물탱크에 남아 있는 물은 몇 L일까요?

( )

계산 결과가 ▨에 가장 가까운 식 구하기 ^{약점 체크}

30 재은, 선우, 지윤이가 각각 다음과 같은 계산식을 가지고 있습니다. 계산 결과가 3에 가장 가까운 식을 가지고 있는 사람을 찾아 이름을 써 보세요.

재은	선우	지윤
$\frac{4}{7}+2\frac{6}{7}$	$1\frac{5}{7}+1\frac{4}{7}$	$5\frac{1}{7}-2\frac{2}{7}$

( )

> 주의 계산 결과가 3에 가장 가까운 식이므로 계산 결과가 3보다 작은 경우와 3보다 큰 경우를 모두 생각해야 합니다.

^{서술형}

31 계산 결과가 5에 가까운 식부터 차례로 기호를 쓰려고 합니다. 풀이 과정을 쓰고, 답을 구하세요.

ㄱ $2\frac{5}{9}+2\frac{1}{9}$ ㄴ $8-2\frac{8}{9}$ ㄷ $5\frac{4}{9}-\frac{6}{9}$

풀이

답

서술형 해결하기

연습 단계 실전

문제 강의

연습

01 ㉮, ㉯, ㉰ 3장의 테이프가 있습니다. ㉮ 테이프의 길이는 $1\frac{1}{6}$ m입니다. ㉯ 테이프는 ㉮ 테이프보다 $\frac{3}{6}$ m 길고, ㉰ 테이프는 ㉯ 테이프보다 $\frac{1}{6}$ m 길 때 ㉰ 테이프는 몇 m인지 풀이 과정을 쓰고, 답을 구하세요.

㉮ 　　　　　　　　　　

㉯ 　　　　　　　　　　　

㉰ 　　　　　　　　　　　

> **서술형 포인트**
> ❶ ㉯ 테이프의 길이 구하기
> ❷ ㉰ 테이프의 길이 구하기

풀이를 완성하세요.

❶ ㉯ 테이프는 ㉮ 테이프보다 ___ m 길므로
(㉯ 테이프의 길이)
= (㉮ 테이프의 길이) + ___
= _____

❷ ㉰ 테이프는 ㉯ 테이프보다 ___ m 길므로
(㉰ 테이프의 길이)
= (㉯ 테이프의 길이) + ___
= _____

답 _____

단계

02 ㉮, ㉯, ㉰ 세 수는 다음을 모두 만족합니다. ㉯는 얼마인지 풀이 과정을 쓰고, 답을 구하세요.

> • ㉮는 $\frac{2}{4}$입니다.
> • ㉰는 ㉮보다 $\frac{3}{4}$ 큽니다.
> • ㉯는 ㉰보다 $\frac{2}{4}$ 작습니다.

❶ ㉰ 구하기
풀이

❷ ㉯ 구하기
풀이

답 _____

실전

03 ㉮, ㉯, ㉰ 세 수는 다음을 모두 만족합니다. ㉰는 얼마인지 풀이 과정을 쓰고, 답을 구하세요.

> • ㉯는 $5\frac{2}{7}$입니다.
> • ㉮는 ㉯보다 $2\frac{5}{7}$ 작습니다.
> • ㉰는 ㉮보다 $\frac{6}{7}$ 큽니다.

풀이

답 _____

04 똑같은 인형 2개가 들어 있는 바구니의 무게와 이 바구니에서 인형 1개를 빼냈을 때의 무게를 재었더니 다음과 같았습니다. 빈 바구니는 몇 kg인지 풀이 과정을 쓰고, 답을 구하세요.

$\dfrac{11}{12}$ kg $\dfrac{6}{12}$ kg

서술형 포인트
먼저 주어진 조건을 이용하여 인형 1개의 무게를 구합니다.
❶ 인형 1개의 무게 구하기
❷ 빈 바구니의 무게 구하기

풀이를 완성하세요.

❶ (인형 1개의 무게)
  =(인형 2개가 들어 있는 바구니의 무게)
    −(인형 1개가 들어 있는 바구니의 무게)
  = _____

❷ (빈 바구니의 무게)
  =(인형 1개가 들어 있는 바구니의 무게)
    −(인형 1개의 무게)
  = _____

답 _____

단계

05 똑같은 시계 3개가 들어 있는 상자의 무게를 재었더니 $2\dfrac{6}{8}$ kg이었습니다. 이 상자에서 시계 1개를 빼내고 무게를 재었더니 $1\dfrac{7}{8}$ kg이었습니다. **빈 상자는 몇 kg**인지 풀이 과정을 쓰고, 답을 구하세요.

❶ 시계 1개의 무게 구하기
풀이

❷ 빈 상자의 무게 구하기
풀이

답 _____

실전

06 똑같은 장난감 3개가 들어 있는 상자의 무게를 재었더니 3 kg이었습니다. 이 상자에서 장난감 1개를 빼내고 무게를 재었더니 $2\dfrac{1}{9}$ kg이었습니다. **빈 상자는 몇 kg**인지 풀이 과정을 쓰고, 답을 구하세요.

풀이

답 _____

연습

07 대분수로만 만들어진 뺄셈식에서 ㉠+㉡의 값이 가장 클 때의 값을 구하려고 합니다. 풀이 과정을 쓰고, 답을 구하세요.

$$6\frac{㉠}{6} - 2\frac{㉡}{6} = 4\frac{2}{6}$$

서술형 포인트

먼저 자연수 부분끼리 계산하여 받아내림이 있는지 알아봅니다.

❶ ㉠−㉡의 값 구하기
❷ ㉠, ㉡에 들어갈 수 있는 수의 범위 구하기
❸ ㉠, ㉡이 될 수 있는 경우 구하기
❹ ㉠+㉡의 값이 가장 클 때의 값 구하기

풀이를 완성하세요.

❶ 자연수 부분끼리의 계산에서 $6-2=$ ___ 이므로 $\frac{㉠}{6} - \frac{㉡}{6} =$ ___ ➡ ㉠−㉡= ___ 입니다.

❷ ㉠, ㉡은 ___ 보다 작아야 합니다.

❸ (㉠, ㉡)이 될 수 있는 경우:
(___ , ___), (___ , ___), (___ , ___)

❹ 따라서 ㉠= ___ , ㉡= ___ 일 때
㉠+㉡의 값이 ___ 로 가장 큽니다.

답 _____

단계

08 대분수로만 만들어진 덧셈식에서 ㉠−㉡의 값이 가장 클 때의 값을 구하려고 합니다. 풀이 과정을 쓰고, 답을 구하세요. (단, ㉠>㉡입니다.)

$$2\frac{㉠}{8} + 1\frac{㉡}{8} = 3\frac{7}{8}$$

❶ ㉠+㉡의 값 구하기
풀이

❷ ㉠, ㉡에 들어갈 수 있는 수의 범위 구하기
풀이

❸ ㉠, ㉡이 될 수 있는 경우 구하기
풀이

❹ ㉠−㉡의 값이 가장 클 때의 값 구하기
풀이

답 _____

실전

09 대분수로만 만들어진 덧셈식에서 ㉠−㉡의 값이 가장 작을 때의 값을 구하려고 합니다. 풀이 과정을 쓰고, 답을 구하세요. (단, ㉠>㉡입니다.)

$$5\frac{㉠}{7} + 3\frac{㉡}{7} = 9\frac{2}{7}$$

풀이

답 _____

연습

10 그림을 보고 집에서 학교까지의 거리는 몇 km 인지 풀이 과정을 쓰고, 답을 구하세요.

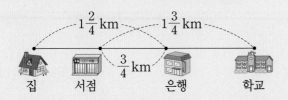

서술형 포인트

방법 1 (집~학교)=(집~은행)+(서점~학교)−(서점~은행)
방법 2 (집~학교)=(집~서점)+(서점~학교)
방법 3 (집~학교)=(집~은행)+(은행~학교)
❶ 집에서 은행까지의 거리와 서점에서 학교까지의 거리의 합 구하기
❷ 집에서 학교까지의 거리 구하기

풀이를 완성하세요.

❶ 집에서 은행까지의 거리는 _____ km이고,

서점에서 학교까지의 거리는 _____ km입니다.

(집~은행)＋(서점~학교)

＝ _____

❷ 서점에서 은행까지의 거리는 _____ km입니다.

(집~학교)

＝(집~은행)＋(서점~학교)−(서점~은행)

＝ □ −(서점~은행)

＝ _____

답 _____

단계

11 그림을 보고 ㉯에서 ㉱까지의 길이는 몇 cm인 지 풀이 과정을 쓰고, 답을 구하세요.

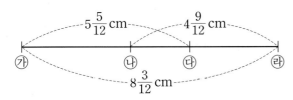

❶ ㉮에서 ㉰까지와 ㉯에서 ㉲까지의 길이의 합 구하기

풀이

❷ ㉯에서 ㉰까지의 길이 구하기

풀이

답 _____

실전

12 그림을 보고 ㉯에서 ㉱까지의 길이는 몇 cm인 지 풀이 과정을 쓰고, 답을 구하세요.

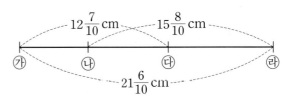

풀이

답 _____

단원 마무리

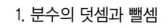

01 그림을 보고 □ 안에 알맞은 수를 써넣으세요.

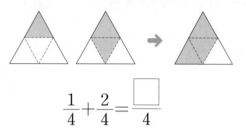

$$\frac{1}{4}+\frac{2}{4}=\frac{\square}{4}$$

02 수직선을 보고 □ 안에 알맞은 수를 써넣으세요.

$$\frac{\square}{9}-\frac{\square}{9}=\frac{\square}{9}$$

03 □ 안에 알맞은 수를 써넣으세요.

$$4-\frac{5}{6}=3\frac{\square}{6}-\frac{\square}{6}$$
$$=\square+\left(\frac{\square}{6}-\frac{\square}{6}\right)$$
$$=\square+\frac{\square}{6}=\square$$

04 □ 안에 알맞은 수를 써넣으세요.

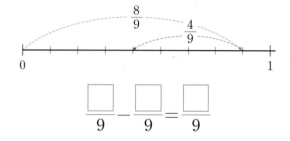

$\frac{2}{8}$는 $\frac{1}{8}$이 □개, $\frac{7}{8}$은 $\frac{1}{8}$이 □개이므로 $\frac{2}{8}+\frac{7}{8}$은 $\frac{1}{8}$이 □개입니다.

$$\rightarrow \frac{2}{8}+\frac{7}{8}=\frac{\square}{8}=\square$$

05 보기와 같은 방법으로 계산하세요.

보기

$$4\frac{2}{5}-1\frac{4}{5}=3\frac{7}{5}-1\frac{4}{5}$$
$$=(3-1)+\left(\frac{7}{5}-\frac{4}{5}\right)$$
$$=2+\frac{3}{5}=2\frac{3}{5}$$

$$5\frac{6}{10}-2\frac{7}{10}$$

06 계산해 보세요.

$$4\frac{2}{3}+3\frac{2}{3}$$

07 계산 결과가 $1\frac{2}{9}$인 식의 기호를 써 보세요.

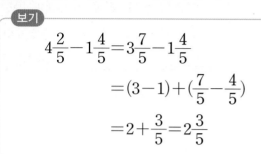

$\bigcirc\ 3\frac{6}{9}-1\frac{8}{9}$

$\bigcirc\ \frac{4}{9}+\frac{7}{9}$

(   )

08 ⬜ 안에 알맞은 수를 써넣으세요.

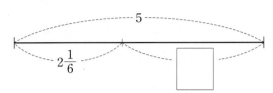

09 가장 큰 수와 가장 작은 수의 합을 구하세요.

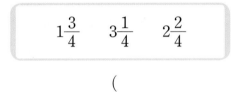

(   )

10 계산 결과의 크기를 비교하여 ○ 안에 >, =, <를 알맞게 써넣으세요.

$$1\frac{11}{12}+\frac{42}{12} \bigcirc 7\frac{4}{12}-1\frac{7}{12}$$

11 계산 결과가 큰 것부터 차례로 ○ 안에 번호를 써넣으세요.

$$1\frac{3}{7}+4\frac{4}{7} \qquad 7\frac{2}{7}-1\frac{6}{7} \qquad 3\frac{1}{7}+2\frac{1}{7}$$

12 쌀가루가 6 kg 있었습니다. 그중 $3\frac{7}{8}$ kg으로 백설기를 만들었다면 남은 쌀가루는 몇 kg일까요?

(   )

13 빈 곳에 알맞은 수를 써넣으세요.

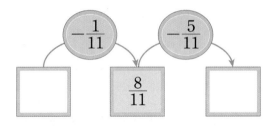

14 다음 덧셈의 계산 결과는 진분수입니다. ⬜ 안에 들어갈 수 있는 가장 큰 자연수를 구하세요.

$$\frac{2}{6}+\frac{\square}{6}$$

(   )

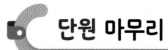

15 3장의 분수 카드 중 2장을 뽑아 뽑은 두 수를 한 번씩 사용하여 차가 가장 크도록 뺄셈식을 만들고, 계산하세요.

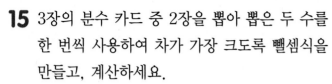

식 _____

답 _____

16 지선이의 몸무게는 $25\frac{7}{14}$ kg이고, 민정이의 몸무게는 지선이보다 $1\frac{9}{14}$ kg 더 무겁습니다. 지선이와 민정이의 몸무게의 합은 몇 kg 일까요?

(   )

17 분모가 11인 진분수가 2개 있습니다. 이 두 진분수의 합은 $\frac{9}{11}$, 차는 $\frac{1}{11}$일 때 두 진분수를 구하세요.

(   )

서술형 문제

18 $2\frac{4}{5}+3\frac{3}{5}$을 어림해 보고, 2가지 방법으로 계산하세요.

어림한 결과 _____

방법 ❶

방법 ❷

19 오른쪽 직사각형의 네 변의 길이의 합은 몇 cm인지 풀이 과정을 쓰고, 답을 구하세요.

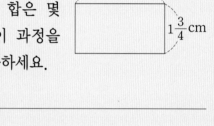

풀이 _____

_____

_____

답 _____

20 어떤 수에 $2\frac{3}{8}$을 더해야 할 것을 잘못하여 $2\frac{3}{8}$을 뺐더니 $1\frac{5}{8}$가 되었습니다. 바르게 계산하면 얼마인지 풀이 과정을 쓰고, 답을 구하세요.

풀이 _____

_____

_____

답 _____

생각하며 쉬어가기

디아 구잇. 내 이름은 애덤이야.

나는 골프의 본고장 스코틀랜드에 살아.

'디아 구잇'은 '안녕하세요'와 같은 뜻의 게일어야.

디아 구잇
(Dia dhuit)

스코틀랜드에 대해 소개할게.

스코틀랜드의 중심 도시인 에든버러에는 한때 왕이 살기도 했던

천연의 요새 에든버러 성이 있어. 산 위에 있는 아주 견고한 성으로 지금은 옛날 복장을

한 병사가 성 입구를 지키고 있단다.

에든버러 성

에든버러 성에서 쏘는 대포

스코틀랜드에서는 전통의상인 '킬트'를 입고 민속악기인
'백파이프'를 연주하는 사람들을 쉽게 볼 수 있어.
스코틀랜드의 자랑이자 독특한 문화야.

2 삼각형

다양한 유형과
서술형 문제로
실력을 키워요!

🕐 학습계획표

진 진도북, 매 매칭북

학습 계획 및 확인				학습 내용
STEP 1 개념 **완성하기**	월 일	진 038~043쪽	☐	1. 변의 길이에 따라 삼각형 분류하기 2. 이등변삼각형의 성질 3. 정삼각형의 성질
	월 일	매 11쪽	☐	4. 각의 크기에 따라 삼각형 분류하기 5. 삼각형을 두 가지 기준으로 분류하기
STEP 2 실력 **다지기**	월 일	진 044~049쪽	☐	이등변삼각형과 정삼각형 그리기 이등변삼각형과 정삼각형의 변의 길이 이등변삼각형과 정삼각형의 세 변의 길이의 합 예각삼각형과 둔각삼각형 예각삼각형과 둔각삼각형 구별하기 삼각형을 여러 가지 기준으로 분류하기
	월 일	매 12~14쪽	☐	이등변삼각형과 정삼각형의 각의 크기 이등변삼각형과 정삼각형의 각의 크기의 활용 약점 체크 크고 작은 삼각형의 개수 구하기 약점 체크 조건에 알맞은 삼각형 그리기 약점 체크 이등변삼각형과 정삼각형의 활용 약점 체크 겹친 도형에서 길이 구하기
STEP 3 서술형 **해결하기**	월 일	진 050~051쪽	☐	서술형 학습
	월 일	매 15쪽	☐	
평가 단원 **마무리**	월 일	진 052~054쪽	☐	마무리 학습
	월 일	매 49~51쪽	☐	

※ 이번 단원에서 공부할 계획을 세우고 계획대로 공부했다면 ☐ 안에 ○표 합니다.

개념 완성하기

1 변의 길이에 따라 삼각형 분류하기

(1) 이등변삼각형과 정삼각형 알아보기

- **이등변삼각형**: 두 변의 길이가 같은 삼각형
- **정삼각형**: 세 변의 길이가 같은 삼각형

[예제] 삼각형을 변의 길이에 따라 분류하기

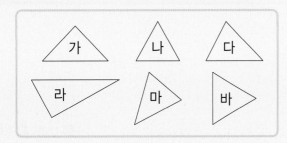

- 변의 길이가 모두 다른 삼각형 ➡ 다, 라
- 두 변의 길이가 같은 삼각형(이등변삼각형)
  ➡ 가, 나, 마, 바
- 세 변의 길이가 같은 삼각형(정삼각형)
  ➡ 나, 바

[참고] 정삼각형은 크기와 관계없이
세 변의 길이가 같은 삼각형입니다.   (예)

(2) 이등변삼각형과 정삼각형의 관계

- 정삼각형은 세 변의 길이가 같으므로 두 변의
  길이가 같습니다.
  ➡ 정삼각형은 이등변삼각형이라고 할 수 있
  습니다.
- 이등변삼각형은 두 변의 길이가 같으므로 세
  변의 길이가 모두 같지 않을 수도 있습니다.
  ➡ 이등변삼각형은 정삼각형이라고 할 수 없
  습니다.

```
        이등변삼각형
        ┌──────────┐
        │  정삼각형  │
        └──────────┘
```

개념 확인

[1~2] 삼각형을 보고 물음에 답하세요.

1

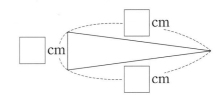

(1) 삼각형의 세 변의 길이를 자로 재어 □ 안
에 알맞은 수를 써넣으세요.

(2) 알맞은 말에 ○표 하고, □ 안에 알맞은 말
을 써넣으세요.

> 위와 같이 (두 , 세) 변의 길이가 같은 삼
> 각형을 [   ] 이라고 합니다.

2

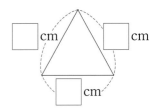

(1) 삼각형의 세 변의 길이를 자로 재어 □ 안
에 알맞은 수를 써넣으세요.

(2) 알맞은 말에 ○표 하고, □ 안에 알맞은 말
을 써넣으세요.

> 위와 같이 (두 , 세) 변의 길이가 같은 삼
> 각형을 [   ] 이라고 합니다.

3 이등변삼각형을 모두 찾아 ○표 하세요.

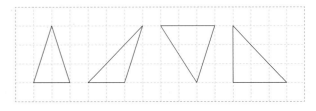

4 자를 사용하여 정삼각형을 찾아 기호를 써 보세요.

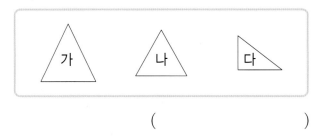

(   )

5 다음은 이등변삼각형입니다. □ 안에 알맞은 수를 써넣으세요.

(1)
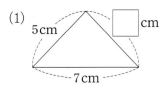

(2)
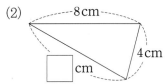

6 다음은 정삼각형입니다. □ 안에 알맞은 수를 써넣으세요.

(1)
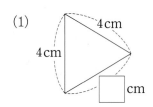

(2)
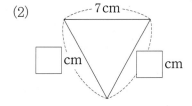

기본 유형 확인

7 주어진 선분을 한 변으로 하는 이등변삼각형을 그려 보세요.

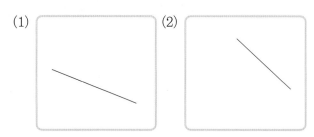

(1)   (2)

8 삼각형의 세 변의 길이가 다음과 같을 때 이등변삼각형이 아닌 것을 찾아 ×표 하세요.

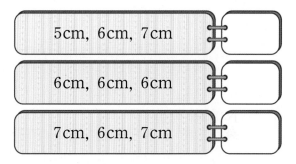

5cm, 6cm, 7cm

6cm, 6cm, 6cm

7cm, 6cm, 7cm

9 다음은 정삼각형입니다. 삼각형의 세 변의 길이의 합은 몇 cm일까요?

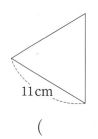

11cm

(   )

2
단원

2 이등변삼각형의 성질

이등변삼각형은 길이가 같은 두 변과 함께 하는 두 각의 크기가 같습니다.

예제 **색종이를 이용하여 이등변삼각형 만들기**

그림과 같이 색종이를 반으로 접고 선을 그은 후 선을 따라 자른 삼각형을 펼칩니다.

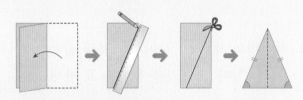

➔ 색종이를 겹쳐서 잘랐으므로 가위로 자른 두 변의 길이와 밑에 있는 두 각의 크기가 같습니다.

3 정삼각형의 성질

정삼각형은 세 각의 크기가 모두 같습니다.
└ (한 각)$=180° \div 3 = 60°$

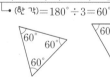

예제 **각도기를 사용하여 정삼각형 그리기**

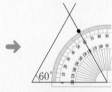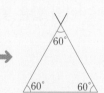

선분을 그은 후 선분의 한쪽 끝에 60°인 각 그리기

선분의 다른 쪽 끝에 60°인 각 그리기

두 각의 변이 만나는 점을 찾아 삼각형 완성하기

➔ 그린 삼각형은 세 변의 길이가 같고, 세 각의 크기가 모두 60°로 같습니다.

개념 확인

[1~2] 모눈종이를 보고 물음에 답하세요.

1

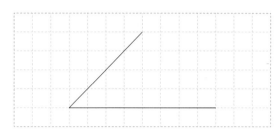

(1) 주어진 두 선분을 이용하여 이등변삼각형을 완성하세요.

(2) 완성한 이등변삼각형을 보고 ☐ 안에 알맞은 말을 써넣으세요.

> 이등변삼각형은 길이가 같은 두 변과 함께 하는 두 각의 크기가 ☐.

2

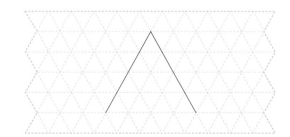

(1) 주어진 두 선분을 이용하여 정삼각형을 완성하세요.

(2) 완성한 정삼각형을 보고 ☐ 안에 알맞은 말을 써넣으세요.

> 정삼각형은 세 각의 크기가 모두 ☐.

기본 유형 확인 2. 삼각형

3 다음은 이등변삼각형입니다. ☐ 안에 알맞은 수를 써넣으세요.

(1)
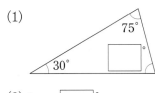

(2)
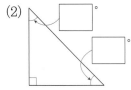

4 다음은 정삼각형입니다. ☐ 안에 알맞은 수를 써넣으세요.

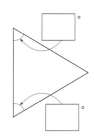

5 크기가 다른 정삼각형을 2개 그려 보세요.

6 각도기를 사용하여 보기 와 같은 이등변삼각형을 그려 보세요.

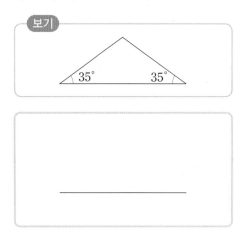

7 각도기를 사용하여 주어진 선분을 한 변으로 하는 정삼각형을 그려 보세요.

8 다음과 같은 방법으로 삼각형을 그렸습니다. ㉠은 몇 도일까요?

( )

4 각의 크기에 따라 삼각형 분류하기

- **예각삼각형**: 세 각이 모두 예각인 삼각형
- **둔각삼각형**: 한 각이 둔각인 삼각형

[예제] 삼각형을 각의 크기에 따라 분류하기

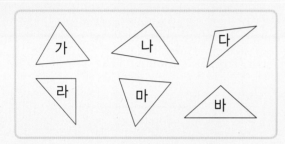

- 세 각이 모두 예각인 삼각형(예각삼각형)
  ➡ 가, 마
- 한 각이 직각인 삼각형(직각삼각형) ➡ 나, 라
- 한 각이 둔각인 삼각형(둔각삼각형) ➡ 다, 바

5 삼각형을 두 가지 기준으로 분류하기

[예제] 삼각형을 변의 길이, 각의 크기에 따라 분류하기

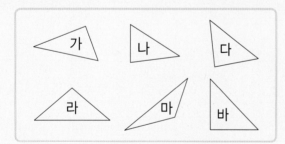

	예각삼각형	둔각삼각형	직각삼각형
이등변삼각형	다	라	바
세 변의 길이가 모두 다른 삼각형	나	마	가

① 이등변삼각형에는 예각삼각형, 직각삼각형, 둔각 삼각형이 있습니다.
② 세 변의 길이가 모두 다른 삼각형에는 예각삼 각형, 직각삼각형, 둔각삼각형이 있습니다.

개념 확인

[1~2] 삼각형을 보고 물음에 답하세요.

1

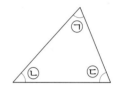

(1) 알맞은 말에 ◯표 하세요.

> ㉠은 (예각 , 둔각), ㉡은 (예각 , 둔각),
> ㉢은 (예각 , 둔각)입니다.

(2) ☐ 안에 알맞은 말을 써넣으세요.

> 위와 같이 세 각이 모두 ☐ 인 삼각
> 형을 ☐ 이라고 합니다.

2

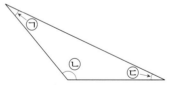

(1) 알맞은 말에 ◯표 하세요.

> ㉠은 (예각 , 둔각), ㉡은 (예각 , 둔각),
> ㉢은 (예각 , 둔각)입니다.

(2) ☐ 안에 알맞은 말을 써넣으세요.

> 위와 같이 한 각이 ☐ 인 삼각형을
> ☐ 이라고 합니다.

기본 유형 확인

3 관계있는 것끼리 선으로 이어 보세요.

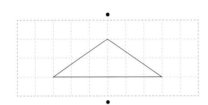

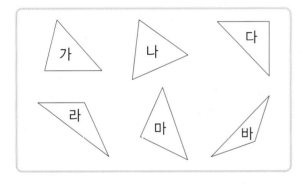

4 삼각형을 예각삼각형, 둔각삼각형, 직각삼각형으로 분류하여 기호를 써 보세요.

예각삼각형	둔각삼각형	직각삼각형

5 오른쪽 삼각형의 이름이 될 수 있는 것을 모두 고르세요.

( )

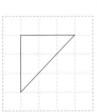

① 예각삼각형 　　② 둔각삼각형
③ 직각삼각형 　　④ 정삼각형
⑤ 이등변삼각형

6 주어진 선분을 한 변으로 하는 예각삼각형을 그려 보세요.

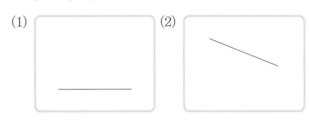

7 주어진 선분을 한 변으로 하는 둔각삼각형을 그려 보세요.

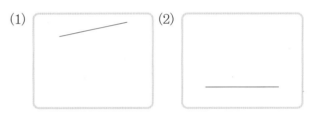

8 이등변삼각형이면서 둔각삼각형인 도형을 찾아 기호를 써 보세요.

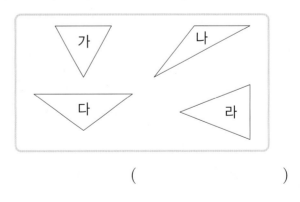

( )

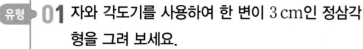

이등변삼각형과 정삼각형 그리기

유형 **01** 자와 각도기를 사용하여 한 변이 3 cm인 정삼각형을 그려 보세요.

확인 **02** 곰 인형을 둘러싸도록 모눈종이에 이등변삼각형을 그려 보세요.

강화 **03** 오른쪽 보기 와 같이 정삼각형을 이용하여 모양을 만들어 보세요.

교과역량

보기

이등변삼각형과 정삼각형의 변의 길이

04 삼각형을 보고 ☐ 안에 알맞은 수를 써넣으세요.

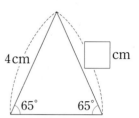

서술형
05 다음과 같이 색종이를 접어 점을 찍고, 선을 그으면 그린 삼각형은 정삼각형입니다. 그 이유를 설명하세요.

색종이를 반으로 접었다가 펼칩니다.

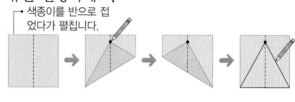

이유 _____

_____

06 주연, 현수, 세민이가 각각 막대를 가지고 있습니다. 세 사람이 가지고 있는 막대로 이등변삼각형을 만들 수 있을 때 ☐ 안에 들어갈 수 있는 수를 모두 구하세요.

[주연] 나는 길이가 8 cm인 막대를 가지고 있어.
[현수] 내 막대의 길이는 11 cm야.
[세민] 나는 길이가 ☐cm인 막대를 가지고 있는데……

(   )

이등변삼각형과 정삼각형의 세 변의 길이의 합

07 삼각형의 세 변의 길이의 합은 몇 cm일까요?

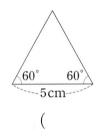

( )

08 오른쪽 이등변삼각형의 세 변의 길이의 합은 몇 cm인지 풀이 과정을 쓰고, 답을 구하세요.

서술형

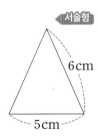

풀이 _____

_____

_____

답 _____

09 길이가 50 cm인 털실을 겹치지 않게 사용하여 한 변이 7 cm인 정삼각형을 2개 만들었습니다. 남은 털실은 몇 cm일까요?

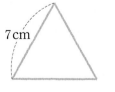

( )

예각삼각형과 둔각삼각형

10 수진이가 삼각형을 설명하는 말을 보고 어떤 말을 해야 할지 완성해 보세요.

교과역량

 이 삼각형은 예각이 있으니까 예각삼각형이야.

수진

아니야. _____

_____

11 □ 안에 알맞은 수의 합을 구하세요.

• 예각삼각형은 예각이 □개입니다.
• 직각삼각형은 예각이 □개입니다.
• 둔각삼각형은 예각이 □개입니다.

( )

12 주어진 삼각형에서 점 ㄱ을 움직여 둔각삼각형을 만들려고 합니다. 점 ㄱ을 어느 방향으로 몇 칸 움직여야 하는지 써 보세요.

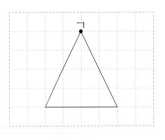

( )

유형 **예각삼각형과 둔각삼각형 구별하기**

13 세 각의 크기가 각각 35°, 25°, 120°인 삼각형
이 있습니다. 이 삼각형은 예각삼각형, 직각삼각
형, 둔각삼각형 중에서 어느 삼각형일까요?

(   )

확인 **14** 세 각 중 두 각의 크기가 각각 다음과 같은 삼각
형이 있습니다. □ 안에 삼각형의 나머지 한
각의 크기를 써넣고, 예각삼각형, 직각삼각형,
둔각삼각형 중에서 어느 삼각형인지 써 보세요.

$$55°,\ 65°,\ \boxed{}°$$

(   )

강화 **15** 세형, 진희, 소연이가 각각 두 각의 크기가 다
음과 같은 삼각형을 그렸습니다. 세 사람 중
둔각삼각형을 그린 사람을 찾아 이름을 써 보
세요.

두 각이 50°, 45°인 삼각형을 그렸어.

나는 두 각이 15°, 75°인 삼각형을 그렸어.

난 두 각이 70°, 10°인 삼각형을 그렸어.

세형   진희   소연

(   )

삼각형을 여러 가지 기준으로 분류하기

16 삼각형을 분류하여 알맞게 기호를 써 보세요.

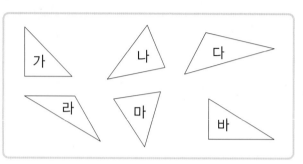

	예각삼각형	둔각삼각형	직각삼각형
이등변삼각형			
세 변의 길이가 모두 다른 삼각형			

17 삼각형 모양 종이의 일부가 찢어진 것입니다.
찢어지기 전 삼각형 모양의 이름으로 알맞은
것을 모두 찾아 기호를 써 보세요.

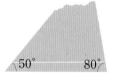

⊙ 예각삼각형   ⓒ 둔각삼각형

ⓒ 이등변삼각형   ⓔ 정삼각형

(   )

이등변삼각형과 정삼각형의 각의 크기

18 삼각형을 보고 □ 안에 알맞은 수를 써넣으세요.

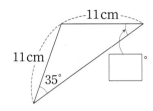

19 삼각형에서 ㉠은 몇 도일까요?

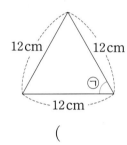

(   )

20 오른쪽 삼각형에서 각 ㄱㄴㄷ 의 크기는 몇 도인지 풀이 과 정을 쓰고, 답을 구하세요.

서술형

풀이 _____

_____

_____

_____

답 _____

이등변삼각형과 정삼각형의 각의 크기의 활용

21 삼각형 ㄱㄴㄷ은 정삼각형입니다. □ 안에 알맞은 수를 써넣으세요.

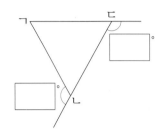

22 다음은 이등변삼각형입니다. ㉠은 몇 도일까요?

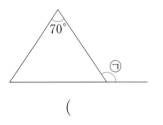

(   )

23 다음은 정삼각형 모양의 색종이를 사용하여 만 든 물고기입니다. 각 ㄱㄹㅅ의 크기는 몇 도 일까요?

교과 역량

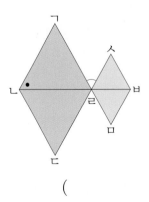

(   )

크고 작은 삼각형의 개수 구하기 <약점 체크>

유형 **24** 그림에서 찾을 수 있는 크고 작은 예각삼각형은 모두 몇 개일까요?

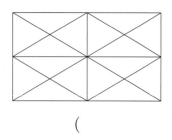

(   )

주의 1개짜리인 삼각형에서만 예각삼각형을 찾지 않도록 주의합니다.

확인 **25** 민지는 별 모양의 장식을 만들어서 부채를 꾸미려고 합니다. 다음과 같이 밑그림을 그렸을 때 그림에서 찾을 수 있는 크고 작은 이등변삼각형은 모두 몇 개일까요?

교과역량

 ➡

(   )

조건에 알맞은 삼각형 그리기 <약점 체크>

26 20° 간격으로 그린 원의 반지름을 두 변으로 하는 삼각형을 그리려고 합니다. 자를 사용하여 한 각의 크기가 40°인 삼각형을 그려 보세요.

생각수학

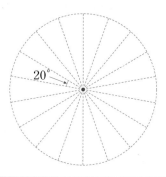

해결 먼저 원의 반지름을 두 변으로 하는 삼각형은 어떤 삼각형인지 알아봅니다.

27 40° 간격으로 그린 원의 반지름을 두 변으로 하는 삼각형을 그리려고 합니다. 자를 사용하여 다음 조건을 만족하는 삼각형을 그려 보세요.

한 각의 크기가 30°인 삼각형

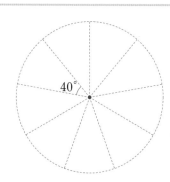

이등변삼각형과 정삼각형의 활용

28 정삼각형과 이등변삼각형의 세 변의 길이의 합은 같습니다. ㉠의 길이는 몇 cm일까요?

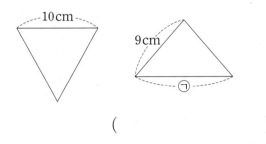

(   )

> **해결** 정삼각형의 성질을 이용하여 정삼각형의 세 변의 길이의 합을 구합니다.

29 삼각형 ㄱㄴㄷ은 정삼각형, 삼각형 ㄱㄷㄹ은 이등변삼각형입니다. 각 ㄴㄱㄹ의 크기는 몇 도일까요?

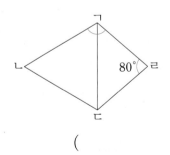

(   )

겹친 도형에서 길이 구하기

30 삼각형 ㄱㄴㄷ과 삼각형 ㄹㄴㅁ은 정삼각형입니다. 삼각형 ㄱㄴㄷ의 세 변의 길이의 합이 63 cm일 때 삼각형 ㄹㄴㅁ의 세 변의 길이의 합은 몇 cm일까요?

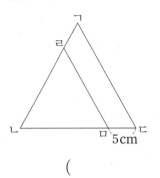

(   )

> **해결** 삼각형 ㄱㄴㄷ의 한 변의 길이를 구한 다음 삼각형 ㄹㄴㅁ의 한 변의 길이를 구합니다.

서술형

31 삼각형 ㄱㄴㄷ과 삼각형 ㄹㅁㅂ은 정삼각형입니다. 삼각형 ㄱㄴㄷ의 세 변의 길이의 합은 몇 cm인지 풀이 과정을 쓰고, 답을 구하세요.

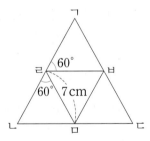

풀이
_____
_____
_____
_____

답 _____

연습

01 삼각형 ㄱㄴㄷ은 이등변삼각형입니다. 각 ㄱㄷㅁ의 크기는 몇 도인지 풀이 과정을 쓰고, 답을 구하세요.

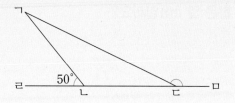

서술형 **포인트**

주어진 조건을 이용하여 이등변삼각형의 각의 크기를 구합니다.
❶ 각 ㄱㄷㄴ의 크기 구하기
❷ 각 ㄱㄷㅁ의 크기 구하기

풀이를 완성하세요.

❶ 직선 위의 한 점을 꼭짓점으로 하는 각의 크기는
180°이므로
(각 ㄱㄴㄷ)＝180°－＿＿＝＿＿＿
삼각형 ㄱㄴㄷ에서
(각 ㄴㄱㄷ)＋(각 ㄱㄷㄴ)
＝＿＿＿＿＿＿＿＿＿＿＿＿＿＿

➡ 삼각형 ㄱㄴㄷ은 이등변삼각형이므로
(각 ㄱㄷㄴ)＝＿＿＿＿＿＿＿＿＿＿

❷ (각 ㄱㄷㅁ)＝180°－＿＿＝＿＿＿

답 ＿＿＿＿＿＿＿＿＿＿＿＿

단계

02 도형에서 **각 ㄷㄴㅁ의 크기는 몇 도**인지 풀이 과정을 쓰고, 답을 구하세요.

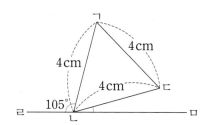

❶ 각 ㄱㄴㄷ의 크기 구하기
풀이

❷ 각 ㄷㄴㅁ의 크기 구하기
풀이

답 ＿＿＿＿＿＿＿＿＿＿＿＿

실전

03 도형에서 **각 ㄷㄴㅁ의 크기는 몇 도**인지 풀이 과정을 쓰고, 답을 구하세요.

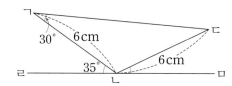

풀이

답 ＿＿＿＿＿＿＿＿＿＿＿＿

연습, 실전 문제는 매칭북 15쪽에서 한 번 더!

연습

04 삼각형 ㄱㄴㄷ은 정삼각형, 삼각형 ㄹㄴㄷ은 이등변삼각형입니다. **각 ㄴㄷㄹ의 크기**는 몇 도인지 풀이 과정을 쓰고, 답을 구하세요.

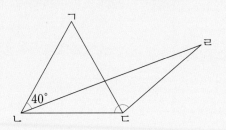

서술형 포인트
❶ 각 ㄹㄴㄷ의 크기 구하기
❷ 각 ㄴㄷㄹ의 크기 구하기

풀이를 완성하세요.

❶ 삼각형 ㄱㄴㄷ은 정삼각형이므로

(각 ㄱㄴㄷ)=_____

➡ (각 ㄹㄴㄷ)

= _____

❷ 삼각형 ㄹㄴㄷ은 이등변삼각형이므로

(각 ㄴㄹㄷ)=(각 ㄹㄴㄷ)=_____

➡ (각 ㄴㄷㄹ)

= _____

답 _____

단계

05 삼각형 ㄱㄴㄷ은 정삼각형, 삼각형 ㄹㄴㄷ은 이등변삼각형입니다. **각 ㄱㄴㄹ의 크기는 몇 도**인지 풀이 과정을 쓰고, 답을 구하세요.

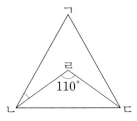

❶ 각 ㄹㄴㄷ의 크기 구하기

풀이

❷ 각 ㄱㄴㄹ의 크기 구하기

풀이

답 _____

실전

06 삼각형 ㄱㄴㄷ은 정삼각형, 삼각형 ㄹㄴㄷ은 이등변삼각형입니다. **각 ㄱㄴㄹ의 크기는 몇 도**인지 풀이 과정을 쓰고, 답을 구하세요.

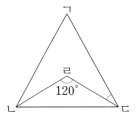

풀이

답 _____

단원 마무리

01 이등변삼각형을 모두 고르세요. (   )

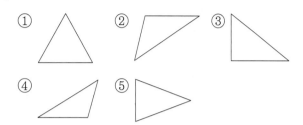

02 자를 사용하여 삼각형의 변의 길이를 재어 보고 정삼각형을 모두 찾아 기호를 써 보세요.

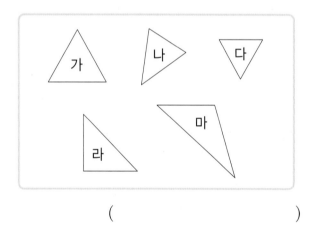

(   )

03 선분 ㄱㄴ을 한 변으로 하는 예각삼각형을 그리려고 합니다. 나머지 한 꼭짓점이 될 수 있는 점의 위치는 어디일까요? (   )

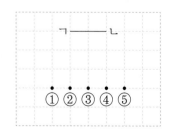

04 주어진 선분을 한 변으로 하는 정삼각형을 그려 보세요.

05 예각삼각형은 '예', 둔각삼각형은 '둔', 직각삼각형은 '직'을 □ 안에 써넣으세요.

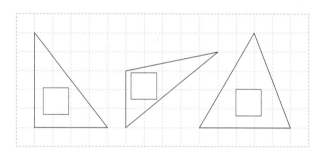

06 삼각형의 세 변의 길이가 다음과 같을 때 이등변삼각형인 것을 찾아 기호를 써 보세요.

> ㉠ 8 cm, 7 cm, 8 cm
> ㉡ 9 cm, 6 cm, 8 cm

(   )

07 오른쪽 육각형을 선을 따라 모두 자르면 예각삼각형과 둔각삼각형은 각각 몇 개 생길까요?

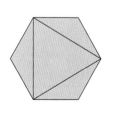

예각삼각형 (   )

둔각삼각형 (   )

08 다음은 이등변삼각형입니다. □ 안에 알맞은 수를 써넣으세요.

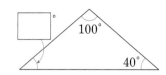

09 다음 중 틀린 것을 찾아 기호를 써 보세요.

> ㉠ 예각삼각형은 세 각이 모두 예각입니다.
> ㉡ 직각삼각형은 한 각이 직각입니다.
> ㉢ 둔각삼각형은 세 각이 모두 둔각입니다.

( )

10 조건을 모두 만족하는 삼각형을 그려 보세요.

> • 두 변의 길이가 같습니다.
> • 둔각삼각형입니다.

11 삼각형에서 ㉠은 몇 도인지 구하세요.

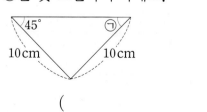

( )

12 트라이앵글은 정삼각형 모양입니다. 삼각형 ㄱㄴㄷ의 세 변의 길이의 합이 54cm일 때 변 ㄱㄴ의 길이는 몇 cm일까요?

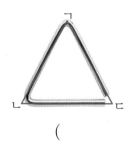

( )

13 삼각형의 이름으로 알맞지 않은 것을 찾아 기호를 써 보세요.

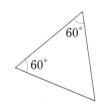

> ㉠ 예각삼각형   ㉡ 둔각삼각형
> ㉢ 이등변삼각형   ㉣ 정삼각형

( )

14 삼각형의 세 각 중 두 각의 크기입니다. 이등변삼각형인 것을 모두 찾아 ◯표 하세요.

| 80°, 50° | 45°, 100° | 35°, 110° |

( )   ( )   ( )

15 크기가 서로 다른 정삼각형 2개를 변끼리 꼭 맞게 이어 붙인 것입니다. ㉠은 몇 도일까요?

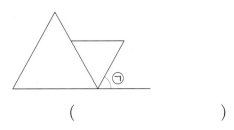

(   )

16 그림에서 찾을 수 있는 크고 작은 예각삼각형은 모두 몇 개일까요?

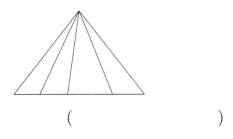

(   )

17 삼각형 ㄱㄴㄷ은 이등변삼각형, 삼각형 ㄹㄴㄷ은 정삼각형입니다. 각 ㄹㄷㅁ의 크기는 몇 도일까요?

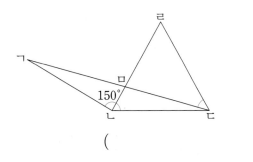

(   )

18 두 삼각형의 같은 점과 다른 점을 각각 한 가지씩 써 보세요.

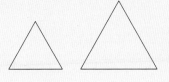

같은 점 _____

다른 점 _____

19 삼각형 ㄱㄴㄷ은 이등변삼각형입니다. ㉠은 몇 도인지 풀이 과정을 쓰고, 답을 구하세요.

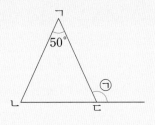

풀이 _____

_____

_____

답 _____

20 이등변삼각형과 정삼각형의 세 변의 길이의 합은 같습니다. 정삼각형의 한 변은 몇 cm인지 풀이 과정을 쓰고, 답을 구하세요.

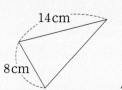

풀이 _____

_____

_____

답 _____

생각하며 쉬어가기

야만. 나는 카리브해에 위치한 섬나라, 자메이카에 살고 있는
일레인이라고 해.
'야만'은 자메이카에서 반가울 때 쓰는 간단한 인사말이야.

야만
(Ya Man)

독특한 리듬의 음악인 레게는 1960년대에 자메이카에서 처음
으로 시작됐어. 자메이카 흑인들의 전통적인 댄스 음악에 미국
적인 요소가 더해져 탄생하게 되었지.
또, 자메이카는 우사인 볼트와 같은 세계적인 육상 선수를 배출한 나라란다~.

2
단원

카리브해에 위치한 '자메이카'

레게의 본고장 자메이카에서 펼쳐지는 '레게 축제'

레게 열풍을 일으켰던 전설의 가수 **밥 말리**(Bob Marley)
의 노래는 자메이카의 영혼이 느껴지는 멋진 곡이란다!

3 소수의 덧셈과 뺄셈

🕐 학습계획표

진도북, 매칭북

학습 계획 및 확인				학습 내용
STEP 1 개념 **완성하기**	▢ 월 ▢ 일	진 058~061쪽	▢	1. 소수 두 자리 수 2. 소수 세 자리 수
	▢ 월 ▢ 일	매 16쪽	▢	3. 소수의 크기 비교 4. 소수 사이의 관계
STEP 2 실력 **다지기**	▢ 월 ▢ 일	진 062~067쪽	▢	그림으로 소수 알아보기 소수 읽기 소수의 자릿값 단위 사이의 관계 어떤 수의 ■배 ■배인지 알아보기
	▢ 월 ▢ 일	매 17~19쪽	▢	소수의 크기 비교 소수의 크기 비교의 활용 약점 체크 조건을 만족하는 소수 구하기 약점 체크 소수 사이의 관계를 이용하여 어떤 수 구하기 약점 체크 카드를 사용하여 소수 만들기 약점 체크 ▢ 안에 들어갈 수 있는 수 구하기
STEP 1 개념 **완성하기**	▢ 월 ▢ 일	진 068~071쪽	▢	5. 소수 한 자리 수의 덧셈 6. 소수 한 자리 수의 뺄셈
	▢ 월 ▢ 일	매 20쪽	▢	7. 소수 두 자리 수의 덧셈 8. 소수 두 자리 수의 뺄셈
STEP 2 실력 **다지기**	▢ 월 ▢ 일	진 072~077쪽	▢	소수의 덧셈과 뺄셈의 계산 방법 자릿수가 같은 소수의 덧셈과 뺄셈 계산 결과의 크기 비교 소수의 덧셈과 뺄셈의 활용① 자릿수가 다른 소수의 덧셈과 뺄셈 소수의 덧셈과 뺄셈의 활용②
	▢ 월 ▢ 일	매 21~23쪽	▢	세 소수의 계산 단위가 다른 수의 덧셈과 뺄셈 약점 체크 어떤 수 구하기 약점 체크 계산식에서 ▢ 안에 알맞은 수 구하기 약점 체크 조건을 이용하여 문제 해결하기 약점 체크 카드로 만든 소수의 합과 차 구하기
STEP 3 서술형 **해결하기**	▢ 월 ▢ 일	진 078~081쪽	▢	서술형 학습
	▢ 월 ▢ 일	매 24~25쪽	▢	
평가 단원 **마무리**	▢ 월 ▢ 일	진 082~084쪽	▢	마무리 학습
	▢ 월 ▢ 일	매 52~54쪽	▢	

※ 이번 단원에서 공부할 계획을 세우고 계획대로 공부했다면 ▢ 안에 ◯표 합니다.

개념 완성하기

1 소수 두 자리 수

(1) 소수 두 자리 수 쓰고, 읽기

$\dfrac{1}{100}$ → 쓰기 0.01 읽기 영⌄점⌄영일

$6\dfrac{35}{100}$ → 쓰기 6.35 읽기 육⌄점⌄삼오

소수를 읽을 때 소수점 앞과 뒤로 띄어서 읽습니다.

(2) 소수 두 자리 수의 자릿값

예제 **6.35**의 자릿값 알아보기

일의 자리		소수 첫째 자리	소수 둘째 자리
6	.		
0	.	3	
0	.	0	5

→ 6.35: 1이 6개, 0.1이 3개, 0.01이 5개인 수

2 소수 세 자리 수

(1) 소수 세 자리 수 쓰고, 읽기

$\dfrac{1}{1000}$ → 쓰기 0.001 읽기 영⌄점⌄영영일

$3\dfrac{517}{1000}$ → 쓰기 3.517 읽기 삼⌄점⌄오일칠

(2) 소수 세 자리 수의 자릿값

예제 **3.517**의 자릿값 알아보기

일의 자리		소수 첫째 자리	소수 둘째 자리	소수 셋째 자리
3	.			
0	.	5		
0	.	0	1	
0	.	0	0	7

→ 3.517: 1이 3개, 0.1이 5개, 0.01이 1개, 0.001이 7개인 수

참고 ■, ▲, ●, ♥가 각각 한 자리 수일 때

$\dfrac{■▲●}{1000}=0.■▲●$ $\dfrac{■▲●♥}{1000}=■.▲●♥$

개념 확인

1 오른쪽 모눈종이 전체의 크기가 1이라고 할 때 색칠한 부분의 크기를 알아보려고 합니다. ☐ 안에 알맞은 수를 써넣으세요.

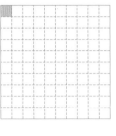

(1) 모눈이 ☐ 칸 그려져 있습니다.

(2) 모눈 한 칸의 크기는 분수로 ☐, 소수로 ☐ 입니다.

2 3.195에 대해 알아보려고 합니다. ☐ 안에 알맞은 수나 말을 써넣으세요.

(1) 3은 ☐의 자리 숫자이고 3을 나타냅니다.

(2) 1은 소수 첫째 자리 숫자이고 ☐을 나타냅니다.

(3) 9는 ☐ 자리 숫자이고 0.09를 나타냅니다.

(4) 5는 소수 셋째 자리 숫자이고 ☐를 나타냅니다.

3 오른쪽 모눈종이 전체의 크기가 1이라고 할 때 색칠한 부분의 크기를 소수로 나타내어 보세요.

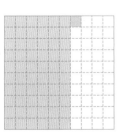

(   )

기본 유형 문제는 매칭북 16쪽에서 한 번 더!

정답 15쪽

4 분수를 소수로 나타내고, 읽어 보세요.

분수	소수	
	쓰기	읽기
$\dfrac{8}{100}$		
$1\dfrac{103}{1000}$		

기본 유형 확인

7 소수로 나타내어 보세요.

(1) 0.1이 4개, 0.01이 8개인 수

( )

(2) 0.1이 9개, 0.01이 2개, 0.001이 6개인 수

( )

5 관계있는 것끼리 선으로 이어 보세요.

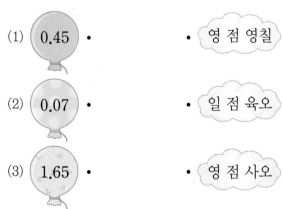

(1) 0.45 •

(2) 0.07 •

(3) 1.65 •

• 영 점 영칠

• 일 점 육오

• 영 점 사오

8 소수에서 숫자 3이 나타내는 수를 써 보세요.

(1) 0.39 ➡ ( )

(2) 1.53 ➡ ( )

(3) 3.206 ➡ ( )

(4) 8.453 ➡ ( )

6 □ 안에 알맞은 수를 써넣으세요.

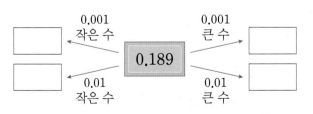

0.001 작은 수
0.001 큰 수
0.01 작은 수
0.01 큰 수
0.189

9 오른쪽 통에 들어 있는 주스의 양은 몇 L인지 읽어 보세요.

1.25 L

( ) L

3 소수의 크기 비교

(1) 크기가 같은 소수

소수는 필요한 경우 오른쪽 끝자리에 0을 붙여서 나타낼 수 있습니다.

예 $0.7 = 0.70$, $0.01 = 0.010$, $2.58 = 2.580$

(2) 소수의 크기 비교

예제 1 **2.207과 3.146의 크기 비교**

$$2.207 < 3.146$$
$$\underset{2<3}{\underline{\quad\quad}}$$
자연수 부분이 2와 3으로 다릅니다.

예제 2 **0.347과 0.32의 크기 비교**

$$0.347 > 0.32$$
$$\underset{4>2}{\underline{\quad\quad}}$$
자연수 부분이 0으로 같으므로 소수 첫째 자리부터 차례로 비교합니다.

• 소수 첫째 자리 수가 같으므로 소수 둘째 자리 수를 비교합니다.

4 소수 사이의 관계

예제 **1, 0.1, 0.01, 0.001 사이의 관계 알아보기**

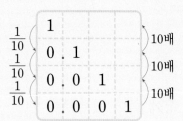

• 어떤 수의 10배, 어떤 수의 $\frac{1}{10}$

	어떤 수의 10배	어떤 수의 $\frac{1}{10}$
크기	수가 점점 커짐	수가 점점 작아짐
수의 위치	소수점을 기준으로 왼쪽으로 한 자리 이동	소수점을 기준으로 오른쪽으로 한 자리 이동

개념 확인

1 0.35와 0.46의 크기를 비교하려고 합니다. 물음에 답하세요.

(1) 모눈종이 전체의 크기가 1이라고 할 때 모눈종이에 두 소수를 나타내어 보세요.

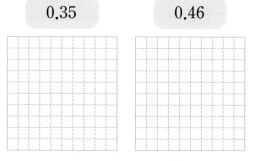

(2) 두 소수의 크기를 비교하여 ○ 안에 >, =, <를 알맞게 써넣으세요.

$$0.35 \bigcirc 0.46$$

2 1, 0.1, 0.01, 0.001 사이의 관계를 알아보려고 합니다. □ 안에 알맞은 수를 써넣으세요.

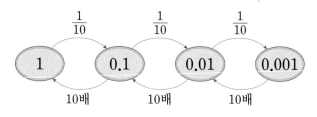

(1) 1은 0.01의 ☐ 배입니다.

(2) 1은 0.001의 ☐ 배입니다.

(3) 0.1의 $\frac{1}{10}$ 은 ☐ 입니다.

(4) 0.01의 $\frac{1}{10}$ 은 ☐ 입니다.

기본 유형 확인

3 □ 안에 알맞은 수를 써넣으세요.

(1) 2.07의 10배는 [   ] 입니다.

(2) 0.089의 100배는 [   ] 입니다.

(3) 4.1의 $\frac{1}{10}$ 은 [   ] 입니다.

(4) 6.3의 $\frac{1}{100}$ 은 [   ] 입니다.

6 소수에서 생략할 수 있는 0을 찾아 보기 와 같이 나타내어 보세요.

보기

0.4̸0̸   5.02̸0̸

0.08   1.60   0.340   7.805

4 수직선 위에 3.692와 3.678을 각각 화살표 (↑)로 표시하고, 크기를 비교하여 ○ 안에 >, =, <를 알맞게 써넣으세요.

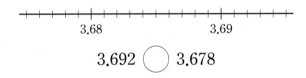

3.68   3.69

3.692 ○ 3.678

7 두 소수의 크기를 비교하여 ○ 안에 >, =, <를 알맞게 써넣으세요.

(1) 1.96 ○ 2.1

(2) 0.76 ○ 0.67

(3) 3.681 ○ 3.678

(4) 0.254 ○ 0.259

5 빈 곳에 알맞은 수를 써넣으세요.

(1)

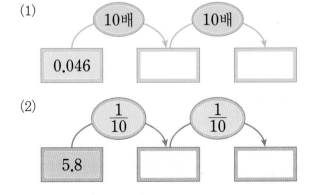

8 2.4를 나타내는 것을 찾아 색칠하세요.

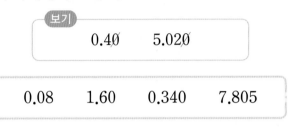

0.24의 10배   0.24의 100배

그림으로 소수 알아보기

유형 **01** 수직선을 보고 □ 안에 알맞은 소수를 써넣으세요.

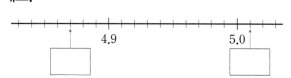

확인 **02** 소수 2.387을 수직선에 화살표(↑)로 나타내어 보세요.

강화 **03** 민성이가 선물을 포장하는 데 리본을 다음과 같이 사용하였습니다. 민성이가 사용한 리본은 몇 m인지 소수로 나타내어 보세요.

( )

소수 읽기

04 민수, 현정, 상호 중 소수를 바르게 읽은 사람은 누구일까요?

민수 영 점 삼오 0.305

현정 이 점 영구칠 2.097

상호 일이 점 이오 12.25

( )

서술형
05 다음은 지원이가 소수를 잘못 읽은 것입니다. 잘못 읽은 이유를 쓰고, 바르게 읽어 보세요.

지원 칠 점 삼백십사

7.314

이유

바르게 읽기

06 1이 10개, $\frac{1}{10}$이 9개, $\frac{1}{100}$이 8개인 수를 소수로 쓰고, 읽어 보세요.

쓰기 ( )

읽기 ( )

소수의 자릿값

07 밑줄 친 숫자는 어느 자리 숫자이고, 얼마를 나타내는지 써 보세요.

3.2<u>7</u>8

(,   )

08 소수 셋째 자리 숫자가 가장 큰 수를 찾아 ○표 하세요.

6.357   4.605   5.869

09 숫자 5가 0.05를 나타내는 수를 모두 찾아 기호를 써 보세요.

㉠ 0.58   ㉡ 0.253
㉢ 3.75   ㉣ 9.635

(   )

단위 사이의 관계

10 6 L 85 mL는 몇 L인지 소수로 나타내어 보세요.

(   )

11 단위 사이의 관계를 바르게 나타낸 사람의 이름을 써 보세요.

하윤 52 mm＝0.52 cm

준서 904 g＝9.04 kg

수연 371 mL＝0.371 L

(   )

12 일기를 보고 키는 몇 m이고, 몸무게는 몇 kg인지 소수로 나타내어 보세요.

[교과역량]

○월 ○일 ☀
오늘 학교에서 신체 검사를 했다. 검사 결과 키는 <u>138 cm</u>, 몸무게는 <u>35 kg 400 g</u>이었다. 작년보다 키가 많이 커서 기분이 좋았다. 운동도 열심히 하고 밥도 많이 먹어서 그런가보다.

키 (   )
몸무게 (   )

어떤 수의 □배

유형 **13** 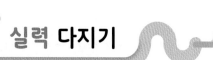은 주어진 수를 10배로 만듭니다. 빈 곳에 알맞은 수를 써넣으세요.

(1) 0.937 →(×10)→ [   ] →(×10)→ [   ]

(2) 4.61 →(×10)→(×10)→(×10)→ [   ]

확인 **14** 다음이 나타내는 수에서 소수 둘째 자리 숫자를 구하세요.

$$1598.4의 \frac{1}{100}$$

(   )

강화 **15** 나타내는 수가 나머지와 다른 하나를 찾아 △표 하세요.

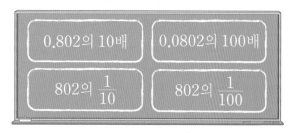

0.802의 10배   0.0802의 100배

$802의 \frac{1}{10}$ $802의 \frac{1}{100}$

배인지 알아보기

16 □ 안에 들어갈 수가 가장 큰 것을 찾아 기호를 써 보세요.

> ㉠ 3.8은 0.038의 □배
> ㉡ 50은 0.05의 □배
> ㉢ 19.04는 1.904의 □배

(   )

17 ㉠이 나타내는 수는 ㉡이 나타내는 수의 몇 배인지 구하세요.

2 9 . 3 5 9
  ㉠   ㉡

(   )

서술형
18 다음이 나타내는 수는 14.9의 ■입니다. ■를 분수로 나타내려고 합니다. 풀이 과정을 쓰고, 답을 구하세요.

> 0.1이 1개, 0.01이 4개,
> 0.001이 9개인 수

풀이 _____

_____

_____

답 _____

소수의 크기 비교

19 큰 수부터 차례로 ☐ 안에 번호를 써넣으세요.

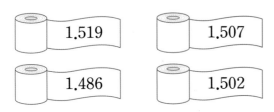

1.519   1.507

1.486   1.502

20 다음 두 소수의 크기를 비교하는 방법을 잘못 말한 사람을 찾아 이름을 쓰고, 그 이유를 써 보세요. (단, ■, ▲, ●는 각각 한 자리 숫자입니다.) ◀서술형

> ㉠ 0.0■▲   ㉡ 0.0●

> [재중] ㉠은 소수 세 자리 수이고, ㉡은 소수 두 자리 수니까 ㉠이 더 큰 수야.
> [현아] ■가 ●보다 크면 ㉠이 더 큰 수야.

이름 _____

이유 _____

_____

21 크기를 비교하여 ○ 안에 >, =, <를 알맞게 써넣으세요.

$$532의 \frac{1}{100} \quad \bigcirc \quad 0.563의 10배$$

소수의 크기 비교의 활용

22 다음은 올림픽 육상 종목 중 경보와 마라톤에 대한 설명입니다. 마라톤의 경주 거리는 몇 km인지 구하여 ☐ 안에 써넣고, 경주 거리가 더 짧은 종목을 써 보세요. 교과역량

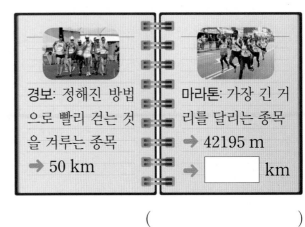

경보: 정해진 방법으로 빨리 걷는 것을 겨루는 종목
➡ 50 km

마라톤: 가장 긴 거리를 달리는 종목
➡ 42195 m
➡ ☐ km

(   )

23 지호가 동물을 보러 가려고 합니다. 길을 가다 나무가 있는 갈림길에서는 가장 큰 소수가 있는 길로 가고, 꽃이 있는 갈림길에서는 가장 작은 소수가 있는 길로 갑니다. 지호가 도착한 곳에 있는 동물은 무엇일까요? (단, 한 번 지나온 길은 다시 가지 않습니다.)

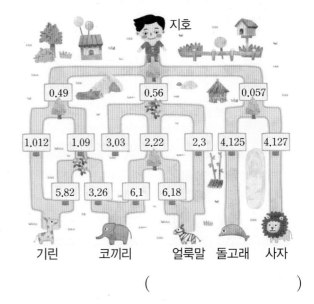

지호

0.49   0.56   0.057

1.012   1.09   3.03   2.22   2.3   4.125   4.127

5.82   3.26   6.1   6.18

기린   코끼리   얼룩말   돌고래   사자

(   )

조건을 만족하는 소수 구하기 약점 체크

유형 **24** 다음 조건을 모두 만족하는 소수 세 자리 수를 쓰고, 읽어 보세요.

> • 8보다 크고 9보다 작습니다.
> • 소수 첫째 자리 숫자는 4입니다.
> • 소수 둘째 자리 숫자는 6입니다.
> • 소수 셋째 자리 숫자는 1입니다.

쓰기 (   )

읽기 (   )

해결 첫 번째 조건을 이용하여 소수의 자연수 부분을 구할 수 있습니다.

확인 **25** 주원이가 소수에 관한 수수께끼를 풀고 있습니다. 수수께끼를 풀어 □ 안에 알맞은 수를 써넣으세요.

교과역량

> **수수께끼**
> • 이 소수는 소수 두 자리 수야.
> • 5보다 크고 6보다 작아.
> • 소수 첫째 자리 숫자는 0이야.
> • 소수 둘째 자리 숫자는 9야.

이 소수는 □ 야.

주원

소수 사이의 관계를 이용하여 어떤 수 구하기 약점 체크

26 어떤 수의 10배는 254입니다. 어떤 수의 $\frac{1}{100}$은 얼마일까요?

(   )

해결 어떤 수와 주어진 수의 관계

어떤 수 ←□배→ 주어진 수
$\frac{1}{□}$

서술형

27 어떤 수를 10배 해야 할 것을 잘못하여 $\frac{1}{10}$인 수를 구했더니 3.549였습니다. 어떤 수를 10배 한 수는 얼마인지 풀이 과정을 쓰고, 답을 구하세요.

풀이

답

약점 체크 **카드를 사용하여 소수 만들기**

28 다음 5장의 카드를 한 번씩 모두 사용하여 만들 수 있는 가장 작은 소수 세 자리 수를 구하세요.

| 0 | 1 | 3 | 5 | . |

( )

> 주의 소수에서는 맨 앞자리에 0이 들어갈 수 있음에 주의합니다.

29 5장의 카드 2 , 4 , 6 , 7 , . 을 한 번씩 모두 사용하여 소수 두 자리 수를 만들려고 합니다. 만들 수 있는 가장 큰 소수를 구하세요.

( )

□ 안에 들어갈 수 있는 수 구하기

30 0부터 9까지의 수 중 □ 안에 들어갈 수 있는 수를 모두 구하세요.

$$37.4\square 6 > 37.465$$

( )

> 주의 □의 바로 윗자리와 □의 자리만 비교하여 □ 안에 들어갈 수 있는 수를 구하지 않도록 주의합니다.

31 □ 안에는 0부터 9까지의 수 중 어느 수를 넣어도 됩니다. 틀린 것을 찾아 기호를 써 보세요.

ⓐ $58.\square 91 > 58.0\square$

ⓑ $7.894 < 7.8\square 1$

( )

5 소수 한 자리 수의 덧셈

예제 **0.4＋0.7의 계산**

방법 1 그림을 이용하여 알아보기

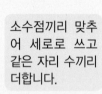

→ 0.4＋0.7＝1.1

방법 2 0.1이 몇 개인 수로 계산하기

$$
\begin{array}{r}
0.4는\ 0.1이\quad 4개 \\
+\ 0.7은\ 0.1이\quad 7개 \\
\hline
0.1이\ 11개
\end{array}
$$
→ 0.4＋0.7＝1.1

방법 3 세로셈으로 계산하기

소수점끼리 맞추어 세로로 쓰고 같은 자리 수끼리 더합니다.

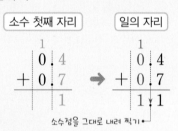

소수 첫째 자리	일의 자리

소수점을 그대로 내려 찍기 •

6 소수 한 자리 수의 뺄셈

예제 **0.8－0.5의 계산**

방법 1 그림을 이용하여 알아보기

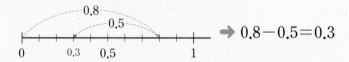

→ 0.8－0.5＝0.3

방법 2 0.1이 몇 개인 수로 계산하기

$$
\begin{array}{r}
0.8은\ 0.1이\ 8개 \\
-\ 0.5는\ 0.1이\ 5개 \\
\hline
0.1이\ 3개
\end{array}
$$
→ 0.8－0.5＝0.3

방법 3 세로셈으로 계산하기

소수점끼리 맞추어 세로로 쓰고 같은 자리 수끼리 뺍니다.

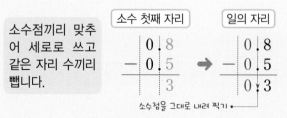

소수점을 그대로 내려 찍기 •

개념 확인

1 0.2＋0.5는 얼마인지 구하려고 합니다. 물음에 답하세요.

(1) 전체의 크기가 1인 모눈종이에 0.2만큼 파란색으로 색칠하고, 이어서 0.5만큼 노란색으로 색칠하세요.

(2) 0.2＋0.5는 얼마인가요?

(   )

2 수직선을 보고 □ 안에 알맞은 수를 써넣으세요.

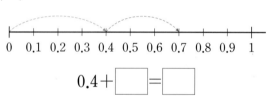

0.4＋□＝□

3 두 모눈종이의 전체의 크기가 각각 1이라고 할 때 색칠한 부분의 크기의 차를 구하려고 합니다. □ 안에 알맞은 수를 써넣으세요.

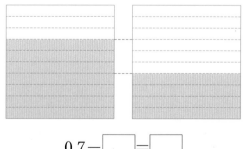

0.7－□＝□

4 2.4－1.6을 계산하려고 합니다. □ 안에 알맞은 수를 써넣으세요.

> 2.4는 0.1이 □개, 1.6은 0.1이 □ 개입니다.
>
> ➜ 2.4－1.6은 0.1이 □개이므로
>
> 2.4－1.6＝□ 입니다.

5 계산해 보세요.

(1) $0.7＋0.2$

(2) $1.6－0.8$

(3) 　0.7
　　$＋0.8$

(4) 　0.8
　　$－0.6$

6 빈 곳에 알맞은 수를 써넣으세요.

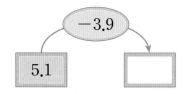

5.1

기본 유형 확인

7 바르게 계산한 것을 찾아 ○표 하세요.

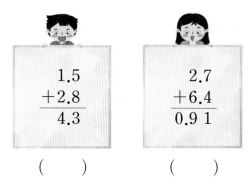

$$\begin{array}{r} 1.5 \\ +2.8 \\ \hline 4.3 \end{array}$$

$$\begin{array}{r} 2.7 \\ +6.4 \\ \hline 0.9\,1 \end{array}$$

(　)　　　　(　)

8 가장 큰 수와 가장 작은 수의 차를 구하세요.

0.6　　0.1　　0.9

(　　　　　　　)

9 지훈이는 자전거를 어제는 4.5 km 탔고, 오늘은 2.4 km 탔습니다. 지훈이가 어제와 오늘 자전거를 탄 거리는 모두 몇 km일까요?

(지훈이가 자전거를 탄 거리)

＝□＋2.4＝□ (km)

STEP 1 개념 완성하기

7 소수 두 자리 수의 덧셈

(1) 자릿수가 같은 소수 두 자리 수의 덧셈

예제 **3.66+2.86의 계산**

소수 둘째 자리	소수 첫째 자리	일의 자리
$\begin{array}{r} 1 \\ 3.66 \\ +2.86 \\ \hline 2 \end{array}$	$\begin{array}{r} 1\ 1 \\ 3.66 \\ +2.86 \\ \hline 52 \end{array}$	$\begin{array}{r} 1\ 1 \\ 3.66 \\ +2.86 \\ \hline 6.52 \end{array}$

(2) 자릿수가 다른 소수 두 자리 수의 덧셈

오른쪽 끝자리 뒤에 0을 붙여 자릿수를 맞추고 더합니다.

$$\begin{array}{r} \blacksquare.\blacktriangle\,0 \\ +\,\bullet.\heartsuit\,\bigstar \\ \hline \end{array}$$

예제 **0.9+1.43의 계산**

$$\begin{array}{r} 0.9\,0 \\ +1.4\,3 \\ \hline \end{array} \Rightarrow \begin{array}{r} 1 \\ 0.9\,0 \\ +1.4\,3 \\ \hline 2.3\,3 \end{array}$$

주의 소수점의 자리를 잘못 맞추고 계산하지 않도록 주의합니다.

8 소수 두 자리 수의 뺄셈

(1) 자릿수가 같은 소수 두 자리 수의 뺄셈

예제 **5.76-1.47의 계산**

소수 둘째 자리	소수 첫째 자리	일의 자리
$\begin{array}{r} {}^{6}\,10 \\ 5.7\,6 \\ -1.4\,7 \\ \hline 9 \end{array}$	$\begin{array}{r} {}^{6}\,10 \\ 5.7\,6 \\ -1.4\,7 \\ \hline 2\ 9 \end{array}$	$\begin{array}{r} {}^{6}\,10 \\ 5.7\,6 \\ -1.4\,7 \\ \hline 4.2\ 9 \end{array}$

(2) 자릿수가 다른 소수 두 자리 수의 뺄셈

오른쪽 끝자리 뒤에 0을 붙여 자릿수를 맞추고 뺍니다.

$$\begin{array}{r} \blacksquare.\blacktriangle\,0 \\ -\,\bullet.\heartsuit\,\bigstar \\ \hline \end{array}$$

예제 **4.6-0.55의 계산**

$$\begin{array}{r} 4.6\,0 \\ -0.5\,5 \\ \hline \end{array} \Rightarrow \begin{array}{r} {}^{5}\,10 \\ 4.\cancel{6}\,0 \\ -0.5\,5 \\ \hline 4.0\,5 \end{array}$$

개념 확인

1 모눈종이 전체의 크기가 1이라고 할 때 그림을 보고 ☐ 안에 알맞은 수를 써넣으세요.

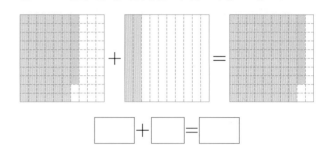

$$\boxed{}+\boxed{}=\boxed{}$$

2 0.64-0.31은 얼마인지 구하려고 합니다. 물음에 답하세요.

(1) 전체의 크기가 1인 모눈종이에 0.64만큼 색칠하고, 색칠한 부분에서 0.31만큼을 ×로 지워 보세요.

(2) 0.64-0.31은 얼마인가요?

(   )

3 수직선을 보고 ☐ 안에 알맞은 수를 써넣으세요.

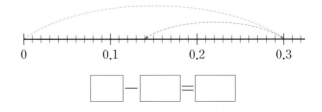

$$\boxed{}-\boxed{}=\boxed{}$$

기본 유형 확인

4 □ 안에 알맞은 수를 써넣으세요.

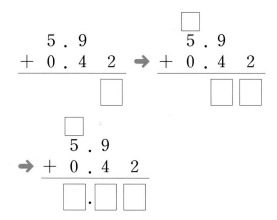

5 계산해 보세요.

(1) 0.28＋0.67

(2) 0.73－0.17

(3)
```
   2.7 9
 +6.3 2
```

(4)
```
   5.4 3
 −2.9 8
```

6 빈 곳에 두 수의 차를 써넣으세요.

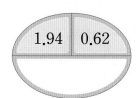

7 계산 결과를 찾아 선으로 이어 보세요.

(1) 0.19＋0.34 • • 0.5

(2) 0.72＋0.18 • • 0.9

(3) 0.64－0.14 • • 0.53

8 크기를 비교하여 ○ 안에 ＞, ＝, ＜를 알맞게 써넣으세요.

(1) 0.36＋0.42 ○ 0.81

(2) 3.58－1.67 ○ 1.79

9 길이가 4.26 m인 털실이 있습니다. 이 털실로 뜨개질을 하는 데 2.53 m를 사용하였습니다. 남은 털실의 길이는 몇 m일까요?

(남은 털실의 길이)

＝ □ －2.53＝ □ (m)

소수의 덧셈과 뺄셈의 계산 방법

유형 **01** 다음 덧셈을 2가지 방법으로 계산하세요.

$$2.8 + 1.9$$

방법 **1** 0.1이 ■개인 수로 나타내어 구하기

방법 **2** 세로셈으로 구하기

확인 **02** 3.87−1.9를 세로셈으로 나타낸 것입니다. 식을 바르게 쓴 것에 ○표 하세요.

```
  3.8 7
−   1.9
```

```
  3.8 7
− 1.9
```

강화 **03** 11.5+0.78을 세로셈으로 계산한 것입니다. 잘못된 이유를 써 보세요.   ◀서술형

```
  1 1.5
+ 0.7 8
  1 9.3
```

이유 _____

자릿수가 같은 소수의 덧셈과 뺄셈

04 설명하는 수를 구하세요.

0.64보다 0.59 작은 수

(   )

05 다음이 나타내는 수보다 2.76 큰 수를 구하세요.

1이 3개, 0.1이 2개,
0.01이 8개인 수

(   )

06 기현이와 시은이가 생각하는 소수의 차를 구하세요.

내가 생각하는 소수는 일의 자리 숫자가 2, 소수 첫째 자리 숫자가 5인 소수 한 자리 수야.

기현

내가 생각하는 소수는 0.1이 134개인 수야.

시은

(   )

확인, 강화 문제는 매칭북 21쪽에서 한 번 더!

● 정답 18쪽

계산 결과의 크기 비교

07 계산 결과의 크기를 비교하여 ○ 안에 >, =, <를 알맞게 써넣으세요.

$$0.6+0.9 \bigcirc 1.2+0.2$$

08 계산 결과가 작은 것부터 차례로 기호를 써 보세요.

⊙ 0.9−0.4
ⓒ 0.87−0.46
ⓒ 1.32−0.89

(   )

09 계산 결과가 더 큰 수를 들고 있는 사람의 이름을 써 보세요.

3.74보다
5.01 큰 수

시우

10.64보다
2.05 작은 수

수정

(   )

소수의 덧셈과 뺄셈의 활용①

10 뜨거운 물 0.9 L와 차가운 물 0.5 L를 섞어서 미지근한 물을 만들었습니다. 만든 미지근한 물은 몇 L일까요?

(   )

11 미정이네 집에서 키우는 강아지의 무게는 4.27 kg이고, 고양이의 무게는 5.54 kg입니다. 고양이는 강아지보다 몇 kg 더 무거운지 식을 쓰고, 답을 구하세요.

식 _____

답 _____

12 시은이 어머께서 다음과 같이 재료를 사용하여 초코칩 쿠키를 만들려고 합니다. 재료 중 밀가루와 초코칩은 모두 몇 kg일까요?

재료

밀가루 1.43 kg, 버터 0.75 kg, 초코칩 0.68 kg, 설탕 2컵, 달걀 5개

(   )

3
단원

자릿수가 다른 소수의 덧셈과 뺄셈

유형 **13** 그림을 보고 □ 안에 알맞은 수를 써넣으세요.

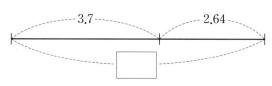

확인 **14** 계산 결과가 큰 것부터 차례로 ◯ 안에 번호를 써넣으세요.

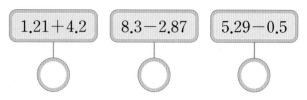

$1.21 + 4.2$ $8.3 - 2.87$ $5.29 - 0.5$

◯   ◯   ◯

강화 **15** 다음이 나타내는 두 수의 차를 구하려고 합니다. 풀이 과정을 쓰고, 답을 구하세요.   서술형

- 0.1이 25개, 0.01이 35개인 수
- 0.1이 19개인 수

풀이 _____

_____

_____

답 _____

소수의 덧셈과 뺄셈의 활용②

16 100원짜리 동전 1개의 무게는 5.42 g이고, 50원짜리 동전 1개의 무게는 4.16 g입니다. 100원짜리 동전 1개는 50원짜리 동전 2개의 무게의 합보다 몇 g 더 가벼울까요?

(   )

17 은호가 집에서 출발하여 도서관을 가려고 합니다. 은행과 병원 중 어느 곳을 거쳐서 가는 길이 더 가까울까요?

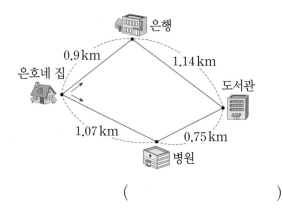

(   )

18 길이가 0.31 m인 색 테이프 2장을 0.06 m만큼 겹쳐서 길게 이어 붙였습니다. 이어 붙인 색 테이프의 전체 길이는 몇 m일까요?

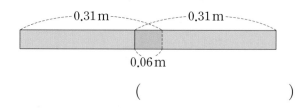

(   )

세 소수의 계산

19 계산 결과가 4.32인 것을 찾아 ○표 하세요.

> $2.85+3.24-1.6$

> $3.59-0.5+1.23$

20 가장 큰 수와 가장 작은 수의 합에서 나머지 수를 뺀 값은 얼마일까요?

| 4.38 | 3.5 | 7.03 |

( )

21 지유는 철사를 사용하여 작품을 만들었습니다. 철사가 20 m 있었는데 그중에서 13.84 m를 사용하고, 8.3 m를 더 구입했습니다. 지금 지유가 가지고 있는 철사는 몇 m일까요?

( )

단위가 다른 수의 덧셈과 뺄셈

22 다음은 준용이와 선정이가 하루 동안 마신 물의 양입니다. 두 사람이 마신 물은 모두 몇 L일까요?

준용	선정
1.2 L	880 mL

( )

23 다음은 다보탑과 미륵사지 석탑에 대한 설명입니다. 어느 탑이 몇 m 더 높은지 차례로 써 보세요.

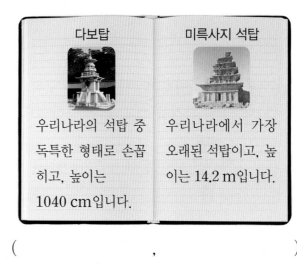

다보탑	미륵사지 석탑
우리나라의 석탑 중 독특한 형태로 손꼽히고, 높이는 1040 cm입니다.	우리나라에서 가장 오래된 석탑이고, 높이는 14.2 m입니다.

(,)

24 가장 무거운 무게와 가장 가벼운 무게의 합은 몇 kg일까요?

| 3.59 kg | 4090 g | 2470 g |

( )

어떤 수 구하기

유형 **25** 4.86에 어떤 수를 더했더니 9.24가 되었습니다. 어떤 수를 구하세요.

( )

해결 어떤 수를 구하는 방법
① 어떤 수를 □라 하고 식을 세웁니다.
② 덧셈과 뺄셈의 관계를 이용하여 어떤 수를 구합니다.

확인 **26** 다음을 보고 바르게 계산한 값을 구하려고 합니다. 풀이 과정을 쓰고, 답을 구하세요. ◀서술형

민지

★에 2.76을 더해야 할 것을 잘못하여 2.76을 뺐더니 0.52가 됐어.

풀이

답

계산식에서 □ 안에 알맞은 수 구하기

27 □ 안에 알맞은 수를 써넣으세요.

$$
\begin{array}{r}
5\ .\ 9\ \square \\
+\ 2\ .\ \square \\
\hline
\square\ .\ 2\ \ 4
\end{array}
$$

주의 받아올림한 수를 빠뜨리고 계산하지 않도록 주의합니다.

28 뺄셈식의 일부분이 지워져서 보이지 않습니다. ㉠, ㉡, ㉢에 알맞은 수를 잘못 나타낸 것을 찾아 ×표 하세요.

$$
\begin{array}{r}
6\ .\ 0\ ㉠ \\
-\ 2\ .\ ㉡\ 1 \\
\hline
㉢\ .\ 3\ \ 6
\end{array}
$$

㉠=7   ㉡=6   ㉢=3

조건을 이용하여 문제 해결하기 약점 체크

29 은미, 성수, 채영이가 운동장에서 1 km 달리기를 했습니다. 다음을 보고 채영이가 달린 거리는 몇 km인지 소수로 나타내어 보세요.

- 은미는 출발 지점에서부터 0.67 km를 달렸습니다.
- 성수는 은미보다 0.16 km 뒤에 있습니다.
- 채영이는 성수보다 0.24 km 앞에 있습니다.

(   )

해결 조건을 보고 그림으로 나타내어 각 학생들이 달린 거리를 알아봅니다.

30 다음을 보고 ●에 알맞은 수를 구하세요.

- ■는 1이 8개, 0.1이 3개, 0.01이 8개인 수입니다.
- ▲는 ■보다 3.93 큰 수입니다.
- ●는 ▲보다 7.09 작은 수입니다.

(   )

카드로 만든 소수의 합과 차 구하기 약점 체크

31 다음 4장의 카드를 한 번씩 모두 사용하여 소수 두 자리 수를 만들려고 합니다. 만들 수 있는 가장 큰 수와 가장 작은 수의 차를 구하세요.

3 7 8 .

(   )

주의 수 카드 3장으로 소수 두 자리 수를 만들어야 하므로 자연수 부분에 반드시 수를 놓아야 합니다.

32 5장의 카드 0 , 4 , 5 , 6 , . 을 한 번씩 모두 사용하여 소수 두 자리 수를 만들려고 합니다. 만들 수 있는 가장 작은 수와 두 번째로 작은 수의 합을 구하세요.

(   )

연습

01 식빵 1개와 케이크 1개를 만드는 데 밀가루가 각각 다음과 같이 필요하다고 합니다. 종수는 밀가루 1.9 kg으로 식빵 1개와 케이크 1개를 만들었습니다. <u>남은 밀가루는 몇 kg인지</u> 풀이 과정을 쓰고, 답을 구하세요.

 640 g   970 g

서술형 포인트
먼저 밀가루의 무게의 단위를 같게 한 다음 계산합니다.
❶ 식빵 1개와 케이크 1개를 만드는 데 필요한 밀가루의 무게를 각각 kg 단위로 나타내기
❷ 남은 밀가루의 무게 구하기

풀이를 완성하세요.

❶ (식빵 1개를 만드는 데 필요한 밀가루의 무게)
= ____ g= ____ kg
(케이크 1개를 만드는 데 필요한 밀가루의 무게)
= ____ g= ____ kg

❷ (남은 밀가루의 무게)
= (처음에 있던 밀가루의 무게)
  − (식빵을 만드는 데 필요한 밀가루의 무게)
  − (케이크를 만드는 데 필요한 밀가루의 무게)
= _____
= _____

답 _____

단계

02 우현이는 냉장고에 있던 우유 1 L 중에서 어제는 350 mL, 오늘은 500 mL 마셨습니다. **남은 우유는 몇 L인지** 풀이 과정을 쓰고, 답을 구하세요.

❶ 어제와 오늘 마신 우유의 양을 각각 L 단위로 나타내기
풀이

❷ 남은 우유의 양 구하기
풀이

답 _____

실전

03 승희는 집에서 출발하여 4 km 떨어진 도서관에 가려고 합니다. 도서관에 가는 데 200 m는 걸어서 갔고, 960 m는 버스를 타고 갔습니다. **남은 거리는 몇 km인지** 풀이 과정을 쓰고, 답을 구하세요.

풀이

답 _____

연습
04 파란색 상자를 통과하면 수가 10배가 되고, 주황색 상자를 통과하면 수가 $\dfrac{1}{100}$이 됩니다. 다음과 같이 5.06을 상자에 통과시켰을 때 ㉠에 알맞은 수는 얼마인지 풀이 과정을 쓰고, 답을 구하세요.

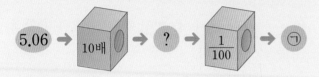

서술형 포인트
소수가 10배, $\dfrac{1}{100}$이 될 때 소수점을 기준으로 수의 자리가 각각 어떻게 변하는지 알아봅니다.
❶ 5.06이 파란색 상자를 통과했을 때 나오는 수 구하기
❷ ㉠에 알맞은 수 구하기

풀이를 완성하세요.

❶ 소수를 10배 하면 소수점을 기준으로 수가
＿＿＿＿으로 ＿＿ 자리 이동합니다.
(5.06이 파란색 상자를 통과했을 때 나오는 수)
＝(5.06의 10배)＝ ＿＿＿＿

❷ 소수가 $\dfrac{1}{100}$이 되면 소수점을 기준으로 수가
＿＿＿＿으로 ＿＿ 자리 이동합니다.
(㉠에 알맞은 수)
＝(＿＿＿의 $\dfrac{1}{100}$)＝ ＿＿＿＿

답 ＿＿＿＿＿＿＿＿＿＿

단계
05 ㉮ 주머니에 들어갔다 나오면 수가 $\dfrac{1}{100}$이 되고, ㉯ 주머니에 들어갔다 나오면 수가 10배가 됩니다. 인주는 2.94를 ㉮ 주머니에 1번, ㉯ 주머니에 1번, 승현이는 19.8을 ㉮ 주머니에 1번 들어갔다 나오게 했습니다. **더 큰 수를 만든 사람은 누구**인지 풀이 과정을 쓰고, 답을 구하세요.

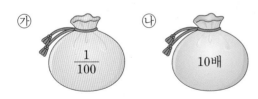

❶ 인주와 승현이가 만든 수 각각 구하기

풀이

❷ 더 큰 수를 만든 사람 찾기

풀이

답 ＿＿＿＿＿＿＿＿＿＿

실전
06 ㉮ 상자에 들어갔다 나오면 수가 100배가 되고, ㉯ 상자에 들어갔다 나오면 수가 $\dfrac{1}{10}$이 됩니다.
승준이는 82.7을 ㉯ 상자에 2번, 지우는 0.094를 ㉮ 상자에 1번, ㉯ 상자에 1번 들어갔다 나오게 했습니다. **더 작은 수를 만든 사람은 누구**인지 풀이 과정을 쓰고, 답을 구하세요.

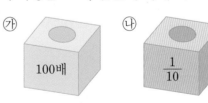

풀이

답 ＿＿＿＿＿＿＿＿＿＿

연습

07 □ 안에 들어갈 수 있는 소수 한 자리 수 중 가장 작은 수를 구하려고 합니다. 풀이 과정을 쓰고, 답을 구하세요.

$$5.8 + \square > 12.4$$

서술형 포인트

\> 를 ＝라 하고 □의 값을 구한 다음 주어진 식에서 □ 안에 들어갈 수 있는 수의 범위를 구합니다.
❶ □ 안에 들어갈 수 있는 수의 범위 구하기
❷ □ 안에 들어갈 수 있는 수 중 가장 작은 수 구하기

풀이를 완성하세요.

❶ \> 를 ＝라 하면 $5.8 + \square = 12.4$입니다.
□＝ _____

➡ 주어진 식에서 □는 _____보다
(작아야 , 커야) 합니다.

❷ _____보다 큰 수 중 가장 작은 소수 한 자리 수 는 _____입니다.
따라서 □ 안에 들어갈 수 있는 소수 한 자리 수 중 가장 작은 수는 _____입니다.

답 _____

단계

08 식이 적혀 있는 카드에 물감이 묻어 일부가 보이지 않습니다. **보이지 않는 부분에 들어갈 수 있는 소수 두 자리 수 중 가장 큰 수**를 구하려고 합니다. 풀이 과정을 쓰고, 답을 구하세요.

$$16.93 > 11.51 + $$

❶ 보이지 않는 부분에 들어갈 수 있는 수의 범위 구하기
풀이

❷ 보이지 않는 부분에 들어갈 수 있는 소수 두 자리 수 중 가장 큰 수 구하기
풀이

답 _____

실전

09 식이 적혀 있는 카드가 찢어져서 일부가 보이지 않습니다. **보이지 않는 부분에 들어갈 수 있는 소수 두 자리 수 중 가장 작은 수**를 구하려고 합니다. 풀이 과정을 쓰고, 답을 구하세요.

$$3.14 > 9.02 - $$

풀이

답 _____

연습

10 0.□□□에서 다음 조건을 모두 만족하도록 □ 안에 알맞은 수를 써넣어 소수 세 자리 수를 만들려고 합니다. 풀이 과정을 쓰고, 답을 구하세요.

- 0.52보다 크고 0.55보다 작습니다.
- 소수 둘째 자리 숫자는 홀수입니다.
- 소수 첫째 자리 숫자와 소수 셋째 자리 숫자의 합은 6입니다.

서술형 포인트

❶ 첫 번째, 두 번째 조건에서 소수 첫째, 소수 둘째 자리 숫자 각각 구하기
❷ 세 번째 조건에서 소수 셋째 자리 숫자 구하기
❸ 조건을 모두 만족하는 소수 세 자리 수 구하기

풀이를 완성하세요.

❶ 0.52보다 크고 0.55보다 작은 수이므로 소수 첫째 자리 숫자는 ___ 입니다.
소수 둘째 자리 숫자는 2보다 크거나 같고 5보다 작은 수 중 홀수이므로 ___ 입니다.

❷ 소수 첫째 자리 숫자는 ___ 이므로 세 번째 조건에서 소수 셋째 자리 숫자는 ___ 입니다.

❸ 따라서 조건을 모두 만족하는 소수 세 자리 수는 _____ 입니다.

 답 _____

단계

11 조건을 모두 만족하는 소수 세 자리 수를 구하려고 합니다. 풀이 과정을 쓰고, 답을 구하세요.

- 2보다 크고 3보다 작은 수입니다.
- 소수 첫째 자리 숫자는 6입니다.
- 일의 자리 숫자와 소수 셋째 자리 숫자의 합은 7입니다.
- 소수 첫째 자리 숫자와 소수 둘째 자리 숫자의 합은 9입니다.

❶ 첫 번째 조건에서 일의 자리 숫자 구하기

풀이

❷ 두 번째, 세 번째, 네 번째 조건에서 소수 둘째, 소수 셋째 자리 숫자 각각 구하기

풀이

❸ 조건을 모두 만족하는 소수 세 자리 수 구하기

풀이

답 _____

실전

12 조건 5개를 보고 설명하는 소수를 구하려고 합니다. 풀이 과정을 쓰고, 답을 구하세요.

소수 다섯 고개

1. 소수 세 자리 수이고, 각 자리의 숫자는 서로 다릅니다.
2. 3보다 크고 4보다 작은 수입니다.
3. 일의 자리 숫자와 소수 둘째 자리 숫자의 합은 9입니다.
4. 소수 첫째 자리 숫자는 3으로 나누어떨어지는 한 자리 수 중 가장 큰 수입니다.
5. 이 소수를 10배 하면 소수 둘째 자리 숫자는 7입니다.

풀이

답 _____

01 수직선을 보고 □ 안에 알맞은 소수를 써넣으세요.

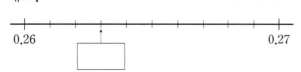

02 소수를 바르게 읽은 것을 찾아 기호를 써 보세요.

> ㉠ 0.702 ➡ 영 점 칠이
> ㉡ 30.08 ➡ 삼십 점 영팔
> ㉢ 4.059 ➡ 사 점 오구

( )

03 두 모눈종이의 전체의 크기가 각각 1이라고 할 때 그림을 보고 □ 안에 알맞은 수를 써넣으세요.

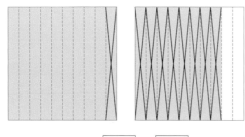

$$1.8 - \boxed{} = \boxed{}$$

04 ×10 은 주어진 수를 10배로 만듭니다. 빈 곳에 알맞은 수를 써넣으세요.

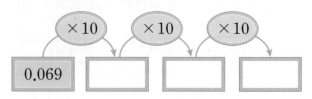

05 계산해 보세요.

$$4.63 + 7.52$$

06 계산 결과를 찾아 선으로 이어 보세요.

(1) $0.75 + 1.71$ • • 1.76

(2) $3.46 - 1.15$ • • 2.31

(3) $1.2 + 0.56$ • • 2.46

07 숫자 2가 나타내는 수가 가장 큰 수는 어느 것일까요? ( )

① 3.72   ② 0.213   ③ 17.012

④ 4.302   ⑤ 6.027

08 계산 결과의 크기를 비교하여 ○ 안에 >, =, <를 알맞게 써넣으세요.

$$0.37+0.84 \quad ◯ \quad 1.6-0.47$$

09 0.06과 같은 수를 모두 고르세요. ( )

① 0.006의 100배   ② 0.06의 10배

③ 6의 $\dfrac{1}{1000}$ ④ 0.6의 $\dfrac{1}{10}$

⑤ 6의 $\dfrac{1}{100}$

10 큰 수부터 차례로 놓았을 때 만들어지는 사자성어를 써 보세요.

| 0.43 학 | 0.86 군 | 0.519 일 | 0.531 계 |

( )

11 □ 안에 들어갈 수의 합을 구하세요.

- 2.3은 0.23의 □배
- 15는 0.015의 □배
- 10.3은 0.103의 □배

( )

12 감자의 무게와 감자가 들어 있는 바구니의 무게는 각각 다음과 같습니다. 빈 바구니는 몇 kg인지 식을 쓰고, 답을 구하세요. (단, 감자의 양은 같습니다.)

식 _____

답 _____

13 □ 안에 알맞은 수를 써넣으세요.

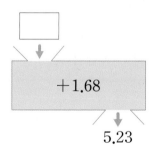

□

↓

+1.68

↓

5.23

14 다음이 나타내는 수보다 2.73 큰 수를 구하세요.

$$0.1이\ 14개,\ 0.01이\ 8개인\ 수$$

( )

15 학교에서 민현이네 집까지의 거리는 2.1 km 이고, 학교에서 수영이네 집까지의 거리는 1250 m입니다. 학교에서 민현이네 집과 수영이네 집 중 어느 곳이 몇 km 더 가까운지 차례로 써 보세요.

(,   )

16 다음 조건을 모두 만족하는 수 중 가장 작은 수를 구하세요.

> • 일의 자리 숫자가 4인 소수 세 자리 수입니다.
> • 소수 첫째 자리 숫자는 8입니다.
> • 소수 셋째 자리 숫자는 소수 첫째 자리 숫자보다 5 작습니다.

(   )

17 0부터 9까지의 수 중 □ 안에 들어갈 수 있는 수를 모두 구하세요.

$$6.05 + 2.19 > 8.\square 4$$

(   )

18 ♣에 알맞은 수를 구하려고 합니다. 풀이 과정을 쓰고, 답을 구하세요.

> ♣의 100배는 12.7입니다.

풀이 _____

_____

_____

답 _____

19 계산이 잘못된 곳을 찾아 바르게 계산하고, 잘못된 이유를 써 보세요.

바른 계산

$$\begin{array}{r} 4.8\ 1 \\ -\ \ \ 1.7 \\ \hline 4.6\ 4 \end{array} \rightarrow$$

이유 _____

20 길이가 6.86 m인 끈과 7.4 m인 끈을 매듭을 지어 묶었더니 전체 끈의 길이가 13.94 m였습니다. 매듭을 짓는 데 사용한 끈은 몇 m인지 풀이 과정을 쓰고, 답을 구하세요.

풀이 _____

_____

답 _____

생각하며 쉬어가기

핀란드 친구

키토스. 내 이름은 티모야.

나는 산타클로스의 나라 핀란드에 살아.

'키토스'는 핀란드에서 감사를 표현하는 말로

'고마워'라는 뜻이야.

핀란드 로바니에미에는 산타클로스 마을이 있어. 이곳

우체국에는 전세계 어린이들이 보낸 편지가 가득하대.

산타클로스들은 어린이가 보낸 편지에 답장을 해주는 데 12개 언어를 할 수 있는 비서들

이 산타클로스를 도와준대.

이번 크리스마스엔 산타클로스에게 편지를 보내 볼까?

3 단원

산타클로스 마을

핀란드의 수도인 헬싱키의 특산품 '청어'

'사우나'는 핀란드의 대표적인 문화야.
사우나를 하고 자작 나뭇가지로
온몸을 두드리는 전통이 있어.

4 사각형

🕐 학습계획표

진 진도북, 매 매칭북

학습 계획 및 확인				학습 내용
STEP 1 개념 완성하기	월 일	진 088~091쪽	☐	1. 수직을 알고 수선 긋기 2. 평행을 알고 평행선 긋기 3. 평행선 사이의 거리
	월 일	매 26쪽	☐	
STEP 2 실력 다지기	월 일	진 092~097쪽	☐	수직과 수선 알아보기 도형에서 수직인 선분 찾기 평행과 평행선 알아보기 도형에서 평행선 찾기 평행선 사이의 거리 알아보기 한 점을 지나는 수선 긋기
	월 일	매 27~29쪽	☐	한 점을 지나는 평행선 긋기 평행선 사이의 거리가 ■ cm인 평행선 긋기 약점 체크 여러 가지 도형에서 평행선 찾기 약점 체크 수선을 이용하여 각도 구하기 약점 체크 평행선 사이의 거리 구하기 약점 체크 평행선을 이용하여 각도 구하기
STEP 1 개념 완성하기	월 일	진 098~101쪽	☐	4. 사다리꼴 5. 평행사변형 6. 마름모 7. 여러 가지 사각형
	월 일	매 30쪽	☐	
STEP 2 실력 다지기	월 일	진 102~107쪽	☐	사각형 알아보기 사각형 그리기 사각형 만들기 여러 가지 사각형 알아보기 여러 가지 사각형의 관계 여러 가지 모양 만들기
	월 일	매 31~33쪽	☐	사각형의 변의 길이 사각형의 각의 크기 약점 체크 사각형 모양으로 도형 덮기 약점 체크 조건을 만족하는 사각형 찾기 약점 체크 크고 작은 사각형의 수 구하기 약점 체크 접은 모양에서 각의 크기 구하기
STEP 3 서술형 해결하기	월 일	진 108~111쪽	☐	서술형 학습
	월 일	매 34~35쪽	☐	
평가 단원 마무리	월 일	진 112~114쪽	☐	마무리 학습
	월 일	매 55~57쪽	☐	

4 단원

※ 이번 단원에서 공부할 계획을 세우고 계획대로 공부했다면 ☐ 안에 ○표 합니다.

개념 완성하기

1 수직을 알고 수선 긋기

(1) 수직과 수선 알아보기

- 두 직선이 만나서 이루는 각이 직각일 때, 두 직선은 서로 **수직**이라고 합니다.
- 두 직선이 서로 수직으로 만나면 한 직선을 다른 직선에 대한 **수선**이라고 합니다.

예제 두 직선이 수직으로 만날 때 수선 알아보기

① 직선 가와 직선 나는 서로 수직입니다.

② 직선 나에 대한 수선: 직선 가

③ 직선 가에 대한 수선: 직선 나

(2) 수선 긋기

방법 1 직각 삼각자를 사용하여 수선 긋기

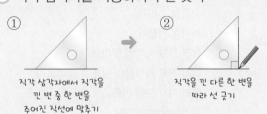

① 직각 삼각자에서 직각을 낀 변 중 한 변을 주어진 직선에 맞추기

② 직각을 낀 다른 한 변을 따라 선 긋기

방법 2 각도기를 사용하여 수선 긋기

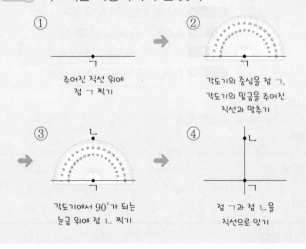

① 주어진 직선 위에 점 ㄱ 찍기

② 각도기의 중심을 점 ㄱ, 각도기의 밑금을 주어진 직선과 맞추기

③ 각도기에서 90°가 되는 눈금 위에 점 ㄴ 찍기

④ 점 ㄱ과 점 ㄴ을 직선으로 잇기

개념 확인

1 두 직선이 만나서 이루는 각이 직각인 곳을 모두 찾아 └ 로 표시해 보세요.

2 그림을 보고 □ 안에 알맞은 말을 써넣으세요.

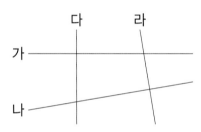

(1) 직선 가와 직선 다는 서로 [   ]입니다.

➡ 직선 가는 직선 다에 대한 [   ]입니다.

(2) 직선 나와 직선 [ ]는 서로 수직입니다.

➡ 직선 나는 직선 [ ]에 대한 수선입니다.

3 각도기를 사용하여 직선 가에 대한 수선을 그으려고 합니다. 순서에 맞게 □ 안에 번호를 써넣으세요.

기본 유형 문제는 매칭북 26쪽에서 한 번 더!

➡ 정답 23쪽

4 직선 가가 다른 직선에 대한 수선인 것을 모두 찾아 기호를 써 보세요.

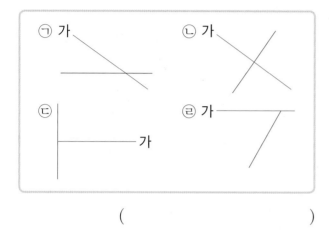

( )

기본 유형 확인

7 도형에서 빨간색 변과 수직인 변은 무슨 색인지 모두 써 보세요.

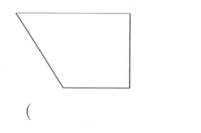

( )

5 직각 삼각자와 각도기를 사용하여 주어진 직선에 대한 수선을 그어 보세요.

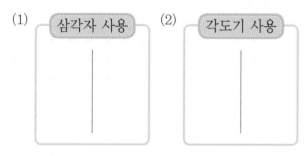

8 점 ㄱ을 지나고 직선 가에 수직인 직선을 그어 보세요.

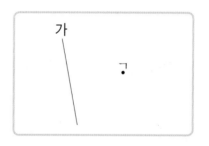

6 서로 수직인 변이 있는 도형에 ○표, 수직인 변이 없는 도형에 ×표 하세요.

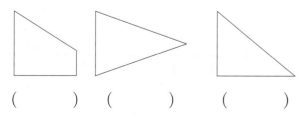

( ) ( ) ( )

9 그릴 수 있는 수선의 개수를 바르게 말한 사람은 누구일까요?

( )

개념 완성하기

2 평행을 알고 평행선 긋기

(1) 평행 알아보기

- 한 직선에 수직인 두 직선을 그었을 때, 그 두 직선은 서로 만나지 않습니다. 이와 같이 서로 만나지 않는 두 직선을 **평행**하다고 합니다.
- 평행한 두 직선을 **평행선**이라고 합니다.

예제 직선 가에 수직인 두 직선의 관계 알아보기

① 직선 나와 직선 다는 서로 평행합니다.
② 직선 나와 직선 다는 평행선입니다.

(2) 평행선 긋기

방법 직각 삼각자 2개를 사용하여 평행선 긋기

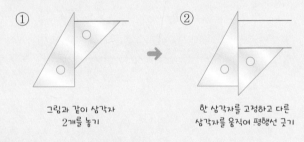

그림과 같이 삼각자 2개를 놓기 → 한 삼각자를 고정하고 다른 삼각자를 움직여 평행선 긋기

3 평행선 사이의 거리

평행선의 한 직선에서 다른 직선에 수선을 그었을 때 수선의 길이를 **평행선 사이의 거리**라고 합니다.

평행선 사이의 거리

예제 평행선 사이의 거리 알아보기

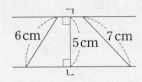

6 cm 5 cm 7 cm

① 평행선 사이의 거리: 5 cm
(선분 ㄱㄴ)=(선분 ㄴㄱ)
② 평행선 사이의 거리는 모두 같습니다.

개념 확인

1 각도를 재어 □ 안에 알맞은 수를 써넣고, 알맞은 말에 ○표 하세요.

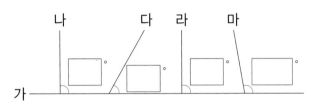

나   다 라   마

가

직선 가에 수직인 직선은 직선 (나 , 다)와 직선 (라 , 마)이고, 이 두 직선은 길게 늘여도 서로 만나지 않으므로 (수직 , 평행)입/합니다.

2 점 종이에 주어진 선분과 평행한 선분을 그어 보세요.

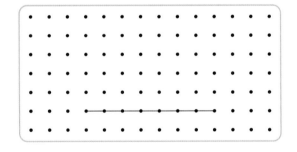

3 직선 가와 직선 나가 서로 평행할 때 평행선 사이의 거리를 나타내는 선분은 어느 것일까요? ( )

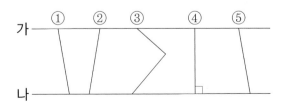

가 ① ② ③ ④ ⑤
나

4 사각형에서 서로 평행한 변을 찾아 써 보세요.

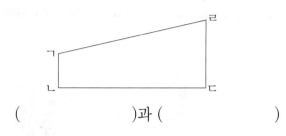

(   )과 (   )

5 직각 삼각자를 사용하여 주어진 직선과 평행한 직선을 그어 보세요.

6 평행선 사이의 거리를 재어 보세요.

(   )

기본 유형 확인

7 직각 삼각자를 사용하여 점 ㄱ을 지나고 직선 가와 평행한 직선을 그어 보세요.

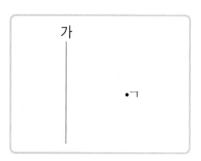

8 다음은 크로아티아의 국기입니다. 국기에서 평행선을 2쌍 찾아 표시하세요.

9 평행선 사이의 거리가 4 cm가 되도록 주어진 직선과 평행한 직선을 그어 보세요.

수직과 수선 알아보기

유형 **01** 두 직선이 서로 수직인 곳은 모두 몇 군데일까요?

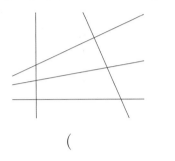

( )

확인 **02** 사진에서 파란색 선분에 대한 수선은 어느 것
교과역량 일까요? ( )

강화 **03** 서로 수직인 직선을 모두 찾아 써 보세요.

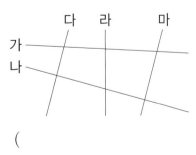

( )

도형에서 수직인 선분 찾기

04 여러 나라의 표지판입니다. 두 변이 서로 수직인
부분을 모두 찾아 ○표 하세요.

05 도형에서 서로 수직인 선분을 찾아 써 보세요.

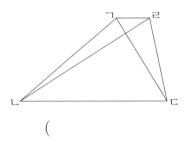

( )

06 오른쪽 도형에 대
해 바르게 설명한
사람의 이름을 써
보세요.

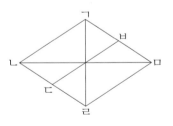

[어진] 선분 ㄴㄹ과 선분 ㄷㅂ은 서로 수직
입니다.
[세희] 선분 ㄴㅁ에 대한 수선은 선분 ㄱㄹ
입니다.
[미란] 서로 수직인 선분은 모두 2쌍입니다.

( )

평행과 평행선 알아보기

07 직선 다와 평행한 직선은 모두 몇 개일까요?

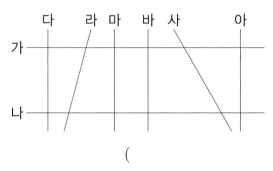

( )

08 서로 평행한 직선을 찾아 써 보세요.

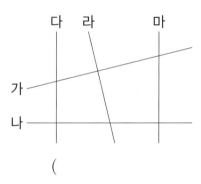

( )

09 평행선에 대해 설명한 것입니다. 잘못된 것을 찾아 기호를 쓰고, 바르게 고쳐 보세요. `서술형`

┌─────────────────────────────────┐
│ ⊙ 평행한 두 직선은 서로 만나지 않습니다. │
│ ⓒ 한 직선에 수직인 두 직선은 평행합니다. │
│ ⓒ 한 직선과 평행한 직선은 1개뿐입니다. │
│ ⓔ 평행한 두 직선을 평행선이라고 합니다. │
└─────────────────────────────────┘

답

바르게 고친 내용

도형에서 평행선 찾기

10 서로 평행한 변이 없는 도형을 찾아 색칠하세요.

11 평행선이 가장 많은 도형을 그린 사람은 누구인지 풀이 과정을 쓰고, 답을 구하세요. `서술형`

은제   유민   지훈

풀이

답

12 도형에서 변 ㄹㅁ과 평행한 변을 모두 찾아 써 보세요.

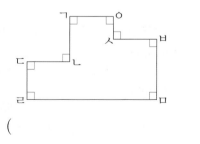

( )

평행선 사이의 거리 알아보기

유형 **13** 도형에서 평행선 사이의 거리는 몇 cm일까요?

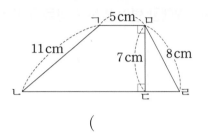

( )

확인 **14** 도형에서 평행선을 찾아 평행선 사이의 거리를 재어 보세요.

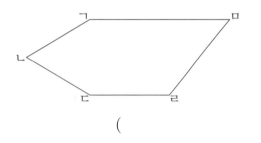

( )

강화 **15** 평행선 사이의 거리가 가장 긴 도형을 찾아 기호를 써 보세요.

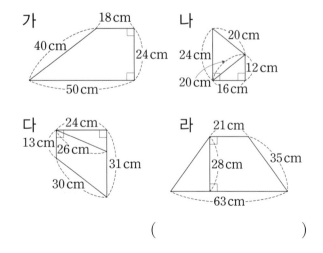

( )

한 점을 지나는 수선 긋기

16 점 ㄱ을 지나고 직선 가에 수직인 직선을 그어 보세요.

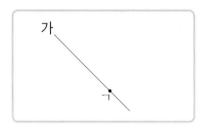

17 도형에서 꼭짓점 ㄱ을 지나고 변 ㄴㄷ에 수직인 직선을 그어 보세요.

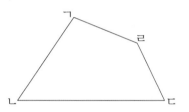

서술형
18 점 ㄱ에서 각 변에 수선을 그을 때 그을 수 있는 수선은 모두 몇 개인지 풀이 과정을 쓰고, 답을 구하세요.

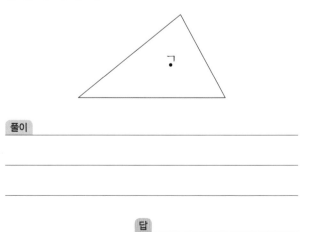

풀이

답

19 도형에서 꼭짓점 ㄷ을 지나고 변 ㄱㄴ과 평행한 직선을 그어 보세요.

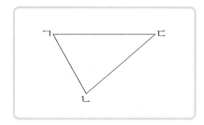

20 주어진 두 선분을 이용하여 평행선이 두 쌍인 사각형을 그려 보세요.

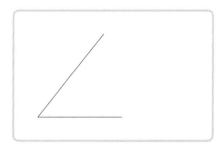

21 색종이에 선분 ㄴㄷ을 한 변으로 하는 가장 큰 직사각형을 그려 보세요.

교과
역량

22 왼쪽 그림의 평행선 사이의 거리와 같도록 오른쪽에 주어진 직선과 평행한 직선을 그어 보세요.

23 직선 가와 직선 나는 서로 평행합니다. 두 직선과 동시에 평행선 사이의 거리가 2 cm가 되도록 평행한 직선을 그어 보세요.

24 가로가 3 cm, 세로가 2 cm인 직사각형을 완성하세요.

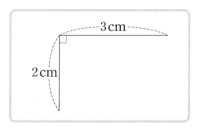

여러 가지 도형에서 평행선 찾기 | 약점체크

유형 **25** 도형에서 찾을 수 있는 평행선은 모두 몇 쌍일까요?

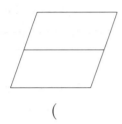

(   )

주의 평행선은 평행한 두 직선이므로 도형에서 선분의 일부를 세어 중복하여 세지 않도록 주의합니다.

확인 **26** 도형에서 찾을 수 있는 평행선은 모두 몇 쌍인지 풀이 과정을 쓰고, 답을 구하세요. ▸서술형

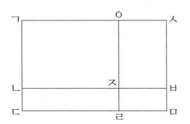

풀이 _____

_____

_____

답 _____

수선을 이용하여 각도 구하기 | 약점체크

27 직선 가와 직선 나는 서로 수직입니다. ㉠은 몇 도일까요?

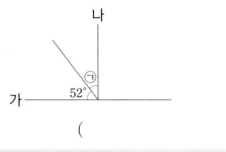

(   )

해결 두 직선이 서로 수직일 때 두 직선이 만나서 이루는 각의 크기는 몇 도인지 알아봅니다.

28 선분 ㄴㅁ이 선분 ㄷㅁ에 대한 수선일 때 각 ㄷㅁㄹ의 크기는 몇 도일까요?

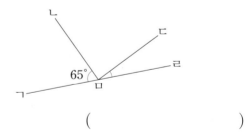

(   )

평행선 사이의 거리 구하기 약점체크

29 도형에서 변 ㄱㄴ과 변 ㄹㄷ은 서로 평행합니다. 변 ㄱㄴ과 변 ㄹㄷ 사이의 거리는 몇 cm일까요?

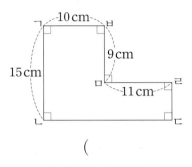

(   )

주의 변 ㄱㄴ과 변 ㄹㄷ 사이에 있는 변의 길이를 모두 더하지 않도록 주의합니다.

30 직선 가, 직선 나, 직선 다는 서로 평행합니다. 직선 나와 직선 다 사이의 거리는 몇 cm일까요?

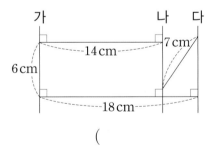

(   )

평행선을 이용하여 각도 구하기 약점체크

31 직선 가와 직선 나는 서로 평행합니다. ㉠은 몇 도일까요?

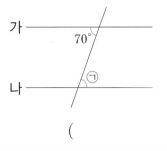

(   )

해결 직선 가와 직선 나 사이에 수선을 그어 삼각형을 그려 봅니다.

32 태양이 지표면과 이루는 각도를 태양의 고도라고 합니다. 직선 가와 직선 나는 서로 평행하고, 태양의 고도는 45°입니다. ㉠은 몇 도일까요?

교과역량

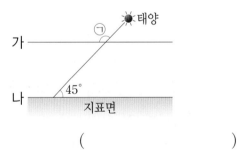

(   )

4 사다리꼴

(1) **사다리꼴**: 평행한 변이 한 쌍이 라도 있는 사각형

[사다리꼴의 성질]

한 쌍의 마주 보는 변이 서로 평행합니다.

예제 **사다리꼴 찾기**

사각형의 변 중 평행한 변이 있는지 알아봅니다.

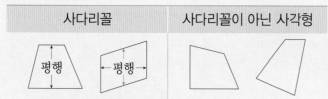

사다리꼴	사다리꼴이 아닌 사각형

(2) **주어진 선분을 사용하여 사다리꼴 그리기**

주어진 선분과 평행한 선분 긋기 / 평행한 두 선분을 변으로 하는 사각형 그리기

5 평행사변형

(1) **평행사변형**: 마주 보는 두 쌍의 변이 서로 평행한 사각형

[평행사변형의 성질]

① 마주 보는 두 변의 길이가 같습니다. → (변 ㄱㄴ)=(변 ㄹㄷ), (변 ㄱㄹ)=(변 ㄴㄷ)

② 마주 보는 두 각의 크기가 같습니다. → (각 ㄱㄴㄷ)=(각 ㄱㄹㄷ), (각 ㄴㄱㄹ)=(각 ㄴㄷㄹ)

③ 이웃한 두 각의 크기의 합이 180°입니다.

(2) **주어진 선분을 사용하여 평행사변형 그리기**

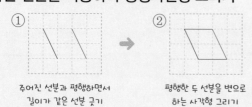

주어진 선분과 평행하면서 길이가 같은 선분 긋기 / 평행한 두 선분을 변으로 하는 사각형 그리기

개념 확인

1 사각형을 보고 물음에 답하세요.

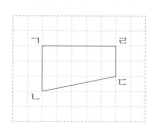

(1) 서로 평행한 변을 찾아 써 보세요.

( )

(2) 위와 같은 사각형을 무엇이라고 할까요?

( )

2 사각형을 보고 물음에 답하세요.

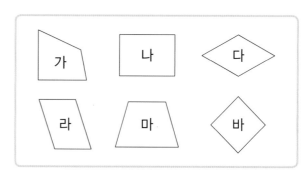

(1) 마주 보는 두 쌍의 변이 서로 평행한 사각형을 모두 찾아 기호를 써 보세요.

( )

(2) (1)과 같은 사각형을 무엇이라고 할까요?

( )

3 사다리꼴을 모두 찾아 ○표 하세요.

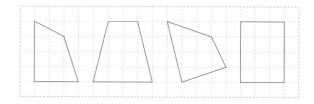

기본 유형 확인

4 도형판에 만든 사각형의 한 꼭짓점을 옮겨 평행사변형을 만들려고 합니다. ㉠을 어느 점으로 옮겨야 할까요? (　　　　)

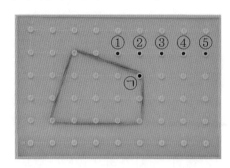

5 사진에서 사다리꼴을 찾아 표시하세요.

6 평행사변형을 보고 □ 안에 알맞은 수를 써넣으세요.

(1)

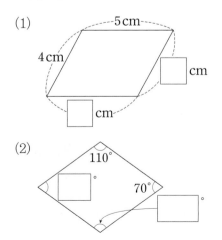

(2)

7 주어진 선분을 사용하여 사다리꼴을 각각 완성하세요.

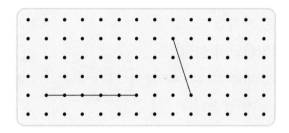

8 직사각형 모양의 종이테이프를 선을 따라 잘랐을 때 잘라 낸 도형 중 평행사변형을 찾아 기호를 써 보세요.

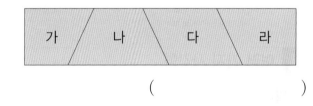

| 가 | 나 | 다 | 라 |

(　　　　　　　　　)

9 우진이가 오른쪽 정사각형이 사다리꼴인 이유를 말한 것입니다. □ 안에 알맞은 말을 써넣으세요.

정사각형은 마주 보는 한 쌍의 변이 서로 □ 하기 때문입니다.

우진

개념 완성하기

6 마름모

(1) **마름모**: 네 변의 길이가 모두 같은 사각형

[마름모의 성질]

① 마주 보는 두 각의 크기가 같습니다. →(각 ㄱㄴㄷ)=(각 ㄱㄹㄷ), (각 ㄴㄱㄹ)=(각 ㄴㄷㄹ)

② 마주 보는 두 쌍의 변이 서로 평행합니다.

③ 이웃한 두 각의 크기의 합이 180°입니다.

④ 마주 보는 꼭짓점끼리 이은 선분은 서로 수직으로 만나고, 이등분합니다.

(2) **주어진 선분을 사용하여 마름모 그리기**

주어진 선분의 양 끝에서 거리가 같은 곳에 점 찍기

선분과 점을 이어 사각형 그리기

7 여러 가지 사각형

(1) **직사각형의 성질**

① 마주 보는 두 변의 길이가 같습니다.

② 네 각이 모두 직각입니다.

③ 마주 보는 두 쌍의 변이 서로 평행합니다.

➡ 직사각형은 사다리꼴, 평행사변형입니다.

(2) **정사각형의 성질**

① 네 변의 길이가 모두 같습니다.

➡ 정사각형은 마름모입니다.

② 네 각이 모두 직각입니다. ┌정사각형은 사다리꼴, 평행사변형입니다.

➡ 정사각형은 직사각형입니다.

중요 여러 가지 사각형의 관계

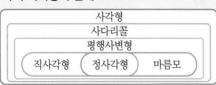

개념 확인

1 마름모를 모두 찾아 기호를 써 보세요.

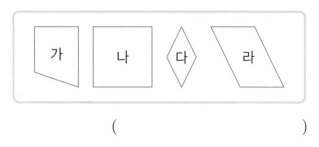

( )

2 직사각형과 정사각형을 각각 모두 찾아 기호를 써 보세요.

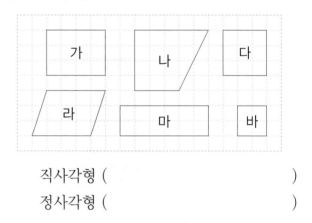

직사각형 ( )

정사각형 ( )

3 마름모 ㄱㄴㄷㄹ에서 마주 보는 꼭짓점끼리 이은 선분을 보고 ☐ 안에 알맞은 말을 써넣으세요.

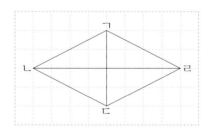

선분 ㄱㄷ과 선분 ㄴㄹ은 만나는 점을 중심으로 나누어진 두 선분의 길이가 각각 ☐, 두 선분은 서로 ☐으로 만납니다.

기본 유형 확인

4 여러 가지 사각형을 보고 물음에 답하세요.

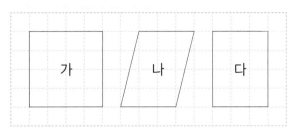

(1) 사다리꼴을 모두 찾아 기호를 써 보세요.
( )

(2) 평행사변형을 모두 찾아 기호를 써 보세요.
( )

(3) 마름모를 찾아 기호를 써 보세요.
( )

(4) 직사각형을 모두 찾아 기호를 써 보세요.
( )

(5) 정사각형을 찾아 기호를 써 보세요.
( )

5 마름모를 보고 □ 안에 알맞은 수를 써넣으세요.

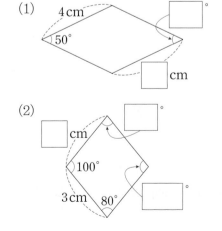

6 주어진 선분을 사용하여 마름모를 각각 완성하세요.

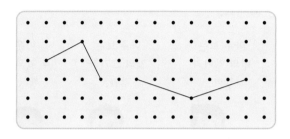

7 관계있는 것끼리 선으로 이어 보세요.

(1) 네 변의 길이가 모두 같은 사각형 ·

(2) 네 각의 크기가 모두 같은 사각형 ·

· 마름모

· 직사각형

· 정사각형

8 신우와 민정이가 직사각형과 정사각형을 보고 설명한 것입니다. 잘못 말한 사람의 이름을 써 보세요.

직사각형과 정사각형의 네 각은 모두 직각이야.

신우

직사각형은 정사각형이라고 할 수 있어.

민정

( )

사각형 알아보기

유형 01 평행사변형에 대해 잘못 말한 사람의 이름을 써 보세요.

마주 보는 변의 길이가 같아. 윤서

마주 보는 각의 크기가 같아. 지후

이웃하는 두 각의 크기가 항상 같아. 수빈

( )

확인 02 오른쪽 사각형에 대한 설명으로 틀린 것을 찾아 기호를 써 보세요.

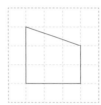

ㄱ 4개의 선분으로 둘러싸여 있습니다.
ㄴ 마주 보는 두 쌍의 변이 서로 평행합니다.
ㄷ 도형의 이름은 사다리꼴입니다.

( )

강화 03 다음은 크기가 같은 정삼각형 2개를 변끼리 맞닿게 이어 붙인 것입니다. 이어 붙인 도형의 이름으로 알맞은 것을 찾아 색칠하세요.

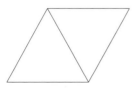

직사각형   정사각형   마름모

사각형 그리기

04 점 종이에 서로 다른 평행사변형을 2개 그려 보세요.

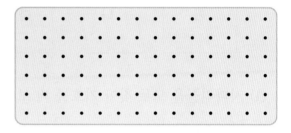

05 다음 도형은 마름모가 아닙니다. 도형의 한 꼭짓점을 옮겨서 마름모가 되도록 그려 보세요.

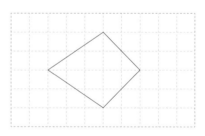

06 오른쪽 도형은 사다리꼴이 아닙니다. 그 이유를 쓰고, 도형의 한 꼭짓점을 옮겨서 사다리꼴이 되도록 그려 보세요.

서술형

이유 _____

_____

사각형 만들기

07 주어진 수수깡을 네 변으로 하여 만들 수 있는 사각형의 이름을 모두 써 보세요.

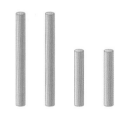

(   )

08 사각형 ㄱㄴㄷㄹ 안에 선분을 한 개 그어서 가장 큰 정사각형을 만들어 보세요.

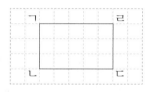

09 그림과 같은 직사각형 모양의 색종이를 접어서 자른 후 빗금 친 부분을 펼쳤을 때 만들어지는 사각형의 이름을 써 보세요.

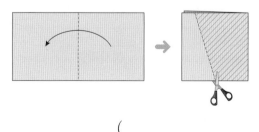

(   )

여러 가지 사각형 알아보기

10 직사각형 모양의 종이테이프를 선을 따라 잘랐습니다. 사각형을 각각 모두 찾아 기호를 써 보세요.

가	나	다	라	마	바

(1) 사다리꼴 ➡ (   )

(2) 평행사변형 ➡ (   )

(3) 마름모 ➡ (   )

(4) 직사각형 ➡ (   )

(5) 정사각형 ➡ (   )

서술형

11 사각형의 성질에 대한 설명으로 잘못된 것을 찾아 기호를 쓰고, 그 이유를 써 보세요.

> ㉠ 평행사변형, 마름모는 마주 보는 두 쌍의 변이 서로 평행합니다.
> ㉡ 마름모, 정사각형은 네 변의 길이가 모두 같습니다.
> ㉢ 직사각형, 정사각형은 네 각의 크기가 모두 같습니다.
> ㉣ 사다리꼴, 평행사변형은 마주 보는 각의 크기가 같습니다.

답 _____

이유 _____

4단원

여러 가지 사각형의 관계

유형 **12** 오른쪽 사각형의 이름이 될 수 없는 것을 모두 찾아 색칠하세요.

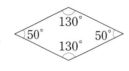

| 사다리꼴 | 정사각형 |
| 직사각형 | 평행사변형 |

확인 **13** 설명이 맞으면 ○표, 틀리면 ×표 하세요.

마름모는 정사각형입니다. ◯

정사각형은 사다리꼴입니다. ◯

평행사변형은 직사각형입니다. ◯

강화 **14** 주희는 꽃을 만들기 위해 똑같은 직사각형 모
교과 역량 양의 종이테이프 2장을 그림과 같이 겹쳤습니
다. 겹쳐진 부분의 이름이 될 수 없는 것을 찾
아 써 보세요.

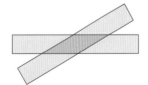

마름모 사다리꼴 정사각형 평행사변형

(   )

여러 가지 모양 만들기

15 보기 와 같이 모눈종이에 수직과 평행을 이용하여 모양을 만들고, 만든 모양에서 찾을 수 있는 사각형의 이름을 모두 써 보세요.

보기

(   )

16 오른쪽 칠교판 조각으로 여러 가지 사각형을 만들어 그려 보고, 칠교판 조각 몇 조각으로 만들었는지 써 보세요.

평행사변형

□ 조각

정사각형

□ 조각

확인, 강화 문제는 매칭북 32쪽에서 한 번 더!

● 정답 27쪽

사각형의 변의 길이

17 다음은 직사각형입니다. 직사각형의 네 변의 길이의 합은 몇 cm일까요?

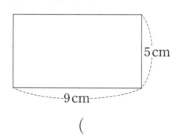

( )

18 야구장 내야는 마름모 모양입니다. 야구장 내야의 네 변의 길이의 합이 약 108 m일 때 한 변은 약 몇 m일까요?

┌▶ 본루, 1루, 2루, 3루를 선으로 연결한 안쪽 부분

교과역량

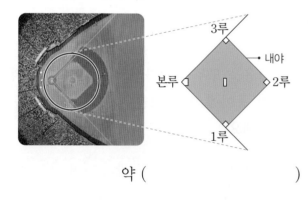

약 ( )

19 평행사변형 ㄱㄴㄷㄹ의 네 변의 길이의 합은 40 cm입니다. 변 ㄴㄷ은 몇 cm일까요?

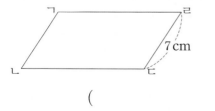

( )

사각형의 각의 크기

20 다음은 마름모입니다. ㉠은 몇 도일까요?

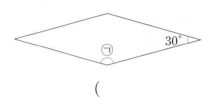

( )

21 사각형 ㄱㄴㄷㄹ은 평행사변형입니다. □ 안에 알맞은 수를 써넣으세요.

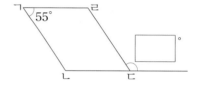

22 오른쪽 그림에서 사각형 ㄱㄴㄷㄹ은 마름모입니다. 각 ㄴㄱㄹ의 크기는 몇 도인지 풀이 과정을 쓰고, 답을 구하세요.

서술형

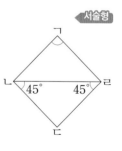

풀이 _____

_____

_____

답 _____

사각형 모양으로 도형 덮기 【약점체크】

유형 **23** 색종이를 오른쪽의 사다리꼴 모양으로 여러 장 오려서 아래 모눈종이를 겹치지 않게 빈틈없이 덮으려고 합니다. 모눈종이를 빈틈없이 덮고, 사다리꼴 모양의 색종이는 모두 몇 장 필요한지 구하세요.

【생각수학】

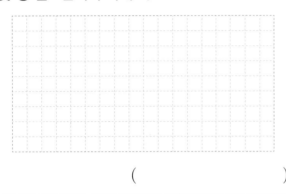

( )

【해결】 사다리꼴 모양의 색종이는 모눈종이의 가로와 세로에 각각 겹치지 않게 몇 장 들어가는지 알아봅니다.

확인 **24** 오른쪽 마름모 모양의 조각으로 아래 도형을 겹치지 않게 빈틈없이 덮으려고 합니다. 도형을 빈틈없이 덮고, 마름모 모양의 조각은 모두 몇 조각 필요한지 구하세요.

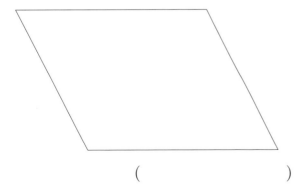

( )

조건을 만족하는 사각형 찾기 【약점체크】

25 【보기】에서 다음을 모두 만족하는 사각형의 이름을 모두 찾아 기호를 써 보세요.

> • 마주 보는 변의 길이가 같습니다.
> • 네 각의 크기가 모두 같습니다.

【보기】
ㄱ 사다리꼴   ㄴ 마름모
ㄷ 직사각형   ㄹ 정사각형

( )

【주의】 한 가지 조건만 만족하는 사각형을 찾지 않도록 주의합니다.

26 다음을 모두 만족하는 '나'는 어떤 사각형인지 점 종이에 이 도형을 1개 그리고, 이름을 써 보세요.

> • 나는 마주 보는 두 쌍의 변이 서로 평행합니다.
> • 나는 네 변의 길이가 모두 같습니다.
> • 나는 네 각의 크기가 모두 같습니다.

( )

크고 작은 사각형의 수 구하기

27 그림에서 찾을 수 있는 크고 작은 사다리꼴은 모두 몇 개일까요?

( )

> **해결** 작은 사각형 1개짜리, 2개짜리, 3개짜리인 사다리꼴의 수를 각각 세어 봅니다.

28 그림에서 찾을 수 있는 크고 작은 평행사변형은 모두 몇 개일까요?

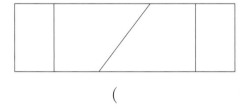

( )

접은 모양에서 각의 크기 구하기

29 직사각형 모양의 종이를 그림과 같이 접었습니다. 각 ㄹㅁㄷ의 크기를 구하세요.

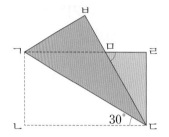

(1) 각 ㅂㄷㄱ과 각 ㄹㄷㅁ의 크기를 각각 구하세요.

각 ㅂㄷㄱ ( )

각 ㄹㄷㅁ ( )

(2) 각 ㄹㅁㄷ의 크기는 몇 도일까요?

( )

> **해결** 접은 모양에서 접힌 부분의 각도가 같다는 것을 이용하여 모르는 각도를 구합니다.

30 직사각형 모양의 종이를 그림과 같이 접었습니다. ㉠의 각도를 구하세요.

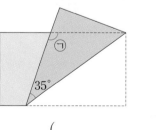

( )

연습
01 직선 ㄱㄴ과 직선 ㄷㄹ은 서로 수직입니다. 각 ㄱㄴㄹ을 크기가 똑같은 각 6개로 나눈 것입니다. 각 ㅂㄴㅈ의 크기는 몇 도인지 풀이 과정을 쓰고, 답을 구하세요.

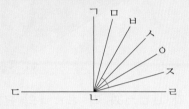

서술형 포인트
두 직선이 서로 수직일 때 두 직선이 만나서 이루는 각의 크기는 몇 도인지 알아봅니다.
❶ 작은 각 한 개의 각도 구하기
❷ 각 ㅂㄴㅈ의 크기 구하기

풀이를 완성하세요.

❶ 직선 ㄱㄴ과 직선 ㄷㄹ은 서로 수직이므로
(각 ㄱㄴㄹ)=_____°
각 ㄱㄴㄹ을 크기가 똑같은 각 6개로 나누었으므로
(작은 각 한 개의 각도)=_____

❷ 각 ㅂㄴㅈ의 크기는 작은 각 한 개의 각도의 ____배이므로
(각 ㅂㄴㅈ)=_____

답 _____

단계
02 직선 가와 직선 나는 서로 수직입니다. ㉠과 ㉡의 각도의 차는 몇 도인지 풀이 과정을 쓰고, 답을 구하세요.

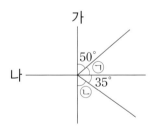

❶ ㉠과 ㉡의 각도 각각 구하기
풀이

❷ ㉠과 ㉡의 각도의 차 구하기
풀이

답 _____

실전
03 직선 가와 직선 나는 서로 수직입니다. ㉠과 ㉡의 각도의 차는 몇 도인지 풀이 과정을 쓰고, 답을 구하세요.

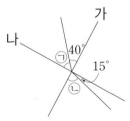

풀이

답 _____

연습 04 마름모와 정삼각형을 겹치지 않게 변끼리 이어 붙여서 만든 도형입니다. **빨간색 선의 길이는 몇 cm인지** 풀이 과정을 쓰고, 답을 구하세요.

서술형 포인트

마름모와 정삼각형의 변의 성질을 이용하여 각 변의 길이를 구합니다.
❶ 정삼각형의 한 변의 길이 구하기
❷ 빨간색 선의 길이 구하기

풀이를 완성하세요.

❶ 마름모는 네 변의 길이가 모두
  (같습니다 , 다릅니다).
  (정삼각형의 한 변)
  =(⬚ 의 한 변)=＿＿ cm

❷ 정삼각형은 세 변의 길이가 모두 같으므로
  빨간색 선은 길이가 7 cm인 선분이 ＿＿개입니다.
  ➡ (빨간색 선의 길이)=＿＿＿＿＿＿＿＿＿

  답 ＿＿＿＿＿＿＿＿＿

단계 05 정사각형 모양의 색종이와 똑같은 정삼각형 모양의 색종이 3장을 겹치지 않게 변끼리 이어 붙여서 만든 도형입니다. **파란색 선의 길이는 몇 cm인지** 풀이 과정을 쓰고, 답을 구하세요.

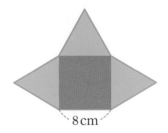

❶ 정삼각형의 한 변의 길이 구하기

풀이

❷ 파란색 선의 길이 구하기

풀이

  답 ＿＿＿＿＿＿＿＿＿

실전 06 정사각형 모양의 색종이와 똑같은 평행사변형 모양의 색종이 3장을 겹치지 않게 변끼리 이어 붙여서 만든 도형입니다. **초록색 선의 길이는 몇 cm인지** 풀이 과정을 쓰고, 답을 구하세요.

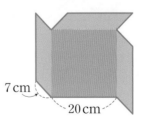

풀이

  답 ＿＿＿＿＿＿＿＿＿

연습

07 다음은 직사각형과 평행사변형을 겹치지 않게 변끼리 이어 붙여서 만든 도형입니다. ㉠의 각도는 몇 도인지 풀이 과정을 쓰고, 답을 구하세요.

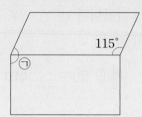

서술형 포인트

평행사변형의 각의 성질을 이용하여 모르는 각도를 구합니다.
❶ ㉡의 각도 구하기
❷ ㉠의 각도 구하기

풀이를 완성하세요.

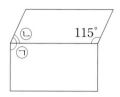

❶ 평행사변형에서 이웃한 두 각의 크기의 합이 _____°이므로

㉡+115°= _____,

㉡= _____

❷ 직사각형의 한 각의 크기는 _____°이므로

㉠=㉡+ _____

= _____

답 _____

단계

08 도형에서 삼각형 ㄱㄴㄷ은 이등변삼각형이고, 사각형 ㄱㄷㄹㅁ은 마름모입니다. **각 ㅁㄹㄷ의 크기는 몇 도**인지 풀이 과정을 쓰고, 답을 구하세요.

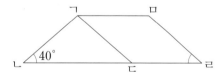

❶ 각 ㄱㄷㄹ의 크기 구하기

풀이

❷ 각 ㅁㄹㄷ의 크기 구하기

풀이

답 _____

실전

09 도형에서 사각형 ㄱㄴㄷㅁ은 평행사변형이고, 삼각형 ㅁㄷㄹ은 정삼각형입니다. **각 ㅁㄷㄴ의 크기는 몇 도**인지 풀이 과정을 쓰고, 답을 구하세요.

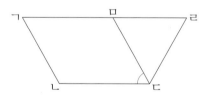

풀이

답 _____

연습

10 직선 가와 직선 나는 서로 평행하고, 직선 다는 직선 나에 대한 수선입니다. ㉠의 각도는 몇 도인지 풀이 과정을 쓰고, 답을 구하세요.

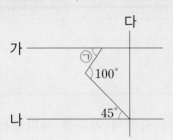

서술형 포인트

문제에서 주어진 조건을 이용하여 각도를 구합니다.
❶ ㉢의 각도 구하기
❷ ㉠의 각도 구하기

풀이를 완성하세요.

❶ 직선 다는 직선 나에 대한 수선이므로

㉡= _____

사각형의 네 각의 크기의 합은 _____°이므로

㉢=360°−100°−㉡−90°

  = _____

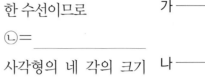

❷ ㉠=180°−㉢

  = _____

답 [   ]

단계

11 직선 가와 직선 나는 서로 평행합니다. **각 ㄱㄴㄷ의 크기는 몇 도**인지 풀이 과정을 쓰고, 답을 구하세요.

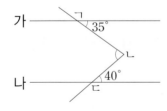

❶ 점 ㄱ에서 직선 나에 수선을 그은 후 여러 각의 크기 구하기

풀이

❷ 각 ㄱㄴㄷ의 크기 구하기

풀이

답 [   ]

실전

12 직선 가와 직선 나는 서로 평행합니다. **각 ㄱㄴㄷ의 크기는 몇 도**인지 풀이 과정을 쓰고, 답을 구하세요.

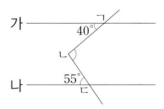

풀이

답 [   ]

단원 마무리

01 사각형에서 두 변이 서로 수직인 부분을 모두 찾아 ○표 하세요.

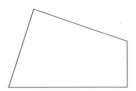

[02~04] 도형을 보고 물음에 답하세요.

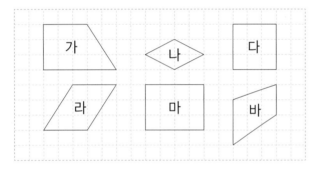

02 사다리꼴을 모두 찾아 기호를 써 보세요.

( )

03 평행사변형을 모두 찾아 기호를 써 보세요.

( )

04 마름모를 모두 찾아 기호를 써 보세요.

( )

[05~06] 직선 가와 직선 나는 서로 평행합니다. 물음에 답하세요.

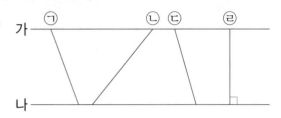

05 평행선 사이의 거리를 나타내는 선분을 찾아 기호를 써 보세요.

( )

06 평행선 사이의 거리는 몇 cm일까요?

( )

07 직사각형 모양의 종이테이프를 선을 따라 모두 잘랐을 때 잘라 낸 도형 중에서 사다리꼴은 모두 몇 개일까요?

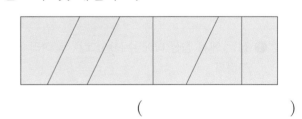

( )

08 주어진 선분에 대한 수선을 그어 보세요.

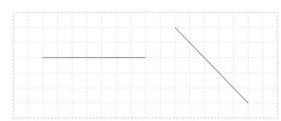

09 다음은 마름모입니다. ⬜ 안에 알맞은 수를 써넣으세요.

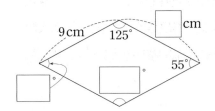

10 직각 삼각자를 사용하여 주어진 직선과 평행한 직선을 그어 보세요.

11 다음 도형의 한 꼭짓점만 옮겨서 마름모를 만들어 보세요.

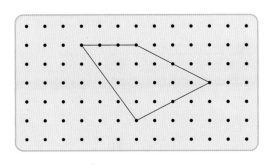

12 사각형에 대한 설명으로 옳은 것을 찾아 기호를 써 보세요.

> ㉠ 사다리꼴은 모두 평행사변형입니다.
> ㉡ 마름모는 이웃하는 두 변의 길이가 항상 같습니다.
> ㉢ 직사각형에는 서로 평행한 변이 한 쌍만 있습니다.
> ㉣ 사다리꼴은 마주 보는 두 각의 크기가 같습니다.

(   )

13 평행선은 모두 몇 쌍일까요?

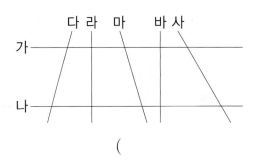

(   )

14 점 ㄱ을 지나고 직선 가에 수직인 직선은 모두 몇 개 그을 수 있을까요? (   )

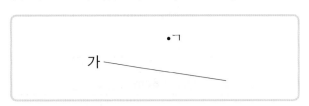

① 1개   ② 2개   ③ 3개
④ 4개   ⑤ 셀 수 없이 많습니다.

15 선형이가 설명하는 도형을 2개 그려 보세요.

마주 보는 두 쌍의
변이 서로 평행하고, 네 각의 크기가
모두 같은 사각형이야.

선형

16 사각형 ㄱㄴㄷㄹ은 평행사변형입니다. 각 ㄱㄴㅁ
의 크기는 몇 도일까요?

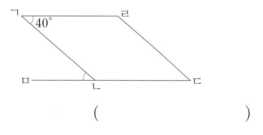

(   )

17 직선 가, 직선 나, 직선 다는 서로 평행합니
다. 직선 가와 직선 다 사이의 거리는 몇 cm
일까요?

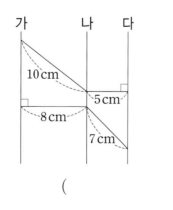

(   )

18 정사각형은 마름모인지, 아닌지 쓰고, 그 이유
를 써 보세요.

답 _____

이유 _____

_____

19 도형에서 평행선을 찾아 평행선 사이의 거리
를 재려고 합니다. 풀이 과정을 쓰고, 답을 구
하세요.

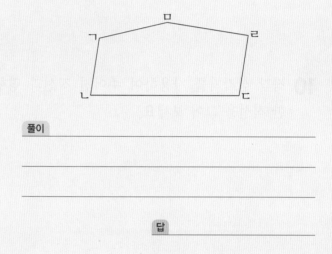

풀이 _____

_____

_____

답 _____

20 직선 가와 직선 나는 서로 평행합니다. ㉠의
각도는 몇 도인지 풀이 과정을 쓰고, 답을 구
하세요.

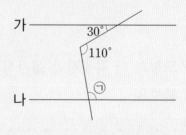

풀이 _____

_____

_____

답 _____

생각하며 쉬어가기

올라. 나는 남아메리카에서 세 번째로 큰 나라, 페루에 살고 있는 베아뜨리스라고 해.
페루에서는 만날 때 '올라'라고 인사해!

페루의 수도인 리마에는 페루에서 가장 오래된 성당인 리마 대성당이 자리잡고 있어. 또, 안데스 산맥의 동쪽 경사면에는 아름답고 신비한 잉카인의 고대 유적지, 마추픽추가 있는데 이곳에서는 귀여운 동물 알파카도 볼 수 있단다~.

올라
(Hola)

리마 대성당

늙은 봉우리라는 뜻의 '마추픽추'

보송보송한 털을 가진 동물 '알파카'야.
알파카의 털로 스웨터나 모자, 코트 등을 만들기도 해.

꺾은선그래프

회 선수	1회	2회	3회
A	45초	43초	42초
B	44초	42초	41초
C	42초	41초	40초

기록을 꺾은선그래프로 나타내면 기록이 어떻게 변하였는지 더 잘 보일텐데……

환 올림픽 선수촌 방문 영

헉헉~

영차!

신기록!

올림픽 기록고

올림픽 대표 선수의 기록을 꺾은선그래프로 나타낸 것이에요.

○○ 선수의 기록

어때, 똑같지?

저혁!

기록의 변화를 한눈에 알아보기 정말 편하잖아~.

다양한 유형과
서술형 문제로
실력을 키워요!

🕐 학습계획표

5 단원

※ 이번 단원에서 공부할 계획을 세우고 계획대로 공부했다면 ☐ 안에 ○표 합니다.
특강을 활용하여 이전에 배운 내용과 이번에 배울 내용의 흐름을 이해합니다.

개념 완성하기

1 꺾은선그래프

꺾은선그래프: 수량을 점으로 표시하고, 그 점들을 선분으로 이어 그린 그래프

강낭콩 싹의 키

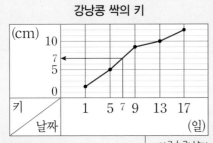

가로 눈금: 날짜, 세로 눈금: 키
세로 눈금 한 칸의 크기: 1 cm

[꺾은선그래프의 특징]

① 조사하지 않은 중간의 값을 예상할 수 있습니다.

② 시간의 흐름에 따라 연속적으로 변화하는 모양과 정도를 알아보기 쉽습니다.

참고 꺾은선그래프로 나타내면 좋은 자료

예 키의 변화, 온도 변화, 몸무게의 변화, 매출액의 변화 등

2 꺾은선그래프의 내용 알아보기

(1) **1**의 꺾은선그래프에서 알 수 있는 내용

① 5일의 강낭콩 싹의 키: 5 cm

② 싹의 키의 변화가 가장 큰 때: 5일과 9일 사이

③ 7일의 강낭콩 싹의 키: 7 cm 정도라고 예상

5일과 9일의 중간점이 가리키는 곳의 세로 눈금을 읽습니다.

할 수 있습니다.

(2) 물결선을 이용하여 나타낸 꺾은선그래프 ┌ 세로 눈금의 칸이 넓어집니다.

꺾은선그래프에서 필요 없는 부분은 **물결선**으로 생략할 수 있습니다.

자료의 변화하는 정도가 작은 경우 물결선을 사용하면 변화하는 모양을 더 뚜렷하게 나타낼 수 있습니다.

(가) ○○지역의 평균 기온

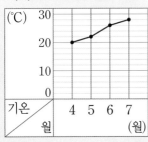

(나) ○○지역의 평균 기온

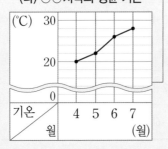

[1~3] 민호네 집 거실의 온도를 조사하여 나타낸 그래프입니다. 물음에 답하세요.

거실의 온도

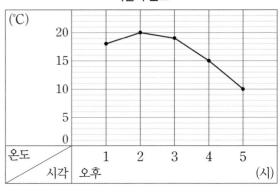

1 위와 같은 그래프를 무슨 그래프라고 하나요?

( )

2 그래프에서 세로 눈금 한 칸의 크기는 몇 ℃인가요?

( )

3 오후 1시와 오후 4시의 온도는 각각 몇 ℃인가요?

오후 1시 ( )

오후 4시 ( )

[4~6] 하승이가 매일 턱걸이를 한 횟수를 조사하여 두 꺾은선그래프로 나타냈습니다. 물음에 답하세요.

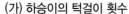

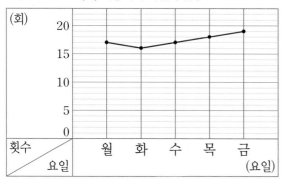

(가) 하승이의 턱걸이 횟수

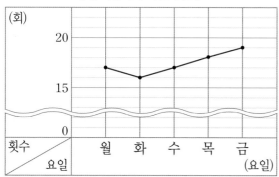

(나) 하승이의 턱걸이 횟수

4 (가) 그래프와 (나) 그래프의 다른 점은 무엇인가요?

(   )

5 (가) 그래프와 (나) 그래프 중 턱걸이 횟수의 값을 더 읽기 편한 그래프는 어느 것일까요?

(   )

6 턱걸이 횟수가 가장 적은 때는 무슨 요일인가요?

(   )

기본 유형 **확인**

[7~10] 어느 지역에 살고 있는 외국인 수를 2년마다 조사하여 나타낸 꺾은선그래프입니다. 물음에 답하세요.

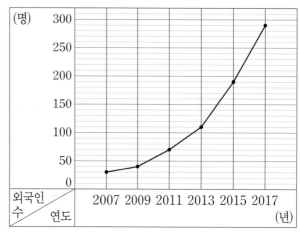

외국인 수

7 그래프에서 세로 눈금 한 칸의 크기는 몇 명인가요?

(   )

8 2014년의 외국인은 몇 명 정도라고 예상할 수 있을까요?

(   )

9 외국인 수의 변화가 가장 큰 때는 몇 년과 몇 년 사이인가요?

(   )과 (   ) 사이

10 외국인 수의 변화가 가장 작은 때는 몇 년과 몇 년 사이인가요?

(   )과 (   ) 사이

개념 완성하기

3 꺾은선그래프로 나타내기

[꺾은선그래프 그리는 방법]

① 가로와 세로 중 어느 쪽에 조사한 수를 나타낼 것인가 정하기

② 눈금 한 칸의 크기를 정하고, 조사한 수 중에서 가장 큰 수를 나타낼 수 있도록 눈금의 수 정하기

중요 물결선을 사용하여 꺾은선그래프를 그리는 경우 물결선으로 나타낼 부분을 정하여 세로 눈금에 나타냅니다.

③ 가로 눈금과 세로 눈금이 만나는 자리에 점 찍기

④ 점들을 선분으로 잇기

⑤ 꺾은선그래프에 알맞은 제목 붙이기

예제 1 표를 보고 꺾은선그래프로 나타내기

12월의 최저 기온

날짜(일)	1	4	7	10	13
기온(℃)	10	7	7	6	3

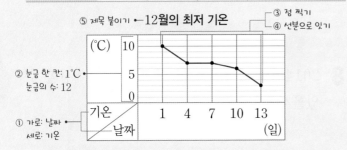

예제 2 물결선을 사용한 꺾은선그래프로 나타내기

음식물 쓰레기 양

주	1	2	3	4
쓰레기 양(kg)	52	57	55	52

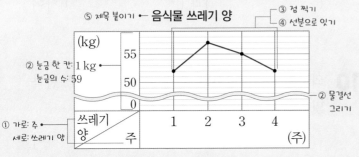

개념 확인

[1~3] 어느 병원의 출생아 수를 조사하여 나타낸 표를 보고 꺾은선그래프로 나타내려고 합니다. 물음에 답하세요.

출생아 수

월	3	4	5	6	7
출생아 수(명)	14	15	20	22	23

1 꺾은선그래프의 가로에 월을 쓴다면 세로에는 무엇을 나타내어야 하나요?

( )

2 세로 눈금 한 칸을 몇 명으로 하면 좋을까요?

( )

3 표를 보고 꺾은선그래프로 나타내어 보세요.

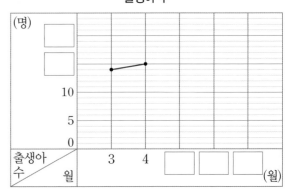

[4~6] 행복 초등학교의 졸업생 수를 조사하여 나타낸 표를 보고 물결선을 사용한 꺾은선그래프로 나타내려고 합니다. 물음에 답하세요.

행복 초등학교의 졸업생 수

연도(년)	2013	2014	2015	2016	2017
졸업생 수(명)	143	147	151	150	158

4 행복 초등학교의 졸업생은 몇 명부터 몇 명까지 변했나요?

(   )부터 (   )까지

5 졸업생 수가 변화하는 모양을 뚜렷하게 알려면 세로 눈금이 물결선 위로 얼마부터 시작하면 좋을지 색칠하세요.

150명   145명   140명

6 표를 보고 물결선을 사용한 꺾은선그래프로 나타내어 보세요.

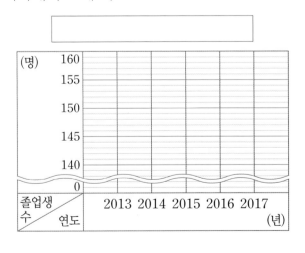

기본 유형 확인

[7~9] 진주의 방 안의 온도를 조사하여 나타낸 표를 보고 물결선을 사용한 꺾은선그래프로 나타내려고 합니다. 물음에 답하세요.

방 안의 온도

시각	오전 10시	오전 11시	낮 12시	오후 1시	오후 2시
온도(℃)	20.1	20.5	20.8	21.5	21.4

7 그래프를 그리는 데 꼭 필요한 부분은 몇 ℃부터 몇 ℃까지인가요?

(   )부터 (   )까지

8 세로 눈금 한 칸을 몇 ℃로 하면 좋을까요?

(   )

9 표를 보고 물결선을 사용한 꺾은선그래프로 나타내어 보세요.

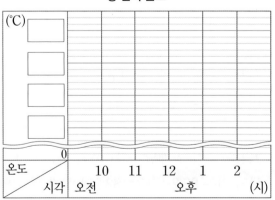

개념 완성하기

4 꺾은선그래프의 활용

예제 1 글을 읽고 꺾은선그래프로 나타내기

어느 자동차 판매점에서 판매한 자동차 수를 주별로 조사하였습니다. 1주는 3대, 2주는 8대, 3주는 11대, 4주는 7대를 팔았습니다.

① 조사한 자료를 표로 정리하기

자동차 판매량

주	1	2	3	4
판매량(대)	3	8	11	7

② 꺾은선그래프로 나타내기

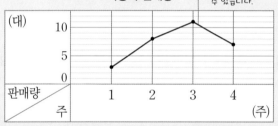

자동차 판매량

● 자료를 꺾은선그래프로 나타내면 자동차 판매량의 변화를 쉽게 알 수 있습니다.

예제 2 꺾은선그래프를 보고 내용 알아보기

민수 동생의 키

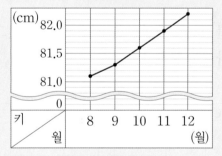

① 8월의 동생의 키: 81.1 cm

② 11월의 키는 10월의 키보다

$81.9-81.6=0.3(cm)$ 더 큽니다.

③ 9월부터 키가 매달 0.3 cm씩 크므로 1월의 동생의 키는 $82.2+0.3=82.5(cm)$가 될 것입니다.

중요 꺾은선그래프의 내용을 알아보면 앞으로의 변화에 대해 예상할 수 있습니다.

개념 확인

[1~3] 글을 읽고 물음에 답하세요.

100 m 달리기 선수인 현호가 100 m 달리기 연습을 하였습니다. 1회는 14.7초, 2회는 14.5초, 3회는 14.4초, 4회는 14.1초였습니다.

1 글을 읽고 표를 완성하세요.

100 m 달리기 기록

횟수(회)	1	2	3	4
기록(초)				

2 1의 표를 보고 꺾은선그래프로 나타내어 보세요.

100 m 달리기 기록

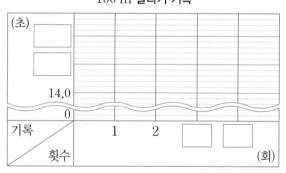

3 현호의 100 m 달리기 기록은 어떻게 되고 있다고 이야기할 수 있을까요?

( )

[4~7] 성수는 5주 동안 타자 연습을 하였습니다. 성수의 주별 타수를 조사하여 나타낸 꺾은선그래프를 보고 물음에 답하세요.

성수의 타수

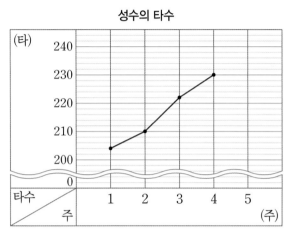

4 세로 눈금 한 칸은 몇 타를 나타내나요?

( )

5 성수가 5주에는 타자를 236타 쳤습니다. 꺾은선그래프를 완성하세요.

6 1주의 타수와 3주의 타수의 차는 몇 타일까요?

( )

7 6주의 성수의 타수를 예상해 보세요.

매주 타수가 _____ 있으므로 6주의 성수의 타수는 5주보다 _____

_____

[8~10] 주연이네 반 교실에서 키우는 식물의 키를 매월 1일에 조사하여 나타낸 꺾은선그래프입니다. 물음에 답하세요.

식물의 키

8 4월 1일의 식물의 키는 몇 cm인가요?

( )

9 식물의 키의 변화가 가장 큰 때는 몇 월과 몇 월 사이인가요?

( )과 ( ) 사이

10 주연이와 승호가 그래프를 보고 설명한 것입니다. 잘못 말한 학생의 이름을 써 보세요.

3월 1일부터 4월 1일까지 식물의 키는 2 cm 자랐어.

처음에는 빠르게 자라다가 시간이 지나면서 천천히 자랐어.

주연   승호

( )

유형 확인

꺾은선그래프 알아보기

유형 **01** 어느 컴퓨터 판매점의 컴퓨터 판매량을 조사하여 나타낸 꺾은선그래프입니다. 빈 곳에 알맞게 컴퓨터 판매량을 써넣으세요.

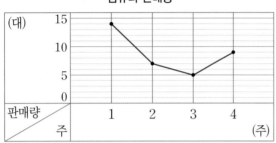

확인 **02** 다희가 키우는 콩나물의 키를 매일 오전 9시에 조사하여 나타낸 꺾은선그래프입니다. 설명이 잘못된 것을 찾아 기호를 써 보세요.

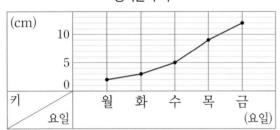

- ㉠ 수요일의 콩나물의 키는 5 cm입니다.
- ㉡ 콩나물의 키가 9 cm인 때는 목요일입니다.
- ㉢ 콩나물의 키가 가장 큰 때와 가장 작은 때의 키의 차는 9 cm입니다.

(   )

꺾은선그래프 그리기

03 어느 지역의 적설량을 조사하여 나타낸 표를 보고 꺾은선그래프로 나타내어 보세요.

쌓인 눈의 깊이

적설량

날짜(일)	13	14	15	16	17
적설량(mm)	7	11	10	14	16

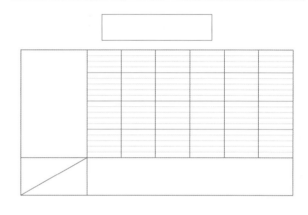

04 예경이의 누리집 방문객 수를 2시간마다 조사하여 나타낸 것입니다. 표와 꺾은선그래프를 완성하세요.

누리집 방문객 수

시각	오후 1시	오후 3시	오후 5시	오후 7시	오후 9시
방문객 수(명)	4			15	5

누리집 방문객 수

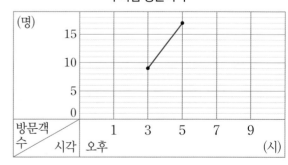

확인 문제는 매칭북 37쪽에서 한 번 더!

▶ 정답 33쪽

물결선을 사용한 꺾은선그래프 알아보기

05 예나의 키를 매월 1일에 조사하여 나타낸 꺾은선그래프입니다. 5월에는 4월보다 키가 몇 cm 더 컸나요?

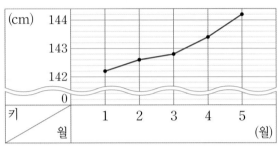

예나의 키

(   )

06 기영이가 한 윗몸일으키기 횟수를 조사하여 나타낸 꺾은선그래프입니다. 알 수 있는 내용으로 잘못된 것을 찾아 기호를 써 보세요.

기영이의 윗몸일으키기 횟수

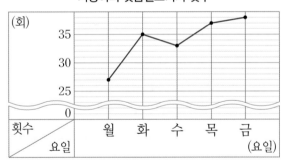

- ㉠ 윗몸일으키기 횟수가 전날보다 줄어든 날은 수요일입니다.
- ㉡ 목요일과 금요일의 윗몸일으키기 횟수의 차는 2회입니다.
- ㉢ 세로 눈금에서 0부터 25까지는 물결선으로 나타나 있습니다.

(   )

물결선을 사용한 꺾은선그래프 그리기

07 학급문고에서 빌려간 책 수를 조사하여 나타낸 표입니다. 표를 보고 물결선을 사용한 꺾은선그래프로 나타내어 보세요.

학급문고에서 빌려간 책 수

월	5	6	7	8	9
책 수(권)	42	52	48	22	36

학급문고에서 빌려간 책 수

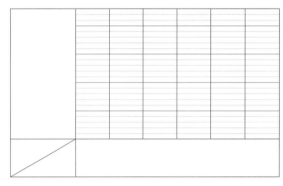

08 일주일 동안 사용한 물의 양을 조사하여 나타낸 표입니다. 일요일은 토요일보다 물을 0.9 L 더 많이 사용했을 때 표를 완성하고, 물결선을 사용한 꺾은선그래프로 나타내어 보세요.

사용한 물의 양

요일	월	화	수	목	금	토	일
물의 양(L)	93.2	93.4	92.8	93.0	92.2	92.7	

사용한 물의 양

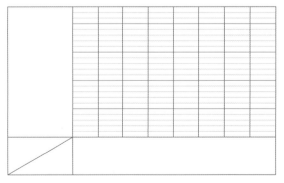

유형 09 민준이의 턱걸이 기록을 조사하여 나타낸 것입니다. 막대그래프와 꺾은선그래프를 완성하고, 턱걸이 횟수의 변화를 한눈에 쉽게 알아볼 수 있는 그래프는 어느 것인지 써 보세요.

민준이의 턱걸이 횟수

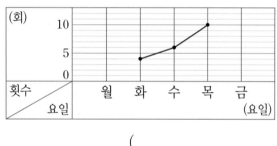

민준이의 턱걸이 횟수

( )

확인 10 09의 막대그래프와 꺾은선그래프를 보고 두 그래프의 같은 점과 다른 점을 설명하세요. _{서술형}

같은 점 _____

다른 점 _____

11 다음은 과학 시간에 승연이가 7일마다 식물의 키를 조사하여 작성한 관찰 일지입니다. 관찰 일지를 보고 꺾은선그래프로 나타내어 보세요. _{교과역량}

주제: 식물의 키의 변화	
날짜	내용
9월 3일	식물의 키를 재어 보니 5 cm였음.
9월 10일	식물의 키는 11 cm로 지난주보다 6 cm 자람.
9월 17일	식물의 키가 지난주와 똑같음.
9월 24일	식물이 시들었는지 식물의 키는 9 cm로 지난주보다 더 작았음.

식물의 키의 변화

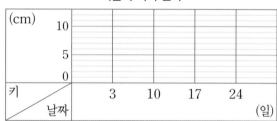

12 다음은 어느 지역의 신문 기사입니다. 신문 기사를 읽고 이 지역의 강수량을 물결선을 사용한 꺾은선그래프로 나타내어 보세요. _{교과역량}

> **"○○지역 최근 10년 동안 최고 강수량 기록"**
>
> 올해 여름 ○○지역은 최근 10년 중 가장 많은 비가 내렸습니다. 비는 6월에 120 mm, 7월에 150 mm, 8월에 200 mm, 9월에 170 mm 내렸습니다.

○○지역의 강수량

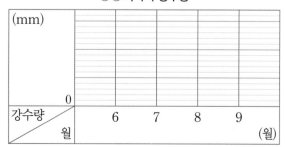

꺾은선그래프에서 변화의 정도 알아보기

13 매년 1월 1일 동환이의 앉은키를 조사하여 나타낸 꺾은선그래프입니다. 앉은키가 1년 전에 비해 가장 많이 자란 때는 몇 살이고, 1년 전보다 몇 cm 자랐는지 차례로 써 보세요.

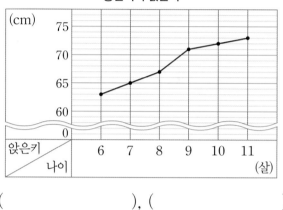

동환이의 앉은키

(   ), (   )

서술형

14 어느 마트의 아이스크림과 초콜릿 판매량을 조사하여 나타낸 꺾은선그래프입니다. 아이스크림과 초콜릿 중 판매량의 변화가 더 크게 나타난 것은 무엇이고, 그렇게 생각한 이유를 써 보세요.

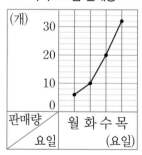

아이스크림 판매량

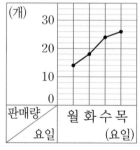

초콜릿 판매량

답 _____

이유 _____

_____

꺾은선그래프의 일부분을 보고 모르는 값 구하기

15 현우의 몸무게를 매년 3월 31일에 조사하여 나타낸 꺾은선그래프입니다. 다음을 보고 꺾은선그래프를 완성하세요.

- 현우의 2학년 때 몸무게는 1학년 때보다 3 kg 늘었습니다.
- 현우의 몸무게는 1학년부터 4학년까지 모두 11 kg 늘었습니다.

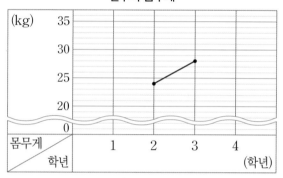

현우의 몸무게

16 양초에 불을 붙이고, 1분마다 양초의 길이를 조사하여 나타낸 꺾은선그래프입니다. 양초에 불을 붙이고 4분 후 양초의 길이는 몇 mm일지 예상해 보세요.

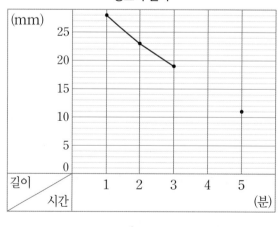

양초의 길이

(   )

5
단원

표를 보고 알맞은 그래프로 나타내기

유형
생각수학
17 주희네 마을의 연도별 인구의 변화를 한눈에 알아보기 쉽게 그래프로 나타내려고 합니다. 보기의 그래프 중 가장 알맞은 그래프를 찾아 써 보세요.

주희네 마을의 인구

연도(년)	2011	2013	2015	2017
인구(명)	5400	5700	6200	6300

보기

그림그래프   막대그래프   꺾은선그래프

(   )

해결 조사한 내용이 자료의 양을 비교하는 내용인지, 자료의 변화를 알아보는 내용인지 구분합니다.

확인
18 10월에 5일 동안의 서울의 최저 기온을 조사하여 나타낸 표입니다. 표를 보고 알맞은 그래프로 나타내고, 최저 기온의 변화가 가장 작은 때는 며칠과 며칠 사이인지 구하세요.

최저 기온

날짜(일)	5	6	7	8	9
기온(℃)	10.6	10.3	10.5	10.9	11.5

최저 기온

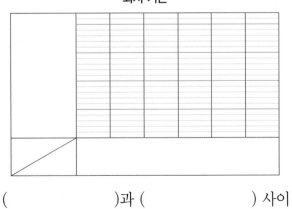

(   )과 (   ) 사이

두 꺾은선그래프를 보고 알 수 있는 내용 알아보기

19 매월 1일에 잰 은주와 윤석이의 몸무게를 나타낸 꺾은선그래프입니다. 꺾은선그래프를 보고 알 수 있는 내용 중 잘못된 것을 찾아 기호를 써 보세요.

은주의 몸무게
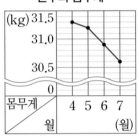

윤석이의 몸무게
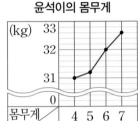

㉠ 은주의 몸무게는 감소하고 있고, 윤석이의 몸무게는 증가하고 있습니다.

㉡ 5월의 두 사람의 몸무게는 같습니다.

㉢ 7월 1일의 두 사람의 몸무게의 차는 1 kg입니다.

(   )

해결 먼저 두 꺾은선그래프의 세로 눈금 한 칸이 각각 얼마를 나타내는지 알아봅니다.

서술형
20 어느 지역의 11월 한 달 동안 해 뜨는 시각과 해 지는 시각을 조사하여 나타낸 꺾은선그래프입니다. 두 꺾은선그래프를 비교하여 알 수 있는 내용을 써 보세요.

해 뜨는 시각
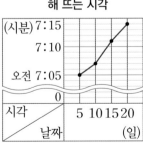

해 지는 시각
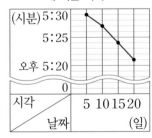

알 수 있는 내용

두 가지 항목을 한꺼번에 나타낸 꺾은선그래프

21 어느 학교의 안경을 쓴 학생 수를 조사하여 나타낸 꺾은선그래프입니다. 안경을 쓴 남학생 수와 여학생 수가 같은 때는 언제인가요?

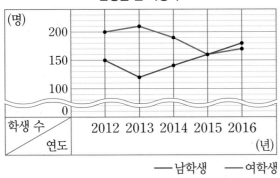

안경을 쓴 학생 수

―― 남학생 ―― 여학생

( )

해결 두 가지 항목을 한꺼번에 나타낸 꺾은선그래프에서는 먼저 각 색깔의 선이 나타내는 것이 무엇인지 알아봅니다.

22 선생님과 희재가 **21**의 그래프를 보고 대화를 하고 있습니다. □ 안에 알맞은 수를 써넣으세요.

선생님

안경을 쓴 남학생 수가 여학생 수보다 많은 때는 언제일까요?

선생님, □ 년에 안경을 쓴 남학생 수가 여학생 수보다 더 많아요.

희재

꺾은선그래프를 보고 예상하기

23 어느 아이스크림 공장의 아이스크림 생산량을 조사하여 나타낸 꺾은선그래프입니다. 8월의 아이스크림 생산량은 몇 상자일지 예상해 보세요.

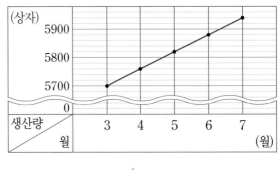

아이스크림 생산량

( )

해결 3월부터 7월까지 아이스크림 생산량은 몇 상자씩 어떻게 변하였는지 알아봅니다.

서술형

24 우리나라 국민 1인당 쌀 소비량을 조사하여 나타낸 꺾은선그래프입니다. 2020년의 1인당 쌀 소비량은 몇 kg일지 예상해 보고, 그 이유를 써 보세요.

교과 역량

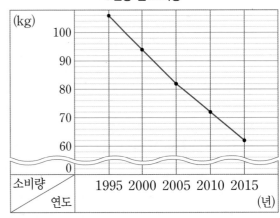

1인당 쌀 소비량

답

이유

5 단원

서술형 해결하기

연습

01 태양이와 효린이의 몸무게를 매월 1일에 조사하여 나타낸 꺾은선그래프입니다. 두 사람의 몸무게의 차가 가장 작은 때 두 사람의 몸무게는 각각 몇 kg인지 풀이 과정을 쓰고, 답을 구하세요.

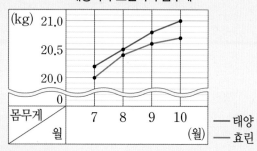

서술형 포인트

❶ 몸무게의 차가 가장 작은 때 구하기
❷ 몸무게의 차가 가장 작은 때의 몸무게 구하기

풀이를 완성하세요.

❶ 두 사람의 몸무게의 차가 가장 작은 때는 두 선의 간격이 가장 (많이 , 적게) 벌어진 때입니다.

➡ _____ 월에 두 사람의 몸무게의 차가 가장 작습니다.

❷ _____ 월의 태양이와 효린이의 몸무게를 각각 구합니다.

태양: _____에 찍혀 있는 점의 _____ 눈금은 _____입니다.

효린: _____에 찍혀 있는 점의 _____ 눈금은 _____입니다.

답 태양: _____ , 효린: _____

단계

02 가 공장과 나 공장의 인형 생산량을 조사하여 나타낸 꺾은선그래프입니다. 두 공장의 인형 생산량의 차가 가장 큰 때 **인형 생산량의 합은 몇 개**인지 풀이 과정을 쓰고, 답을 구하세요.

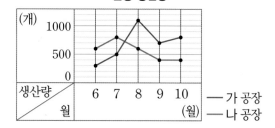

❶ 인형 생산량의 차가 가장 큰 때 구하기

풀이

❷ 인형 생산량의 차가 가장 큰 때의 생산량의 합 구하기

풀이

답 _____

실전

03 인선이네 반 교실과 강당의 온도를 조사하여 나타낸 꺾은선그래프입니다. 교실과 강당의 온도의 차가 가장 큰 때 **온도의 차는 몇 °C**인지 풀이 과정을 쓰고, 답을 구하세요.

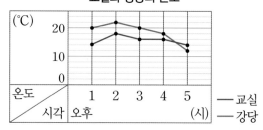

풀이

답 _____

연습, 실전 문제는 매칭북 40쪽에서 한 번 더!

● 정답 35쪽

연습

04 재희의 키를 매월 15일에 재어 꺾은선그래프로 나타낸 것입니다. 재희가 <u>7월 15일에 키를 잰다면 몇 cm가 될지 예상</u>하려고 합니다. 풀이 과정을 쓰고, 답을 구하세요.

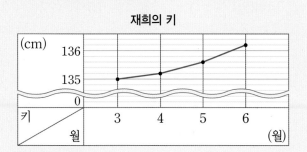

재희의 키

서술형 포인트
❶ 재희의 키는 매월 몇 cm 자랐는지 구하기
❷ 7월 15일의 재희의 키 예상하기

풀이를 완성하세요.

❶ 매월 자란 재희의 키를 구하면

3월~4월: _____

4월~5월: _____

5월~6월: _____

❷ 7월 15일의 재희의 키는 6월 15일의 재희의 키보다 _____ cm 더 크다고 예상할 수 있습니다. 따라서 재희가 7월 15일에 키를 잰다면

_____

로 예상할 수 있습니다.

답 _____

단계

05 어느 냉장고 회사의 냉장고 판매량을 조사하여 나타낸 꺾은선그래프입니다. **10월의 냉장고 판매량은 몇 대가 될지 예상**하려고 합니다. 풀이 과정을 쓰고, 답을 구하세요.

냉장고 판매량

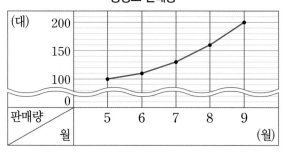

❶ 판매량은 매월 몇 대 늘어났는지 구하기

풀이

❷ 10월의 냉장고 판매량 예상하기

풀이

답 _____

실전

06 매년 12월 31일에 준성이네 농장에 있는 오리의 수를 조사하여 나타낸 꺾은선그래프입니다. **2018년 12월 31일에 준성이네 농장에 있는 오리는 몇 마리가 될지 예상**하려고 합니다. 풀이 과정을 쓰고, 답을 구하세요.

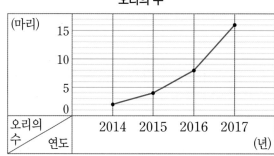

오리의 수

풀이

답 _____

5 단원

[01~04] 어느 날 수영이네 학교 운동장의 온도를 조사하여 나타낸 그래프입니다. 물음에 답하세요.

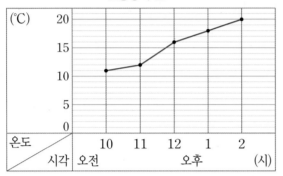

01 위와 같은 그래프를 무슨 그래프라고 하나요?

( )

02 세로 눈금 한 칸의 크기는 몇 ℃인가요?

( )

03 오후 1시의 운동장의 온도는 몇 ℃인가요?

( )

04 오전 11시 30분의 운동장의 온도는 몇 ℃일지 예상해 보세요.

( )

[05~08] 5월 1일부터 해바라기의 키를 매주 기록한 표입니다. 표를 보고 꺾은선그래프로 나타내려고 합니다. 물음에 답하세요.

해바라기의 키

날짜(일)	1	8	15	22	29
키(cm)	9	11	14	19	23

05 가로 눈금과 세로 눈금에는 각각 무엇을 나타내는 것이 좋을까요?

가로 눈금 ( )

세로 눈금 ( )

06 세로 눈금 한 칸의 크기는 몇 cm로 하는 것이 좋을까요?

( )

07 표를 보고 꺾은선그래프로 나타내어 보세요.

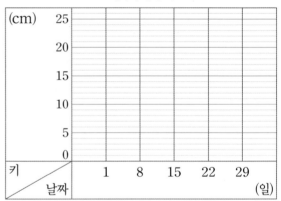

08 15일부터 29일까지 해바라기의 키는 몇 cm 자랐을까요?

( )

[09~10] 어느 지역의 초등학생 수를 조사하여 나타낸 꺾은선그래프입니다. 물음에 답하세요.

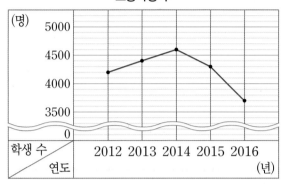

09 초등학생 수가 4600명인 때는 언제인가요?

(   )

10 초등학생 수의 변화가 가장 큰 때는 몇 년과 몇 년 사이인가요?

(   )과 (   ) 사이

11 물결선을 사용한 꺾은선그래프의 특징을 바르게 설명한 사람은 누구일까요?

[민수] 막대의 길이로 자료의 크기를 비교하기가 쉽습니다.
[주영] 필요 없는 부분을 물결선으로 줄여서 그리면 변화하는 모양을 뚜렷하게 알 수 있습니다.
[명화] 실제 모양과 비슷한 그림으로 나타내어 알아보기 쉽습니다.

(   )

[12~13] 어느 빵집의 빵 판매량을 매일 조사하여 나타낸 표입니다. 표를 보고 물결선을 사용한 꺾은선그래프로 나타내려고 합니다. 물음에 답하세요.

빵 판매량

날짜(일)	6	7	8	9	10
판매량(개)	54	56	60	58	53

12 세로 눈금의 시작은 몇 개에서 하고, 세로 눈금 한 칸은 몇 개로 하면 좋을지 차례로 써 보세요.

(   ), (   )

13 표를 보고 물결선을 사용한 꺾은선그래프로 나타내어 보세요.

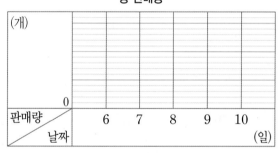

14 매월 1일 아현이의 몸무게를 조사하여 나타낸 꺾은선그래프입니다. 4월 1일의 아현이의 몸무게는 몇 kg이 될지 예상해 보세요.

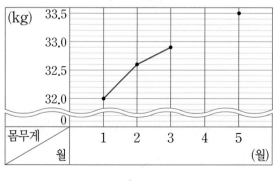

(   )

15 은호의 팔굽혀펴기 기록을 조사하여 나타낸 표입니다. 표를 보고 알맞은 그래프로 나타내어 보세요.

은호의 팔굽혀펴기 기록

요일	월	화	수	목	금
횟수(회)	8	12	16	14	13

은호의 팔굽혀펴기 기록

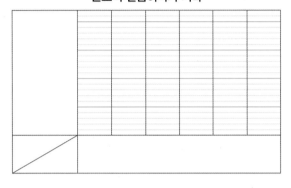

[16~17] 어느 소극장의 관람객 수를 조사하여 나타낸 꺾은선그래프입니다. 물음에 답하세요.

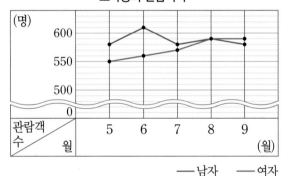

16 남자 관람객 수와 여자 관람객 수가 같은 때는 언제인가요?

( )

17 남자 관람객 수와 여자 관람객 수의 차가 가장 큰 때 관람객 수의 차는 몇 명일까요?

( )

[18~20] 매년 세호의 동생의 몸무게를 조사하여 나타낸 꺾은선그래프입니다. 물음에 답하세요.

세호의 동생의 몸무게

18 꺾은선그래프를 보고 알 수 있는 내용을 2가지 써 보세요.

알 수 있는 내용

19 2013년부터 2017년까지 세호의 동생의 몸무게는 몇 kg 늘어났는지 풀이 과정을 쓰고, 답을 구하세요.

풀이

답

20 2018년의 세호의 동생의 몸무게는 몇 kg이 될지 예상하려고 합니다. 풀이 과정을 쓰고, 답을 구하세요.

풀이

답

알루
(Aluu)

알루. 나는 눈과 얼음이 만들어낸 환상의 섬나라,
그린란드에 살고 있는 에릭이라고 해.
'알루'는 우리말로 안녕이라는 인사말이야.

그린란드에 대해 소개할게.
그린란드는 기온이 여름에 영상 20 ℃까지 올라가지
만 그 외에는 영하 30 ℃까지 내려가는 추운 나라야.
그래서 세계에서 가장 큰 섬임에도 불구하고 인구가 적은 편이지.
그렇지만 이런 날씨 덕분에 겨울에 바다가 얼면 개썰매를 타고 다닐 수도 있단다.

빙산의 나라, 그린란드

부채 모양으로 썰매를 끄는 썰매개

그린란드의 전통 의상은 화려한 것이 특징이야.
특히 여자 의상은 구슬로 만든 섬세한 장식을 하고,
신발은 예쁜 꽃 자수와 레이스 장식을 한단다.

5
단원

준수네 마을의 최고 기온을 조사했으니까 온도계 그림으로 그림그래프를 그려 볼까?

그림그래프

그림그래프: 조사한 자료를 그림으로 나타낸 그래프

준수네 마을의 최고 기온

월	2월	4월	6월	8월	10월	12월
기온(℃)	3.2	13.1	21.1	28.7	17.3	5.6

준수네 마을의 최고 기온

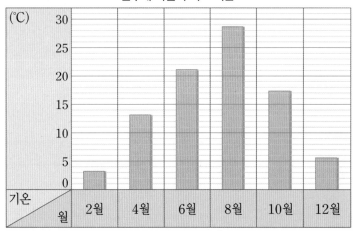

막대그래프

막대그래프: 조사한 자료를 막대 모양으로 나타낸 그래프

막대그래프는 막대의 길이로 최고 기온을 비교할 수 있어.

준수네 마을의 최고 기온

꺾은선그래프는 변화하는 모습을 한눈에 알아보기 쉬워.

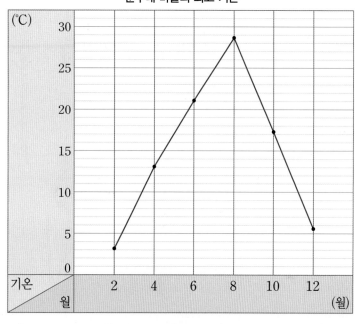

꺾은선그래프

꺾은선그래프: 수량을 점으로 표시하고, 그 점들을 선분으로 이어 그린 그래프

준수네 마을의 최고 기온

그림그래프, 막대그래프, 꺾은선그래프의 같은 점과 다른 점을 알아보자.

그림그래프, 막대그래프, 꺾은선그래프의 비교

그래프	같은 점	다른 점
그림그래프	• 준수네 마을의 최고 기온을 나타내었습니다. • 월별 최고 기온을 비교할 수 있습니다.	• 기온을 온도계 그림으로 나타내었습니다.
막대그래프		• 기온을 막대로 나타내었습니다.
꺾은선그래프		• 기온을 점으로 찍고, 그 점들을 선분으로 이어서 나타내었습니다.

5
단원

6 다각형

다양한 유형과
서술형 문제로
실력을 키워요!

🕐 학습계획표

진 진도북, 매 매칭북

학습 계획 및 확인				학습 내용
STEP 1 개념 완성하기	월 일	진 140~145쪽	☐	1. 다각형 2. 정다각형 3. 대각선
	월 일	매 41쪽	☐	4. 모양 만들기 5. 모양 채우기
STEP 2 실력 다지기	월 일	진 146~151쪽	☐	다각형과 정다각형 알아보기 다각형과 정다각형의 이름 정다각형의 변의 길이 정다각형의 각의 크기 사각형의 대각선 대각선의 수
	월 일	매 42~44쪽	☐	다각형으로 이루어진 모양 조각으로 모양 만들기 다각형으로 이루어진 모양 조각으로 모양 채우기 약점 체크 대각선을 이용하여 길이 구하기 약점 체크 다각형의 모든 각의 크기의 합 구하기 약점 체크 조건을 만족하는 도형 구하기 약점 체크 평면을 빈틈없이 채우기
STEP 3 서술형 해결하기	월 일	진 152~153쪽	☐	서술형 학습
	월 일	매 45쪽	☐	
평가 단원 마무리	월 일	진 154~156쪽	☐	마무리 학습
	월 일	매 61~63쪽	☐	

6
단원

※ 이번 단원에서 공부할 계획을 세우고 계획대로 공부했다면 ☐ 안에 ○표 합니다.
특강을 활용하여 이전에 배운 내용과 이번에 배울 내용의 흐름을 이해합니다.

1 다각형

- **다각형**: 선분으로만 둘러싸인 도형
- 다각형은 변의 수에 따라 변이 6개이면 **육각형**, 변이 7개이면 **칠각형**, 변이 8개이면 **팔각형**이라고 부릅니다. → 변이 ■개인 다각형은 ■각형입니다.

도형				……
변의 수(개)	6	7	8	……
이름	육각형	칠각형	팔각형	……

예제 **다각형이 아닌 도형 알아보기**

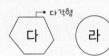

① 곡선이 포함된 도형 ➡ 가, 라
② 선분으로 둘러싸이지 않고 열려 있는 도형 ➡ 나

2 정다각형

정다각형: 변의 길이가 모두 같고 각의 크기가 모두 같은 다각형

도형	△	□	⬠	……
변의 수(개)	3	4	5	……
이름	정삼각형	정사각형	정오각형	……

예제 **정다각형이 아닌 도형 알아보기**

① 변의 길이와 각의 크기가 다른 다각형 ➡ 나
② 변의 길이만 모두 같은 다각형 ➡ 가
③ 각의 크기만 모두 같은 다각형 ➡ 다

개념 확인

[1~2] 도형을 보고 물음에 답하세요.

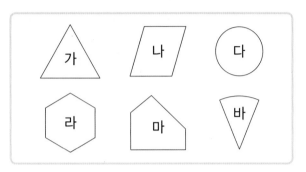

1 선분으로만 둘러싸인 도형을 모두 찾아 기호를 써 보세요.

( )

2 □ 안에 알맞은 말을 써넣으세요.

선분으로만 둘러싸인 도형을 □이라고 합니다.

3 정다각형을 모두 찾아 ○표 하세요.

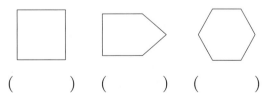

( ) ( ) ( )

4 오각형을 찾아 기호를 써 보세요.

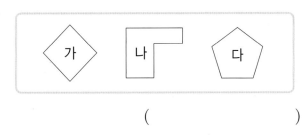

( )

5 도형판에 만든 다각형의 이름을 써 보세요.

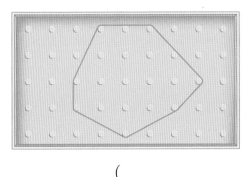

( )

6 정다각형의 이름을 써 보세요.

(1) 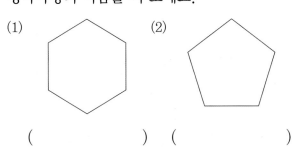 (2)

( ) ( )

기본 유형 확인

7 사진에서 찾을 수 있는 도형을 보고 관계있는 것끼리 선으로 이어 보세요.

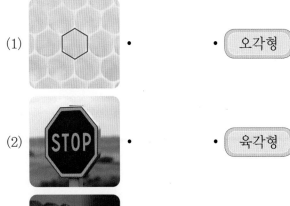

(1) •   • 오각형

(2) •   • 육각형

(3) •   • 팔각형

8 점 종이에 그려진 선분을 이용하여 다각형을 완성해 보세요.

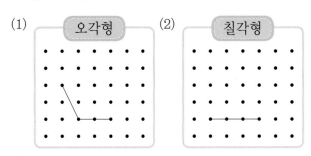

(1) 오각형   (2) 칠각형

9 정육각형을 1개 그려 보세요.

3 대각선

대각선: 다각형에서 서로 이웃하지 않는 두 꼭짓
점을 이은 선분

 → 대각선: 선분 ㄱㄷ, 선분 ㄴㄹ

예제 1 다각형에서 대각선의 수 알아보기

다각형	대각선의 수(개)	다각형	대각선의 수(개)
삼각형	0	사각형	2
오각형	5	육각형	9

→ 꼭짓점의 수가 많을수록 그을 수 있는 대각선
의 수는 많습니다.

참고 삼각형은 꼭짓점 3개가 서로 이웃하고 있어서 대각선을 그을
수 없습니다.

예제 2 사각형에서 대각선의 성질 알아보기

직사각형   정사각형   평행사변형   마름모

① 두 대각선의 길이가 같은 사각형
→ 직사각형, 정사각형
② 두 대각선이 서로 수직으로 만나는 사각형
→ 정사각형, 마름모
③ 한 대각선이 다른 대각선을 똑같이 둘로 나누는
사각형
→ 직사각형, 정사각형, 평행사변형, 마름모

개념 확인

1 오각형에 대각선을 바르게 나타낸 것에 ○표
하세요.

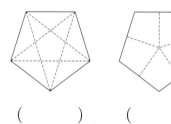

(   )   (   )

2 도형에 대각선을 모두 그어 보세요.

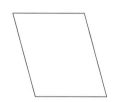

3 도형의 한 꼭짓점 ㄱ에서 그을 수 있는 대각선
은 모두 몇 개일까요?

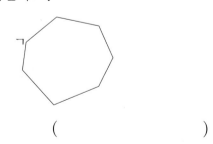

(   )

[4~5] 사각형을 보고 물음에 답하세요.

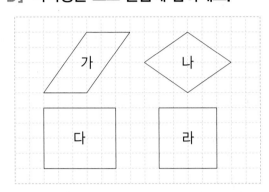

4 사각형 가, 나, 다, 라에 대각선을 모두 그어 보세요.

5 알맞은 사각형을 모두 찾아 기호를 써 보세요.

(1) 두 대각선의 길이가 같은 사각형

➡ (   )

(2) 두 대각선이 서로 수직으로 만나는 사각형

➡ (   )

(3) 한 대각선이 다른 대각선을 똑같이 둘로 나누는 사각형

➡ (   )

6 사각형 ㄱㄴㄷㄹ에서 대각선을 모두 찾아 써 보세요.

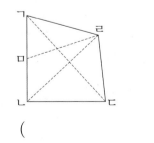

(   )

기본 유형 확인

7 팔각형에 대각선을 모두 긋고, 대각선은 모두 몇 개인지 구하세요.

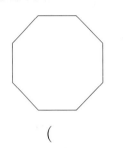

(   )

8 대각선의 수가 많은 순서대로 기호를 써 보세요.

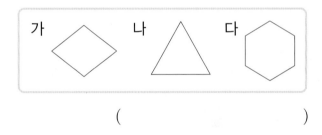

(   )

9 사각형 ㄱㄴㄷㄹ은 직사각형입니다. ☐ 안에 알맞은 수를 써넣으세요.

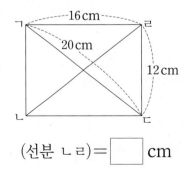

(선분 ㄴㄹ)= ☐ cm

4 모양 만들기

[예제] **다각형으로 이루어진 모양 조각으로 여러 가 지 모양 만들기** → 모양 조각의 길이가 같은 변끼리 겹치지 않게 이어 붙여서 여러 가지 모양을 만듭니다.

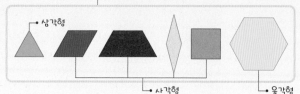

① 정삼각형 만들기

② 여러 가지 모양 만들기

5 모양 채우기

[예제] **모양 조각을 사용하여 모양 채우기**

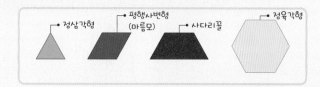

① 1가지 모양 조각만 사용하여 모양 채우기

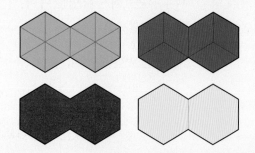

② 주어진 모양 조각을 모두 사용하여 모양 채우기

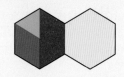

개념 확인

1 수연이는 모양 조각을 사용하여 오른쪽 모양을 만들었습니다. 모양을 만드는 데 사용한 다각 형의 이름을 모두 찾아 ○표 하 세요.

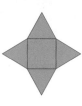

| 삼각형 | 사각형 | 오각형 |

2 다음 모양을 만들려면 △ 모양 조각은 몇 개 필요한가요?

(   )

3 한 가지 모양 조각을 3개 사용하여 오른쪽과 같은 모양을 만들려고 합 니다. 필요한 모양 조각을 찾아 ○표 하세요.

(   )   (   )   (   )

[4~5] 다각형을 사용하여 꾸민 모양을 보고 물음에 답하세요.

가

나

4 모양을 채우고 있는 다각형의 이름을 각각 써 보세요.

가 (   )
나 (   )

5 모양 채우기 방법을 설명한 것입니다. 잘못 설명한 것을 찾아 기호를 써 보세요.

> ㉠ 서로 겹치지 않게 이어 붙였습니다.
> ㉡ 길이가 서로 다른 변끼리 이어 붙였습니다.
> ㉢ 빈틈없이 이어 붙였습니다.

(   )

6 2가지 모양 조각을 한 번씩 사용하여 도형을 만들어 보세요.

정삼각형	평행사변형

7 왼쪽 모양 조각을 모두 사용하여 오른쪽 평행사변형을 채울 수 있는 방법을 나타내어 보세요.

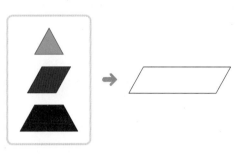

8 오른쪽 모양 조각을 사용하여 만든 사각형의 특징을 알아보려고 합니다. 물음에 답하세요.

(1) 주어진 모양 조각을 2개 사용하여 사각형을 만들어 보세요.

(2) (1)에서 만든 사각형의 특징을 바르게 말한 사람의 이름을 써 보세요.

네 변의 길이가 모두 같아.
슬기

두 대각선의 길이가 같아.

주원

(   )

6 단원

다각형과 정다각형 알아보기

유형 **01** 다음은 색종이를 잘라서 만든 모양입니다. 다각형은 모두 몇 개일까요?

( )

확인 **02** 도형을 이루고 있는 모양 중에서 정다각형을 모두 찾아 색칠해 보세요.

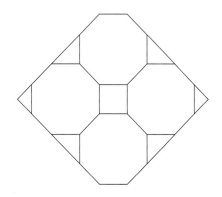

강화 **03** 다음 도형이 다각형이 아닌 이유를 써 보세요. [서술형]

이유 _____
_____

다각형과 정다각형의 이름

04 다음에서 설명하는 도형의 이름을 써 보세요.

• 선분으로만 둘러싸여 있습니다.
• 변이 20개입니다.
• 변의 길이와 각의 크기가 모두 같습니다.

( )

05 식탁 위에 여러 가지 모양의 접시가 놓여 있습니다. 오각형 모양의 접시에는 빨간색, 육각형 모양의 접시에는 파란색, 팔각형 모양의 접시에는 노란색으로 색칠하세요.

[교과 역량]

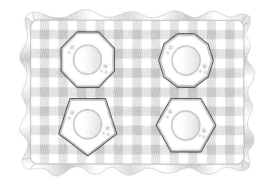

06 변의 수가 가장 많은 다각형을 찾아 기호를 쓰고, 그 다각형의 이름을 써 보세요.

| 가 | 나 | 다 | 라 |

( ), ( )

확인, 강화 문제는 매칭북 42쪽에서 한 번 더!

정답 38쪽

정다각형의 변의 길이

07 응현이는 다음과 같이 강아지 집 주변에 한 변이 3 m인 정육각형 모양의 울타리를 치려고 합니다. 울타리는 모두 몇 m일까요?

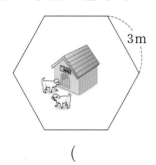

( )

08 모든 변의 길이의 합이 60 cm인 정십이각형이 있습니다. 이 도형의 한 변은 몇 cm일까요?

( )

서술형

09 한 변이 4 cm이고, 모든 변의 길이의 합이 36 cm인 정다각형이 있습니다. 이 정다각형의 이름은 무엇인지 풀이 과정을 쓰고, 답을 구하세요.

풀이 _____

답 _____

정다각형의 각의 크기

10 오른쪽 도형은 정팔각형입니다. 이 도형의 모든 각의 크기의 합은 몇 도일까요?

( )

11 민준이가 쓴 내용을 보고 정구각형의 한 각의 크기는 몇 도인지 구하세요.

민준

정구각형의 모든 각의 크기의 합은 1260°입니다.

( )

12 다음은 정다각형의 일부분입니다. 이 정다각형의 모든 각의 크기의 합이 1440°일 때 정다각형의 이름은 무엇일까요?

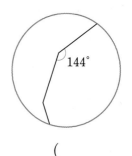

( )

사각형의 대각선

유형 13 오른쪽 사각형 ㄱㄴㄷㄹ은 정사각형입니다. 각 ㄱㅇㄴ의 크기는 몇 도일까요?

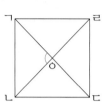

( )

확인 14 직사각형 모양의 색종이를 사용하여 다음과 같은 순서로 도형을 만들었습니다. 접어서 생긴 두 선분이 이루는 각도는 몇 도일까요?

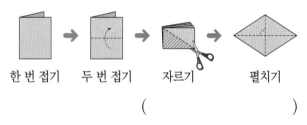

한 번 접기   두 번 접기   자르기   펼치기

( )

강화 15 다음에서 설명이 맞으면 ○표, 틀리면 ×표를 따라 길을 찾아보세요. 교과역량

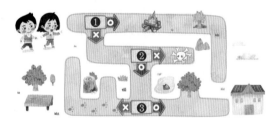

❶ 두 대각선의 길이가 같은 사각형은 직사각형과 마름모입니다.

❷ 평행사변형의 한 대각선은 다른 대각선을 똑같이 둘로 나눕니다.

❸ 정사각형은 두 대각선이 서로 수직으로 만납니다.

대각선의 수

16 다음 세 도형에 그을 수 있는 대각선의 수를 모두 더하면 몇 개일까요?

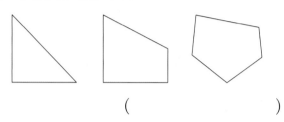

( )

서술형
17 표시된 꼭짓점에서 그을 수 있는 대각선을 모두 그어 보고, 알게 된 점을 써 보세요.

알게 된 점 _____

_____

18 변이 6개인 다각형이 있습니다. 이 다각형에 그을 수 있는 대각선은 모두 몇 개일까요?

( )

확인 문제는 매칭북 43쪽에서 한 번 더!

▶ 정답 38쪽

19 한 가지 모양 조각을 여러 번 사용하여 2가지 방법으로 정육각형을 만들어 보세요.

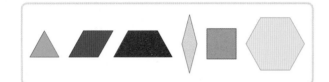

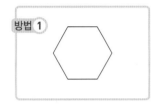 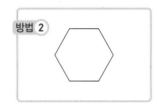

20 19의 모양 조각을 사용하여 모양을 만들고, 만든 모양에 이름을 붙여 보세요.

(   )

21 정삼각형 모양 조각 4개를 사용하여 만들 수 없는 도형을 찾아 써 보세요.

정삼각형	사다리꼴
평행사변형	직사각형

(   )

22 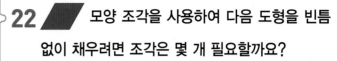 모양 조각을 사용하여 다음 도형을 빈틈없이 채우려면 조각은 몇 개 필요할까요?

(   )

23  를 모두 사용하여 직사각형을 빈틈없이 채울 수 있는 방법을 나타내어 보세요.

24 보기 의 모양 조각을 모두 사용하여 겹치지 않게 놓아 도형을 빈틈없이 채우려고 합니다. 도형을 채울 수 있는 방법을 나타내어 보세요.

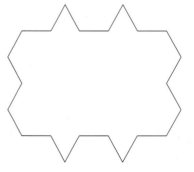

6단원

대각선을 이용하여 길이 구하기 약점체크

유형 **25** 사각형 ㄱㄴㄷㄹ은 마름모입니다. 선분 ㄱㅇ과 선분 ㄹㅇ의 길이의 합은 몇 cm일까요?

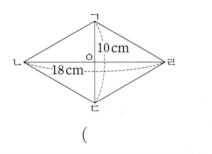

( )

해결 마름모의 두 대각선은 어떻게 만나는지 생각해 봅니다.

다각형의 모든 각의 크기의 합 구하기 약점체크

27 정육각형의 한 각의 크기는 몇 도인지 구하세요.

생각수학

(1) 정육각형을 삼각형으로 나누어 보세요.

(2) 정육각형의 모든 각의 크기의 합은 몇 도일까요?

( )

(3) 정육각형의 한 각의 크기는 몇 도일까요?

( )

해결 삼각형의 세 각의 크기의 합을 이용하여 정육각형의 모든 각의 크기의 합을 구할 수 있습니다.

확인 **26** 평행사변형 ㄱㄴㄷㄹ에서 두 대각선의 길이의 합은 몇 cm일까요?

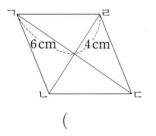

( )

서술형

28 정팔각형의 한 각의 크기는 몇 도인지 풀이 과정을 쓰고, 답을 구하세요.

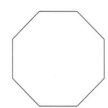

풀이 _____

_____

_____

답 _____

조건을 만족하는 도형 구하기 [약점체크]

29 재민이와 윤진이가 어떤 다각형을 보고 설명한 것입니다. 이 다각형의 이름을 써 보세요.

> 모든 변의 길이와 모든 각의 크기가 같아.

> 한 꼭짓점에서 그을 수 있는 대각선은 3개야.

 재민

 윤진

(   )

[주의] 한 꼭짓점에서 이웃하는 꼭짓점에 대각선을 그을 수 없음에 주의하여 어떤 다각형인지 알아봅니다.

30 다음 조건을 모두 만족하는 도형의 이름을 써 보세요.

> • 선분으로만 둘러싸여 있습니다.
> • 모든 변의 길이와 모든 각의 크기가 같습니다.
> • 그을 수 있는 대각선은 14개입니다.

(   )

평면을 빈틈없이 채우기 [약점체크]

31 정다각형 중 겹치지 않게 여러 개 놓아 평면을 빈틈없이 채울 수 없는 것을 찾아 기호를 써 보세요.

가 $60°$

나 $90°$

다 $135°$

(   )

[해결] 정다각형을 겹치지 않게 여러 개 놓아 평면을 빈틈없이 채우려면 정다각형의 한 각의 크기가 어떤 조건을 만족해야 하는지 알아봅니다.

32 오른쪽 정오각형 모양의 타일을 바닥에 붙이려고 합니다. 타일을 겹치지 않게 놓아 바닥을 빈틈없이 채울 수 있는지, 없는지 쓰고, 그 이유를 설명하세요. [서술형] [교과역량]

답 _____

이유 _____

_____

_____

연습

01 정사각형 ㄱㄴㄷㄹ에서 <u>각 ㅇㄴㄷ의 크기는 몇 도인지</u> 풀이 과정을 쓰고, 답을 구하세요.

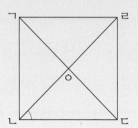

서술형 포인트
정사각형의 두 대각선은 서로 어떻게 만나는지 알아봅니다.
❶ 삼각형 ㅇㄴㄷ은 어떤 삼각형인지 알아보기
❷ 각 ㅇㄴㄷ의 크기 구하기

 풀이를 완성하세요.

❶ 정사각형은 두 대각선의 길이가 ＿＿＿＿, 한 대각선이 다른 대각선을 ＿＿＿＿＿＿＿＿.
　➡ 삼각형 ㅇㄴㄷ은 ＿＿＿＿＿＿입니다.

❷ 정사각형은 두 대각선이 서로 ＿＿＿으로 만나므로 (각 ㄴㅇㄷ)= ＿＿＿°입니다.
　삼각형 ㅇㄴㄷ에서
　(각 ㅇㄴㄷ)=(각 ㅇㄷㄴ)= ＿＿＿°입니다.

답 ＿＿＿＿＿＿＿＿＿＿

단계

02 직사각형 ㄱㄴㄷㄹ에서 **각 ㄹㅇㄷ의 크기는 몇 도인지** 풀이 과정을 쓰고, 답을 구하세요.

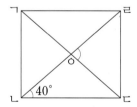

❶ 각 ㄴㄷㅇ의 크기 구하기
풀이

❷ 각 ㄹㅇㄷ의 크기 구하기
풀이

답 ＿＿＿＿＿＿＿＿＿＿

실전

03 직사각형 ㄱㄴㄷㄹ에서 **각 ㄱㅇㄴ의 크기는 몇 도인지** 풀이 과정을 쓰고, 답을 구하세요.

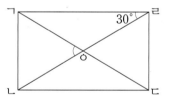

풀이

답 ＿＿＿＿＿＿＿＿＿＿

연습

04 다음은 정오각형입니다. 각 ㄱㅁㄷ의 크기는 몇 도인지 풀이 과정을 쓰고, 답을 구하세요.

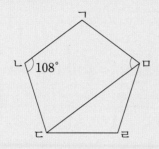

서술형 포인트

정다각형은 모든 변의 길이와 모든 각의 크기가 같다는 것을 이용하여 각의 크기를 구합니다.
❶ 각 ㄹㅁㄷ의 크기 구하기
❷ 각 ㄱㅁㄷ의 크기 구하기

풀이를 완성하세요.

❶ 정오각형은 모든 변의 길이가 같으므로

   삼각형 ㅁㄷㄹ은 _____ 입니다.

   정오각형은 모든 각의 크기가 같으므로

   (각 ㅁㄹㄷ)=(각 ㄱㄴㄷ)=____°입니다.

   삼각형 ㅁㄷㄹ에서

   (각 ㄹㄷㅁ)=(각 ㄹㅁㄷ)=____°입니다.

❷ (각 ㄱㅁㄹ)=(각 ㄱㄴㄷ)=____°이므로

   (각 ㄱㅁㄷ)=_____ 입니다.

   답 _____

단계

05 다음은 정육각형입니다. 각 ㄱㅁㄷ의 크기는 몇 도인지 풀이 과정을 쓰고, 답을 구하세요.

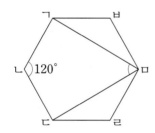

❶ 각 ㅂㅁㄱ과 각 ㄷㅁㄹ의 크기 각각 구하기

풀이

❷ 각 ㄱㅁㄷ의 크기 구하기

풀이

답 _____

실전

06 다음은 정십각형입니다. 각 ㄴㄹㅂ의 크기는 몇 도인지 풀이 과정을 쓰고, 답을 구하세요.

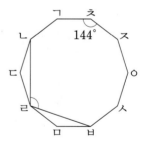

풀이

답 _____

01 □ 안에 알맞은 말을 써넣으세요.

> 선분으로만 둘러싸인 도형을 [ ]이 라고 합니다. 변이 6개이면 [ ], 변이 7개이면 [ ], 변이 8개이면 [ ]이라고 부릅니다.

[02~03] 도형을 보고 물음에 답하세요.

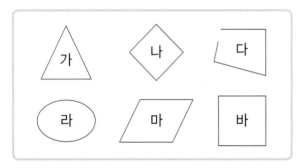

02 다각형을 모두 찾아 기호를 써 보세요.

( )

03 정다각형을 모두 찾아 기호를 써 보세요.

( )

04 대각선을 잘못 나타낸 것에 ×표 하세요.

( )   ( )

05 관계있는 것끼리 선으로 이어 보세요.

(1) •   • 칠각형

(2) •   • 사각형

(3) •   • 팔각형

06 사각형 ㄱㄴㄷㄹ에서 대각선을 모두 찾아 써 보세요.

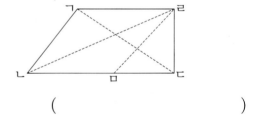

( )

07 모양을 만드는 데 사용한 다각형을 모두 찾아 이름을 써 보세요.

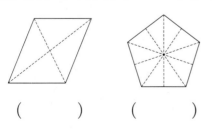

( )

08 왼쪽 모양 조각 중 2가지를 골라 평행사변형을 만들어 보세요.

09 다음은 정팔각형입니다. □ 안에 알맞은 수를 써넣으세요.

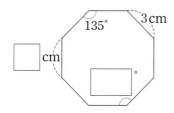

10 왼쪽 모양 조각을 사용하여 오른쪽 육각형을 빈틈없이 채우려고 합니다. 왼쪽 모양 조각은 적어도 몇 개 필요할까요?

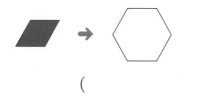

( )

11 와 ▮를 모두 사용하여 삼각형을 빈틈없이 채울 수 있는 방법을 나타내어 보세요.

12 사각형의 대각선에 대한 설명 중 틀린 것을 찾아 기호를 써 보세요.

> ㉠ 마름모는 두 대각선이 서로 수직으로 만납니다.
> ㉡ 직사각형은 두 대각선의 길이가 같고, 서로 수직으로 만납니다.
> ㉢ 평행사변형은 한 대각선이 다른 대각선을 똑같이 둘로 나눕니다.

( )

13 도형에 그을 수 있는 대각선은 모두 몇 개일까요?

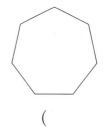

( )

14 다음 조건을 모두 만족하는 다각형의 한 각의 크기는 몇 도일까요?

> • 변이 9개입니다.
> • 모든 변의 길이와 모든 각의 크기가 같습니다.
> • 모든 각의 크기의 합은 1260°입니다.

( )

15 마름모 ㄱㄴㄷㄹ에서 두 대각선의 길이의 합은 몇 cm일까요?

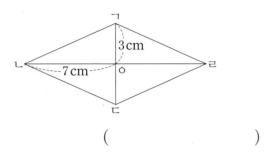

(   )

16 다음 도형은 정오각형입니다. 이 도형의 한 각의 크기는 몇 도일까요?

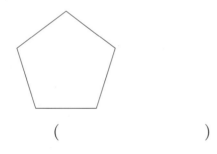

(   )

17 직사각형 ㄱㄴㄷㄹ에서 각 ㄴㄱㄷ의 크기는 몇 도일까요?

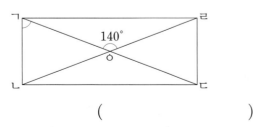

(   )

18 오른쪽 도형이 정다각형인지, 아닌지 쓰고, 그 이유를 써 보세요.

답 _____

이유 _____

_____

19 정사각형과 정육각형의 모든 변의 길이의 합은 같습니다. 정육각형의 한 변은 몇 cm인지 풀이 과정을 쓰고, 답을 구하세요.

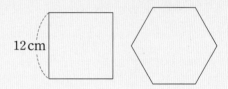

풀이 _____

_____

_____

답 _____

20 사각형 ㄱㄴㄷㄹ은 평행사변형입니다. 삼각형 ㅇㄴㄷ의 세 변의 길이의 합은 몇 cm인지 풀이 과정을 쓰고, 답을 구하세요.

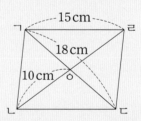

풀이 _____

_____

_____

답 _____

생각하며 쉬어가기

디어 구잇. 내 이름은 로버트 미호야.

나는 유럽에서 세 번째로 큰 섬인 아일랜드에 살고 있어.

'디어 구잇'은 아일랜드의 인사말로 '안녕하세요'라는 뜻이야.

디어 구잇
(Dia dhuit)

아일랜드의 수도는 더블린이야.

더블린에는 멋진 더블린 성과 영화 '해리포터'의 배경인

트리니티 대학 구 도서관이 있어.

하프는 아일랜드를 상징하는 악기야. 유럽에서 8세기에

하프가 처음 등장했는데 아일랜드 사람들은 하프를

연주할 수 있어야 천사가 될 수 있고, 천국에 갈 수 있다고 믿었대.

'더블린 성'

'트리니티 대학'

아이리시
스튜

'아이리시스튜'는 아일랜드의 전통 음식이야.
고기와 채소를 찌개처럼 끓인 음식으로 아일랜드
에서는 1800년대부터 먹기 시작했어.

특강 사각형

| 이등변 삼각형 | 두 변의 길이가 같은 삼각형 |
| 정삼각형 | 세 변의 길이가 같은 삼각형 |

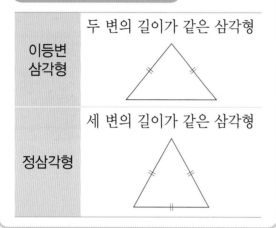

삼각형을 변의 길이와 각의 크기에 따라 분류할 수 있어!

예각, 직각, 둔각삼각형

예각 삼각형	세 각이 모두 예각인 삼각형
직각 삼각형	한 각이 직각인 삼각형
둔각 삼각형	한 각이 둔각인 삼각형

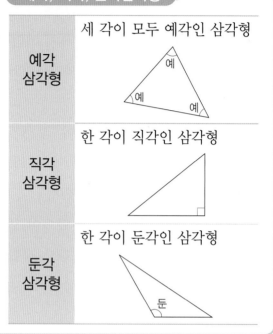

직사각형, 정사각형

| 직사각형 | 네 각이 모두 직각인 사각형 |
| 정사각형 | 네 각이 모두 직각이고 네 변의 길이가 모두 같은 사각형 |

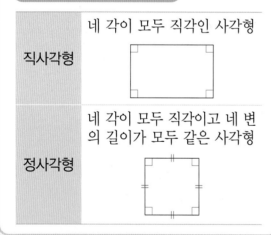

사다리꼴, 평행사변형, 마름모

사다리꼴	평행한 변이 한 쌍이라도 있는 사각형
평행 사변형	마주 보는 두 쌍의 변이 서로 평행한 사각형
마름모	네 변의 길이가 모두 같은 사각형

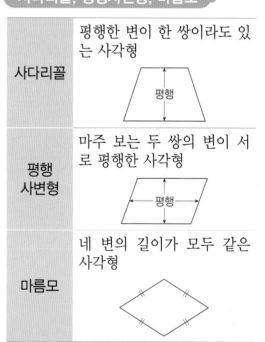

사각형의 관계

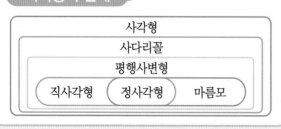

사각형
사다리꼴
평행사변형
직사각형 · 정사각형 · 마름모

변이 ■개인 다각형은
■각형이야.

변이 ●개인 정다각형은
정●각형이야.

다각형

- **다각형**: 선분으로만 둘러싸인 도형
- 다각형의 이름

도형	변의 수(개)	이름
	3	삼각형
	4	사각형
	5	오각형
	6	육각형
	7	칠각형
⋮	⋮	⋮

정다각형

- **정다각형**: 변의 길이가 모두 같고 각의 크기가 모두 같은 다각형
- 정다각형의 이름

도형	변의 수(개)	이름
	3	정삼각형
	4	정사각형
	5	정오각형
	6	정육각형
	7	정칠각형
⋮	⋮	⋮

다각형과 정다각형은 변의
수에 따라 이름이 정해져.

MEMO

동아출판 초등 무료 스마트러닝

동아출판 초등 **무료 스마트러닝**으로
초등 전 과목·전 영역을 쉽고 재미있게!

과목별·영역별 특화 강의

전 과목 개념 강의

국어 독해 지문 분석 강의

구구단 송

그림으로 이해하는 비주얼씽킹 강의

과학 실험 동영상 강의

과목별 문제 풀이 강의

서비스 제공 교재 백점 시리즈 | 큐브 | 빠작 초등 국어 | 초능력 | 초고필 | 하이탑 초등 과학

큐브 수학 실력

매칭북

4·2

◆ 1:1 매칭 학습 ▸ 매칭북으로 진도북의 문제를 한 번 더 복습 │ 단원 평가지 제공

동아출판

매칭북

차례

4·2

1 계산 결과가 $\dfrac{6}{11}$인 식을 찾아 ○표 하세요.

$$\dfrac{10}{11} - \dfrac{4}{11}$$ 　 $$\dfrac{8}{11} + \dfrac{2}{11}$$

（　　　　）　（　　　　　）

2 현우와 지혜가 각각 다음과 같은 계산식을 들고 있습니다. 계산 결과가 더 큰 사람의 이름을 써 보세요.

현우	지혜
$\dfrac{2}{12} + \dfrac{4}{12}$	$\dfrac{10}{12} - \dfrac{3}{12}$

（　　　　　　　　　）

3 정훈이는 우유를 오전에 $\dfrac{6}{9}$ L, 오후에 $\dfrac{5}{9}$ L 마셨습니다. 정훈이가 마신 우유는 모두 몇 L일까요?

（　　　　　　　　　）

4 빈 곳에 알맞은 수를 써넣으세요.

$(+)$ →

$2\dfrac{1}{6}$	$2\dfrac{5}{6}$	
$3\dfrac{4}{6}$	$1\dfrac{3}{6}$	

5 계산이 잘못된 식을 찾아 기호를 써 보세요.

㉠ $1\dfrac{2}{5} + 2\dfrac{4}{5} = 4\dfrac{1}{5}$

㉡ $3\dfrac{5}{8} + \dfrac{23}{8} = 6\dfrac{4}{8}$

㉢ $2\dfrac{3}{10} + 4\dfrac{9}{10} = 6\dfrac{2}{10}$

（　　　　　　　　　）

6 철사를 민아는 $1\dfrac{4}{7}$ m, 지호는 $1\dfrac{2}{7}$ m 가지고 있습니다. 민아와 지호가 가지고 있는 철사는 모두 몇 m일까요?

（　　　　　　　　　）

01 지민이가 설명하는 수를 구하세요.
02 유사

 지민

$\dfrac{8}{9}$보다 $\dfrac{3}{9}$ 작은 수를 구해 봐.

(   )

02 다음 수직선에서 ♣와 ♥가 나타내는 분수의
03 유사 합은 얼마일까요?

```
0    ♣    ♥    1
```

(   )

03 다음은 계산을 잘못한 것입니다. 잘못된 부분
05 유사 을 찾아 바르게 계산하세요.

$$1\frac{3}{7}+3\frac{6}{7}=(1+3)+\left(\frac{3}{7}+\frac{6}{7}\right)$$
$$=4+\frac{9}{14}=4\frac{9}{14}$$

$1\frac{3}{7}+3\frac{6}{7}$

04 유리의 물음에 대한 성호의 답변을 써 보세요.
06 유사

TALK

유리 $2\frac{4}{11}+1\frac{5}{11}$는 어떻게 계산해?

성호

_____

_____

_____

과(와) 같이 계산하면 돼.

_____

05 계산 결과가 1보다 작은 덧셈식을 찾아 ○표
08 유사 하세요.

$\dfrac{3}{5}+\dfrac{4}{5}$	$\dfrac{5}{12}+\dfrac{4}{12}$	$\dfrac{4}{9}+\dfrac{6}{9}$

06 계산 결과가 작은 것부터 차례로 ◯ 안에 번
09 유사 호를 써넣으세요.

◯ $\dfrac{4}{9}+\dfrac{5}{9}$ ◯ $1\frac{7}{9}+1\frac{8}{9}$

◯ $1-\dfrac{1}{9}$ ◯ $3\frac{2}{9}+\dfrac{3}{9}$

07 우리 조상들이 사용하던 들이의 단위로 '되'가 있습니다. 1되는 $1\frac{4}{5}$ L입니다. 쌀 2되는 몇 L일까요?

(   )

08 색 테이프 1 m가 있었습니다. 이 중 진희가 $\frac{6}{13}$ m를 사용하고, 성규가 $\frac{4}{13}$ m를 사용했습니다. 남은 색 테이프는 몇 m일까요?

(   )

09 유빈이는 철사를 겹치지 않게 사용하여 다음과 같은 삼각형 모양을 만들었습니다. 유빈이가 사용한 철사는 몇 m일까요?

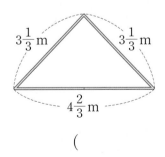

(   )

10 직사각형의 네 변의 길이의 합은 몇 cm일까요?

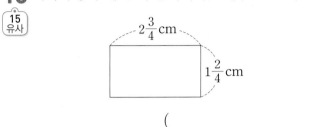

(   )

서술형

11 도서관에서 시청까지 가려고 합니다. 우체국과 공원 중에서 어디를 거쳐서 가는 길이 더 짧은지 풀이 과정을 쓰고, 답을 구하세요.

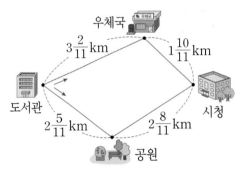

풀이 _____

_____

_____

답 _____

12 3장의 분수 카드 중에서 2장을 뽑아 뽑은 두 수의 차를 구하려고 합니다. 뽑은 두 수의 차가 될 수 없는 수를 찾아 ×표 하세요.

| $\frac{5}{7}$ | $\frac{3}{7}$ | $\frac{6}{7}$ |

| $\frac{1}{7}$ | $\frac{2}{7}$ | $\frac{3}{7}$ | $\frac{4}{7}$ |

13 4장의 분수 카드 중 2장을 뽑아 뽑은 두 수의 합이 9가 되도록 만들려고 합니다. 합이 9가 되는 두 분수 카드에 ○표 하세요.

(20 유사)

$$4\frac{5}{8} \qquad 6\frac{1}{8} \qquad 5\frac{3}{8} \qquad 2\frac{7}{8}$$

14 다음 조건을 만족하는 수들의 합을 구하세요.

(22 유사)

> • 분모가 11인 진분수입니다.
> • $\frac{7}{11}$보다 큽니다.

(   )

15 분모가 3인 대분수 중에서 2보다 크고 4보다 작은 분수들의 합을 구하세요.

(23 유사)

(   )

16 분모가 12인 진분수가 2개 있습니다. 두 진분수의 합이 $\frac{11}{12}$, 차가 $\frac{5}{12}$일 때 두 진분수를 구하세요.

(25 유사)

(   )

17 주사위를 던져서 나온 눈의 수 중 2개의 수를 뽑아 한 번씩 사용하여 분모가 7인 대분수를 만들려고 합니다. 만들 수 있는 가장 큰 대분수와 가장 작은 대분수의 합을 구하세요.

(27 유사)

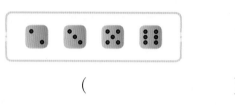

(   )

18 4를 분모가 6인 두 대분수의 합으로 나타내는 식을 2가지 써 보세요.

(29 유사)

$$4 = \boxed{} + \boxed{}, \quad 4 = \boxed{} + \boxed{}$$

서술형

19 어떤 수에서 $2\frac{3}{5}$을 뺐더니 $1\frac{1}{5}$이 되었습니다. 어떤 수에 $3\frac{2}{5}$를 더한 값은 얼마인지 풀이 과정을 쓰고, 답을 구하세요.

(31 유사)

풀이 _____

_____

_____

답 _____

한 번 더 **개념 완성하기**

1 빈 곳에 알맞은 수를 써넣으세요.

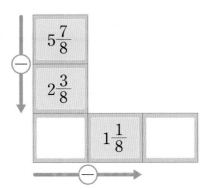

$5\frac{7}{8}$

$2\frac{3}{8}$

$1\frac{1}{8}$

2 계산 결과를 찾아 선으로 이어 보세요.

$3 - \frac{2}{5}$ ·

$5 - 1\frac{4}{5}$ ·

$6 - 2\frac{3}{5}$ ·

· $3\frac{2}{5}$

· $2\frac{3}{5}$

· $3\frac{1}{5}$

3 여진이는 서준이보다 물을 몇 L 더 많이 마셨을까요?

나는 물을 $1\frac{2}{7}$ L 마셨어.

나는 물을 $1\frac{6}{7}$ L 마셨어.

서준   여진

(   )

4 계산 결과가 $3\frac{4}{9}$인 뺄셈식을 찾아 기호를 써 보세요.

$\bigcirc\ 7\frac{1}{9} - 4\frac{6}{9}$ $\bigcirc\ 6\frac{3}{9} - 2\frac{8}{9}$

(   )

5 계산 결과가 다른 하나를 찾아 △표 하세요.

$5\frac{1}{6} - 2\frac{2}{6}$ (   )

$7\frac{3}{6} - \frac{28}{6}$ (   )

$6\frac{2}{6} - 2\frac{3}{6}$ (   )

6 다음을 보고 빨간색 테이프는 노란색 테이프보다 몇 cm 더 긴지 구하세요.

$8\frac{6}{13}$ cm

$5\frac{9}{13}$ cm

(   )

01 □ 안에 알맞은 수를 써넣으세요.

02 유사

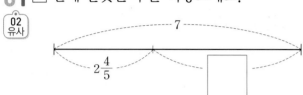

7

$2\frac{4}{5}$

02 가장 큰 수와 가장 작은 수의 차를 구하세요.

03 유사

$$5\frac{2}{9} \qquad 2\frac{7}{9} \qquad 8\frac{5}{9}$$

(   )

03 다음과 같은 계산 방법으로 $3\frac{2}{7}-1\frac{6}{7}$ 을 계산

05 유사 하세요.

$$4\frac{1}{6}-2\frac{2}{6}=\frac{25}{6}-\frac{14}{6}=\frac{11}{6}=1\frac{5}{6}$$

$3\frac{2}{7}-1\frac{6}{7}$

04 동우가 쓴 수학 일기입니다. $4\frac{2}{4}-1\frac{3}{4}=3\frac{3}{4}$

06 유사 의 계산이 잘못된 이유에 맞게 □ 안에 알맞은 수를 써넣으세요.

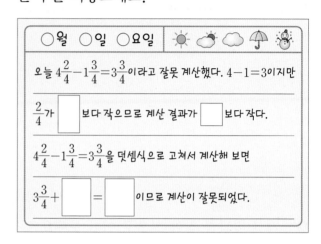

○월 ○일 ○요일

오늘 $4\frac{2}{4}-1\frac{3}{4}=3\frac{3}{4}$ 이라고 잘못 계산했다. $4-1=3$이지만

$\frac{2}{4}$가 □ 보다 작으므로 계산 결과가 □ 보다 작다.

$4\frac{2}{4}-1\frac{3}{4}=3\frac{3}{4}$ 을 덧셈식으로 고쳐서 계산해 보면

$3\frac{3}{4}+$ □ $=$ □ 이므로 계산이 잘못되었다.

05 계산 결과가 3보다 작은 뺄셈식을 찾아 ○표

08 유사 하세요.

$6\frac{3}{8}-2\frac{6}{8}$	$8\frac{1}{8}-5\frac{7}{8}$	$7\frac{4}{8}-3\frac{5}{8}$

06 계산 결과가 가장 큰 것을 찾아 색칠하세요.

09 유사

$5-\frac{8}{11}$	$4-1\frac{2}{11}$
$7-3\frac{5}{11}$	$6-1\frac{3}{11}$

07 서해대교의 길이는 $7\frac{3}{10}$ km

입니다. 승우네 가족은 자동차를 타고 서해대교를 건너려고 합니다. 지금까지 $3\frac{6}{10}$ km를 갔다면 몇 km를 더 가야 할까요?

교과 역량

(   )

08 선미는 찰흙으로 작품을 만들고 있습니다. 찰흙 4 kg 중에서 $1\frac{11}{15}$ kg을 사용하고, $1\frac{3}{15}$ kg을 친구에게 주었다면 남은 찰흙은 몇 kg일까요?

(   )

09 빈 곳에 알맞은 수를 써넣으세요.

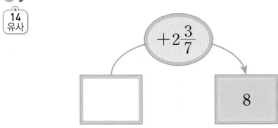

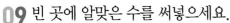

10 $3\frac{9}{14}$에 어떤 대분수를 더했더니 $7\frac{5}{14}$가 되었습니다. 어떤 대분수를 구하세요.

(   )

11 계산 결과를 비교하여 ○ 안에 >, =, <를 알맞게 써넣으세요.

$$1\frac{4}{5}+6\frac{3}{5}-2\frac{4}{5} \bigcirc 8\frac{1}{5}-5\frac{4}{5}+2\frac{3}{5}$$

12 고구마를 유상이는 $3\frac{3}{8}$ kg, 지희는 $2\frac{1}{8}$ kg 캤습니다. 그중에서 $1\frac{5}{8}$ kg을 먹었다면 남은 고구마는 몇 kg인지 풀이 과정을 쓰고, 답을 구하세요.

서술형

풀이

답

13 4장의 수 카드 ③, ⑤, ⑦, ⑨를 한 번씩 사용하여 계산 결과가 가장 크게 되도록 □ 안에 알맞은 수를 써넣고, 계산 결과를 구하세요.

$$\square - \square \frac{\square}{\square}$$

(   )

14 □ 안에 들어갈 수 있는 자연수는 모두 몇 개
유사 22 일까요?

$$5 < 8\frac{\square}{7} - 3\frac{3}{7} < 6$$

(   )

15 다음 뺄셈식의 계산 결과가 3보다 크고 4보다
유사 23 작을 때 □ 안에 들어갈 수 있는 자연수의 합
은 얼마인지 풀이 과정을 쓰고, 답을 구하세요. 서술형

$$7\frac{6}{11} - 3\frac{\square}{11}$$

풀이

답

16 길이가 $5\frac{1}{9}$ cm인 색 테이프 3장을 $1\frac{4}{9}$ cm
유사 25 씩 겹치게 이어 붙였습니다. 이어 붙인 색 테
이프의 전체 길이는 몇 cm일까요?

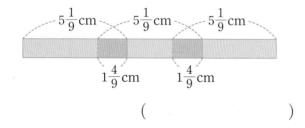

(   )

17 정미 어머니께서 찹쌀가루를 사서 효주네 집에
유사 27 $1\frac{5}{8}$ kg, 영우네 집에 $\frac{7}{8}$ kg을 나누어 주셨습
니다. 음식을 하는 데 $1\frac{2}{8}$ kg을 사용하고 남
은 찹쌀가루의 무게를 재어 보니 $2\frac{5}{8}$ kg이었
습니다. 정미 어머니께서 산 찹쌀가루는 몇 kg
일까요?

(   )

18 욕조에 물이 40 L 들어 있습니다. 이 욕조에서
유사 29 40초에 $3\frac{2}{13}$ L씩 물이 일정하게 빠져나간다면
2분 후 욕조에 남아 있는 물은 몇 L일까요?

(   )

19 계산 결과가 6에 가까운 식부터 차례로 기호
유사 31 를 써 보세요.

㉠ $8 - 2\frac{1}{14}$

㉡ $9\frac{5}{14} - 3\frac{2}{14}$

㉢ $3\frac{3}{14} + 2\frac{13}{14}$

(   )

STEP 3 한 번 더 서술형 해결하기

01 ㉮, ㉯, ㉰ 3개의 끈이 있습니다. ㉮ 끈의 길이
(01 유사) 는 $2\frac{2}{5}$ m입니다. ㉯ 끈은 ㉮ 끈보다 $1\frac{1}{5}$ m
더 길고, ㉰ 끈은 ㉯ 끈보다 $\frac{4}{5}$ m 더 길 때 ㉰
끈의 길이는 몇 m인지 풀이 과정을 쓰고, 답
을 구하세요.

㉮ ▬▬▬▬▬▬▬
㉯ ▬▬▬▬▬▬▬▬▬
㉰ ▬▬▬▬▬▬▬▬▬▬

❶ ㉯ 끈의 길이 구하기

풀이

❷ ㉰ 끈의 길이 구하기

풀이

답 _____

02 ㉮, ㉯, ㉰ 세 수는 다음을 모두 만족합니다.
(03 유사) **㉮는 얼마**인지 풀이 과정을 쓰고, 답을 구하
세요.

> • ㉰는 $6\frac{5}{9}$입니다.
> • ㉯는 ㉰보다 $1\frac{5}{9}$ 큽니다.
> • ㉮는 ㉯보다 $3\frac{8}{9}$ 작습니다.

풀이

답 _____

03 똑같은 책 2권이 들어 있는 가방의 무게와 가
(04 유사) 방에서 책 1권을 뺐을 때 가방의 무게를 재었
더니 다음과 같았습니다. **빈 가방의 무게는 몇
kg**인지 풀이 과정을 쓰고, 답을 구하세요.

 $\frac{13}{14}$ kg    $\frac{9}{14}$ kg

❶ 책 1권의 무게 구하기

풀이

❷ 빈 가방의 무게 구하기

풀이

답 _____

04 똑같은 쇠구슬 3개가 들어 있는 주머니의 무
(06 유사) 게를 재었더니 3 kg이었고, 이 주머니에서 쇠
구슬 1개를 빼고 무게를 재었더니 $2\frac{1}{11}$ kg이
었습니다. **빈 주머니의 무게는 몇 kg**인지 풀
이 과정을 쓰고, 답을 구하세요.

풀이

답 _____

1
단원

05 대분수로만 만들어진 뺄셈식에서 ㉠+㉡의 **값이 가장 작을 때의 값**을 구하려고 합니다. 풀이 과정을 쓰고, 답을 구하세요.

$$4\dfrac{㉠}{7}-1\dfrac{㉡}{7}=3\dfrac{4}{7}$$

❶ ㉠−㉡의 값 구하기

풀이

❷ ㉠, ㉡에 들어갈 수 있는 수의 범위 구하기

풀이

❸ ㉠, ㉡이 될 수 있는 경우 구하기

풀이

❹ ㉠+㉡의 값이 가장 작을 때의 값 구하기

풀이

답 _____

06 대분수로만 만들어진 덧셈식에서 ㉠−㉡의 **값이 가장 클 때의 값**을 구하려고 합니다. 풀이 과정을 쓰고, 답을 구하세요. (단, ㉠>㉡ 입니다.)

$$2\dfrac{㉠}{8}+3\dfrac{㉡}{8}=6\dfrac{3}{8}$$

풀이

답 _____

07 그림을 보고 **문구점에서 경찰서까지의 거리는 몇 km**인지 풀이 과정을 쓰고, 답을 구하세요.

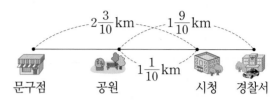

❶ 문구점에서 시청까지의 거리와 공원에서 경찰서까지의 거리의 합 구하기

풀이

❷ 문구점에서 경찰서까지의 거리 구하기

풀이

답 _____

08 그림을 보고 ㉯에서 ㉵까지의 길이는 몇 m인지 풀이 과정을 쓰고, 답을 구하세요.

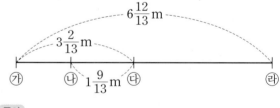

풀이

답 _____

STEP 1

한 번 더 개념 완성하기

진도북[038~043쪽]의 기본 유형 문제 복습

> 정답 46쪽

1 자를 사용하여 주어진 선분을 한 변으로 하는 이등변삼각형을 그려 보세요.

2 삼각형의 세 변의 길이가 다음과 같을 때 이등변삼각형이 아닌 것을 찾아 ✕표 하세요.

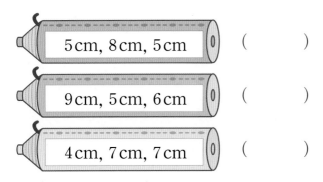

5 cm, 8 cm, 5 cm   (   )

9 cm, 5 cm, 6 cm   (   )

4 cm, 7 cm, 7 cm   (   )

3 한 변이 10 cm인 정삼각형이 있습니다. 이 정삼각형의 세 변의 길이의 합은 몇 cm일까요?

(   )

4 각도기를 사용하여 보기와 같은 이등변삼각형을 그려 보세요.

보기

70°   70°

5 각도기를 사용하여 주어진 선분을 한 변으로 하는 정삼각형을 그려 보세요.

6 길이가 같은 빨대 3개를 변으로 하여 삼각형을 만들었습니다. ㉠의 각도는 몇 도일까요?

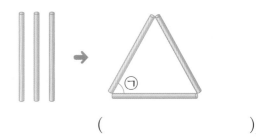

(   )

7 주어진 선분을 한 변으로 하는 삼각형을 그려 보세요.

(1) 예각삼각형   (2) 둔각삼각형

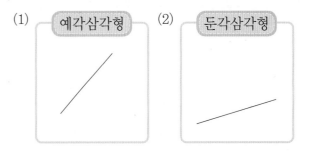

8 이등변삼각형이면서 예각삼각형인 도형을 찾아 기호를 써 보세요.

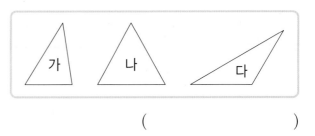

가   나   다

(   )

01 모자를 둘러싸도록 모눈종이에 이등변삼각형을 그려 보세요.
02 유사

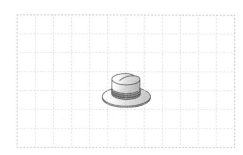

교과 역량

02 보기 와 같이 정삼각형을 이용하여 모양을 꾸며 보세요.
03 유사

보기

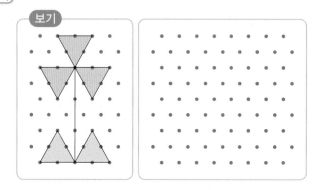

서술형

03 다음과 같이 삼각형을 그리면 정삼각형이 그려집니다. 그 이유를 설명하세요.
05 유사

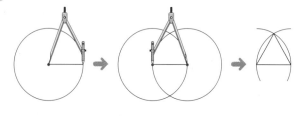

이유 _____

_____

04 두 변이 각각 9 cm, 12 cm인 이등변삼각형이 있습니다. 나머지 한 변의 길이가 될 수 있는 것을 모두 고르세요. (   )
06 유사

① 3 cm   ② 8 cm   ③ 9 cm

④ 12 cm   ⑤ 21 cm

05 이등변삼각형의 세 변의 길이의 합은 몇 cm일까요?
08 유사

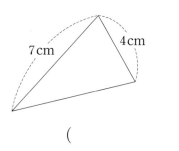

7 cm   4 cm

(   )

06 현수는 길이가 60 cm인 철사를 겹치지 않게 사용하여 한 변이 8 cm인 정삼각형을 2개 만들었습니다. 정삼각형을 만들고 남은 철사는 몇 cm일까요?
09 유사

(   )

07 아중이는 정삼각형, 예각삼각형, 둔각삼각형을 1개씩 그렸습니다. 아중이가 그린 삼각형에 있는 예각은 모두 몇 개일까요?
11 유사

(   )

진도북[044~047쪽]의 확인, 강화 문제 복습

○ 정답 46쪽

교과 역량

08 도형판에 만든 삼각형에서 점 ㄱ에 걸린 고무
줄을 움직여 예각삼각형을 만들려고 합니다.
점 ㄱ에 걸린 고무줄을 어느 방향으로 몇 칸
움직여야 할까요?

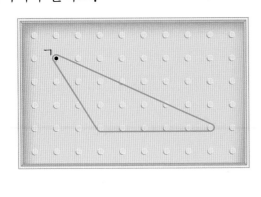

( )

09 삼각형의 세 각 중 두 각의 크기가 각각 다음
과 같습니다. □ 안에 삼각형의 나머지 한 각의
크기를 써넣고, 예각삼각형, 직각삼각형, 둔각
삼각형 중에서 어느 삼각형인지 써 보세요.

$$40°, 45°, \boxed{}°$$

( )

10 삼각형의 두 각의 크기가 다음과 같을 때 예각
삼각형을 찾아 기호를 써 보세요.

㉠ 두 각이 80°, 15°인 삼각형
㉡ 두 각이 35°, 55°인 삼각형
㉢ 두 각이 20°, 60°인 삼각형

( )

11 삼각형의 일부가 지워졌습니다. 지워지기 전
삼각형 모양의 이름으로 알맞은 것을 모두 찾
아 기호를 써 보세요.

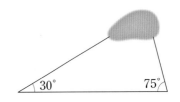

㉠ 정삼각형   ㉡ 이등변삼각형
㉢ 예각삼각형   ㉣ 둔각삼각형

( )

서술형

12 삼각형에서 각 ㄷㄱㄴ의 크기는 몇 도인지 풀
이 과정을 쓰고, 답을 구하세요.

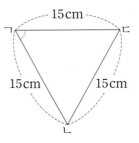

풀이 _____

_____

_____

답 _____

13 삼각형에서 각 ㄴㄱㄷ의 크기는 몇 도일까요?

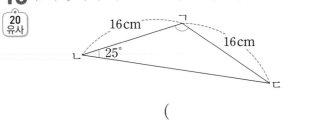

( )

14 다음은 이등변삼각형입니다. ㉠은 몇 도일까
22 요?
유사

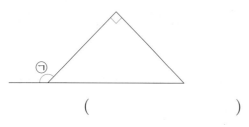

( )

15 삼각형 ㄱㄴㄷ은 이등변삼각형, 삼각형 ㅁㄷㄹ
23 은 정삼각형입니다. 각 ㄱㄷㅁ의 크기는 몇
유사 도일까요?

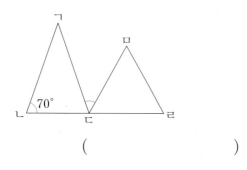

( )

16 그림에서 찾을 수 있는 크고 작은 예각삼각형
25 은 모두 몇 개일까요?
유사

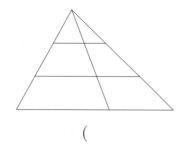

( )

17 20° 간격으로 그린 원의 반지름을 두 변으로
27 하는 삼각형을 그리려고 합니다. 자를 사용하여
유사 다음 조건을 만족하는 삼각형을 그려 보세요.

한 각의 크기가 50°인 삼각형

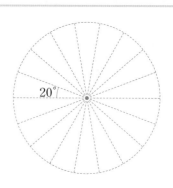

18 삼각형 ㄱㄴㄷ은 이등변삼각형, 삼각형 ㄱㄷㄹ
29 은 정삼각형입니다. 각 ㄴㄱㄹ의 크기는 몇
유사 도일까요?

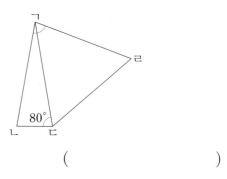

( )

19 삼각형 ㄱㄴㄷ의 세 변의 길이의 합은 몇 cm
31 일까요?
유사

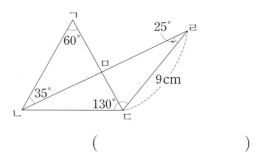

( )

STEP 3 · 한 번 더 서술형 해결하기

진도북[050~051쪽]의 연습, 실전 문제 복습

정답 47쪽

01 삼각형 ㄱㄴㄷ은 이등변삼각형입니다. **각 ㄹㄱㄷ** **의 크기는 몇 도**인지 풀이 과정을 쓰고, 답을 구하세요.
[01 유사]

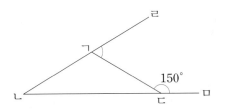

❶ 각 ㄴㄱㄷ의 크기 구하기

풀이

❷ 각 ㄹㄱㄷ의 크기 구하기

풀이

답 _____

02 도형에서 **각 ㄱㄴㄹ의 크기는 몇 도**인지 풀이 과정을 쓰고, 답을 구하세요.
[03 유사]

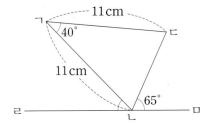

풀이

답 _____

03 삼각형 ㄱㄴㄷ은 정삼각형, 삼각형 ㄹㄴㄷ은 이 등변삼각형입니다. **각 ㄴㄹㄷ의 크기는 몇 도** 인지 풀이 과정을 쓰고, 답을 구하세요.
[04 유사]

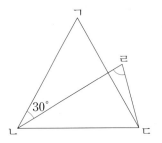

❶ 각 ㄹㄴㄷ의 크기 구하기

풀이

❷ 각 ㄴㄹㄷ의 크기 구하기

풀이

답 _____

04 삼각형 ㄱㄴㄷ은 정삼각형, 삼각형 ㄹㄴㄷ은 이 등변삼각형입니다. **각 ㄴㄹㄷ의 크기는 몇 도** 인지 풀이 과정을 쓰고, 답을 구하세요.
[06 유사]

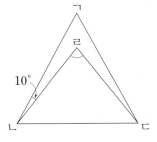

풀이

답 _____

한번더 **개념 완성하기**

진도북[058~061쪽]의 기본 유형 문제 복습

정답 48쪽

1 연주가 말하는 수를 소수로 나타내어 보세요.

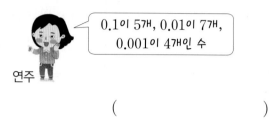

0.1이 5개, 0.01이 7개,
0.001이 4개인 수

연주

(   )

2 숫자 7이 0.007을 나타내는 수를 찾아 기호를 써 보세요.

㉠ 4.071   ㉡ 8.765
㉢ 2.537   ㉣ 1.073

(   )

3 진희는 다음과 같이 털실을 가지고 있습니다. 진희가 가지고 있는 털실의 길이는 몇 m인지 읽어 보세요.

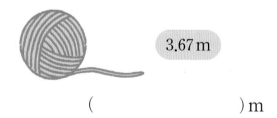

3.67 m

(   ) m

4 다음 소수에서 생략할 수 있는 0은 모두 몇 개일까요?

0.10   2.080   4.501   10.730

(   )

5 두 소수의 크기를 비교하여 ○ 안에 >, =, <를 알맞게 써넣으세요.

(1) 2.87 ○ 2.78

(2) 5.608 ○ 5.631

6 5.6을 나타내는 것을 찾아 ○표 하세요.

56의 $\frac{1}{100}$ (   )

0.56의 10배   (   )

01 수직선을 보고 ㉠과 ㉡이 나타내는 소수를
각각 써 보세요.
⑫ 유사

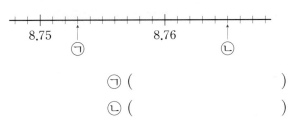

㉠ (   )

㉡ (   )

02 혜주는 다음과 같은 색 테이프를 가지고 있습
니다. 혜주가 가지고 있는 색 테이프는 몇 m
⑬ 유사 인지 소수로 나타내어 보세요.

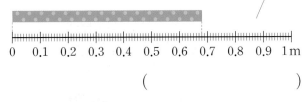

(   )

03 소수를 잘못 읽은 사람을 찾고, 바르게 읽어
보세요.
⑮ 유사

> [현민] 17.85 ➡ 십칠 점 팔오
> [주영] 21.04 ➡ 이일 점 영사

잘못 읽은 사람 (   )

바르게 읽기 (   )

04 다음이 나타내는 수를 소수로 쓰고, 읽어 보세요.
⑯ 유사

> 1이 4개, $\frac{1}{10}$이 1개, $\frac{1}{1000}$이 9개인 수

쓰기 (   )

읽기 (   )

05 소수 둘째 자리 숫자가 가장 작은 수는 어느
것인지 풀이 과정을 쓰고, 답을 구하세요.
⑱ 유사

서술형

| 3.169 | 8.407 | 5.092 |

풀이

답

06 숫자 9가 0.09를 나타내는 수는 어느 것일까
요? (   )
⑲ 유사

① 9.41   ② 0.859   ③ 3.925

④ 2.796   ⑤ 13.902

07 단위 사이의 관계를 잘못 나타낸 것의 기호를
써 보세요.
⑪ 유사

> ㉠ 57 g = 0.057 kg
> ㉡ 146 cm = 1.46 m
> ㉢ 285 mL = 28.5 L

(   )

3
단원

08 다음은 독도에 대한 설명입니다. 독도의 평균
〔12 유사〕 강수량은 몇 m인지 소수로 나타내어 보세요.

독도

경상북도 울릉군 울릉읍 독도리에 있는 섬으로 평균 강수량은 545 mm입니다.

( )

09 다음이 나타내는 수에서 소수 첫째 자리 숫자
〔14 유사〕 를 구하세요.

$$28의 \frac{1}{1000}$$

( )

10 나타내는 수가 나머지와 다른 하나를 찾아 기
〔15 유사〕 호를 써 보세요.

| ㉠ 193의 $\frac{1}{100}$ | ㉡ 0.193의 10배 |
| ㉢ 19.3의 $\frac{1}{10}$ | ㉣ 19.3의 100배 |

( )

11 ㉠이 나타내는 수는 ㉡이 나타내는 수의 몇 배
〔17 유사〕 인지 구하세요.

$$\underset{㉠}{5}1.\underset{㉡}{2}54$$

( )

12 다음이 나타내는 수는 4.71의 ★ 입니다. ★ 을
〔18 유사〕 분수로 나타내어 보세요.

0.1이 4개, 0.01이 7개,
0.001이 1개인 수

( )

13 수영이가 두 소수의 크기를 잘못 비교한 것입
〔20 유사〕 니다. 잘못 비교한 이유를 써 보세요.

0.58 ◯ 0.7

58이 7보다 크니까 ◯ 안에는 >가 들어가야 해.

수영

이유

14 보영이와 지훈이는 다음과 같은 수를 들고 있습니다. 더 큰 수를 들고 있는 사람은 누구인지 풀이 과정을 쓰고, 답을 구하세요.

²¹유사 서술형

보영

$1590의 \dfrac{1}{1000}$

지훈

0.137의 10배

풀이

답

15 준성이가 식물원에서 꽃을 보러 가려고 합니다. 갈림길에서는 더 큰 소수가 있는 길로 갑니다. 준성이가 도착한 곳에 있는 꽃은 무엇일까요?

²³유사 교과 역량

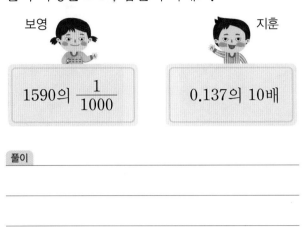

해바라기
0.913
수선화
1.49   0.907
장미
1.51   5.84
나팔꽃
5.841

(   )

16 조건을 모두 만족하는 소수를 써 보세요.

²⁵유사

- 3보다 크고 4보다 작은 소수 두 자리 수입니다.
- 소수 첫째 자리 숫자는 4보다 크고 8보다 작은 짝수입니다.
- 소수 둘째 자리 숫자는 7입니다.

(   )

17 어떤 수의 $\dfrac{1}{100}$인 수를 구해야 할 것을 잘못하여 어떤 수를 100배 했더니 510이었습니다. 어떤 수의 $\dfrac{1}{100}$인 수를 구하세요.

²⁷유사

(   )

18 5장의 카드 1, 2, 6, 8, . 을 한 번씩 모두 사용하여 소수 세 자리 수를 만들려고 합니다. 만들 수 있는 두 번째로 큰 소수를 구하세요.

²⁹유사

(   )

19 ☐ 안에는 0부터 9까지의 수 중 어느 수를 넣어도 됩니다. 큰 수부터 차례로 기호를 써 보세요.

³¹유사

ⓐ 25.0☐4   ⓑ 25.☐97   ⓒ 25.096

(   )

STEP 1 한번더 개념 완성하기

1 바르게 계산한 것을 찾아 기호를 써 보세요.

㉠ 7.3	㉡ 5.2
+1.8	+4.3
0.9 1	9.5

( )

2 빈 곳에 두 수의 차를 써넣으세요.

0.3	0.8

3 수진이가 어제는 물을 1.1 L 마셨고, 오늘은 어제보다 0.2 L 더 많이 마셨습니다. 수진이가 오늘 마신 물은 몇 L일까요?

( )

4 빈 곳에 알맞은 수를 써넣으세요.

0.65	0.21	
5.94	3.61	

5 계산 결과를 비교하여 ○ 안에 >, =, <를 알맞게 써넣으세요.

1.47+2.55 ○ 6.32−2.05

6 쌀이 들어 있는 그릇의 무게는 4.58 kg입니다. 쌀의 무게가 4.23 kg일 때 빈 그릇의 무게는 몇 kg일까요?

( )

STEP
2
한 번 더 **실력 다지기**

진도북[072~073쪽]의 확인, 강화 문제 복습

정답 49쪽

01 4.85+1.6의 값을 구하려고 합니다. 세로셈
(02 유사) 으로 식을 바르게 쓴 것에 ○표 하고, 답을 구하세요.

```
  4.8 5
+ 1.6
```

```
  4.8 5
+   1.6
```

(   )

02 계산이 잘못된 곳을 찾아 바르게 계산하고,
(03 유사) 잘못된 이유를 써 보세요.   [서술형]

```
  7.4 3
−   1.5
───────
  7.2 8
```
→

이유

03 윤후가 말한 수보다 1.37 큰 수를 구하세요.
(05 유사)

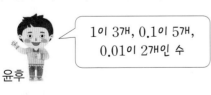

1이 3개, 0.1이 5개,
0.01이 2개인 수

윤후

(   )

04 ㉠과 ㉡이 나타내는 소수의 차를 구하세요.
(06 유사)

㉠ 일의 자리 숫자가 1, 소수 첫째 자리
　　숫자가 7인 소수 한 자리 수
㉡ 0.1이 25개인 수

(   )

05 계산 결과가 큰 순서대로 ○ 안에 번호를 써
(08 유사) 넣으세요.

○   ○   ○

```
  2.8
−1.5
```

```
  0.7 2
+0.5 9
```

```
  4.7 1
−3.4 8
```

3
단원

06 더 작은 수의 기호를 써 보세요.
(09 유사)

㉠ 5.69보다 2.17 큰 수
㉡ 11.38보다 4.09 작은 수

(   )

07 희정이의 키는 1.43 m이고, 지훈이의 키는
(11 유사) 1.38 m입니다. 희정이는 지훈이보다 몇 m
더 클까요?

(   )

08 은정이의 일기를 보고 은정이가 만든 초록색
(12 유사) 페인트는 모두 몇 L인지 구하세요.

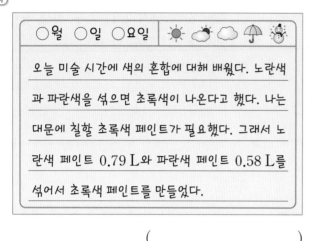

○월 ○일 ○요일 ☀🌤☁☂⛄

오늘 미술 시간에 색의 혼합에 대해 배웠다. 노란색
과 파란색을 섞으면 초록색이 나온다고 했다. 나는
대문에 칠할 초록색 페인트가 필요했다. 그래서 노
란색 페인트 0.79 L와 파란색 페인트 0.58 L를
섞어서 초록색 페인트를 만들었다.

(   )

09 계산 결과가 가장 작은 것을 찾아 기호를 써
(14 유사) 보세요.

㉠ 8.61−2.9
㉡ 1.5+3.92
㉢ 9.4−4.72

(   )

10 다음이 나타내는 두 수의 차를 구하세요.
(15 유사)

• 0.1이 41개, 0.01이 50개인 수
• 0.01이 135개인 수

(   )

11 수지가 집에서 출발하여 은행을 가려고 합니
(17 유사) 다. 우체국과 학교 중 어느 곳을 거쳐서 가는
길이 더 가까울까요?

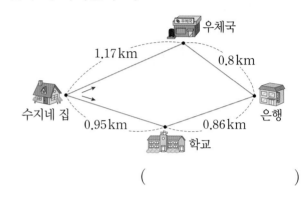

우체국
1.17 km   0.8 km
수지네 집   은행
0.95 km   0.86 km
학교

(   )

12 ㉠에서 ㉣까지의 길이는 몇 m일까요?
(18 유사)

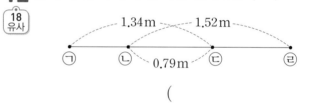

1.34 m   1.52 m
㉠   ㉡   ㉢   ㉣
0.79 m

(   )

13 가장 작은 수와 두 번째로 작은 수의 합에서
(20 유사) 나머지 수를 뺀 값은 얼마일까요?

5.86   9.13   7.24

(   )

14 농장에서 민우는 감자 5 kg을 캤습니다. 그
(21 유사) 중에서 1.37 kg을 지호에게 주고 2.56 kg을
더 캤습니다. 지금 민우가 가지고 있는 감자
는 몇 kg일까요?

(   )

15 다음은 북한산과 한라산의 높이입니다. 어느 산이 몇 km 더 높은지 차례로 써 보세요. [교과 역량] 유사 23

[북한산] 높이 840 m   [한라산] 높이 1.95 km

(,   )

16 가장 많은 들이와 가장 적은 들이의 합은 몇 L일까요? 유사 24

| 7490 mL | 2.95 L | 8300 mL |

(   )

17 어떤 수에서 3.56을 빼야 할 것을 잘못하여 3.56을 더했더니 10.74가 되었습니다. 바르게 계산한 값은 얼마인지 풀이 과정을 쓰고, 답을 구하세요. [서술형] 유사 26

풀이 _____

_____

답 _____

18 □ 안에 알맞은 수를 써넣으세요. 유사 28

$$\begin{array}{r} 4.\,\square \\ -\ 1.7\,\square \\ \hline \square.78 \end{array}$$

19 다음을 보고 ♥에 알맞은 수를 구하세요. 유사 30

- ★은 1이 9개, 0.01이 35개인 수
- ♣는 ★보다 5.71 작은 수
- ♥는 ♣보다 8.37 큰 수

(   )

20 다음 5장의 카드를 한 번씩 모두 사용하여 소수 두 자리 수를 만들려고 합니다. 만들 수 있는 가장 큰 수와 두 번째로 작은 수의 차를 구하세요. 유사 32

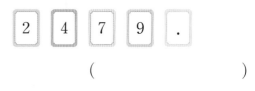

| 2 | 4 | 7 | 9 | . |

(   )

3. 소수의 덧셈과 뺄셈 🍁 **23**

STEP 3 한 번 더 서술형 해결하기

01 우재는 색 테이프를 2.1 m 가지고 있었습니다. 그중에서 곰 인형을 포장하는 데 73 cm, 로봇을 포장하는 데 59 cm를 사용했습니다. **남은 색 테이프는 몇 m**인지 풀이 과정을 쓰고, 답을 구하세요.

유사 01

❶ 곰 인형과 로봇을 포장하는 데 사용한 색 테이프의 길이를 각각 m 단위로 나타내기

풀이

❷ 남은 색 테이프의 길이 구하기

풀이

답 _____

02 감자와 고구마가 들어 있는 바구니의 무게를 재었더니 4 kg이었습니다. 바구니에 들어 있는 감자는 1600 g이고, 고구마는 1950 g입니다. **빈 바구니는 몇 kg**인지 풀이 과정을 쓰고, 답을 구하세요.

유사 03

4 kg   1600 g   1950 g

풀이

답 _____

03 빨간색 상자를 통과하면 수가 $\frac{1}{1000}$이 되고, 초록색 상자를 통과하면 수가 100배가 됩니다. 다음과 같이 72를 상자에 통과시켰을 때 ㉠에 **알맞은 수**를 구하려고 합니다. 풀이 과정을 쓰고, 답을 구하세요.

유사 04

72 → $\frac{1}{1000}$ → ? → 100배 → ㉠

❶ 72가 빨간색 상자를 통과했을 때 나오는 수 구하기

풀이

❷ ㉠에 알맞은 수 구하기

풀이

답 _____

04 ㉮ 상자에 넣었다 빼면 수가 $\frac{1}{100}$이 되고, ㉯ 상자에 넣었다 빼면 수가 1000배가 됩니다. 모아는 430을 ㉮ 상자에 2번, 준우는 0.5를 ㉮ 상자에 1번, ㉯ 상자에 1번 넣었다 뺐습니다. **더 큰 수를 만든 사람은 누구**인지 풀이 과정을 쓰고, 답을 구하세요.

유사 06

풀이

답 _____

05 □ 안에 들어갈 수 있는 소수 한 자리 수 중 가장 큰 수를 구하려고 합니다. 풀이 과정을 쓰고, 답을 구하세요.

(07 유사)

$$3.9 + □ < 11.2$$

❶ □ 안에 들어갈 수 있는 수의 범위 구하기

풀이

❷ □ 안에 들어갈 수 있는 수 중 가장 큰 수 구하기

풀이

답 _____

06 식이 적혀 있는 카드가 찢어져서 일부가 보이지 않습니다. **보이지 않는 부분에 들어갈 수 있는 소수 두 자리 수 중 가장 작은 수를 구하려고** 합니다. 풀이 과정을 쓰고, 답을 구하세요.

(09 유사)

$$8.23 - \boxed{} < 4.76$$

풀이

답 _____

07 조건을 모두 만족하는 소수 세 자리 수를 구하려고 합니다. 풀이 과정을 쓰고, 답을 구하세요.

(10 유사)

- 1.73보다 크고 1.76보다 작습니다.
- 소수 둘째 자리 숫자는 짝수입니다.
- 소수 첫째 자리 숫자와 소수 셋째 자리 숫자의 차는 4입니다.

❶ 첫 번째, 두 번째 조건에서 소수 첫째, 소수 둘째 자리 숫자 각각 구하기

풀이

❷ 세 번째 조건에서 소수 셋째 자리 숫자 구하기

풀이

❸ 조건을 모두 만족하는 소수 세 자리 수 구하기

풀이

답 _____

3
단원

08 정우가 설명하는 소수 세 자리 수를 구하려고 합니다. 풀이 과정을 쓰고, 답을 구하세요.

(12 유사)

- 각 자리의 숫자는 서로 달라.
- 5보다 크고 6보다 작은 수야.
- 일의 자리 숫자와 소수 셋째 자리 숫자의 합은 9야.
- 소수 첫째 자리 숫자는 4로 나누어떨어져.
- 이 소수를 10배 하면 소수 첫째 자리 숫자는 3이야.

정우

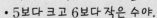

풀이

답 _____

STEP 1 · 한 번 더 개념 완성하기

진도북[088~091쪽]의 기본 유형 문제 복습

▶ 정답 51쪽

1 도형에서 변 ㄴㄷ과 수직인 변을 써 보세요.

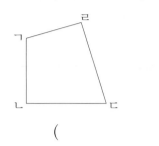

( )

2 직선 가에 수직인 직선을 그어 보세요.

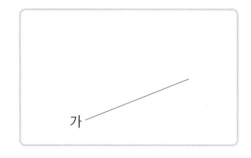

3 직선 가에 대한 수선은 몇 개 그을 수 있을까요? ( )

① 0개   ② 1개   ③ 2개
④ 3개   ⑤ 셀 수 없이 많습니다.

4 점 ㄱ을 지나고 직선 가와 평행한 직선은 모두 몇 개 그을 수 있을까요?

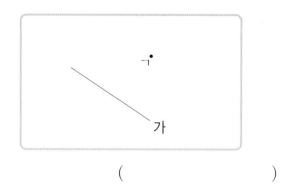

( )

5 다음은 아랍에미리트의 국기입니다. 국기에서 평행선을 찾아 표시하세요.

6 평행선 사이의 거리가 3 cm가 되도록 주어진 직선과 평행한 직선을 그어 보세요.

STEP 2 한번더 실력 다지기

진도북[092~093쪽]의 확인, 강화 문제 복습

정답 51쪽

01 창문에서 빨간색 선분에 대한 수선을 모두 찾아 표시하세요.

(02 유사) 교과 역량

02 서로 수직인 직선을 모두 찾아 써 보세요.

(03 유사)

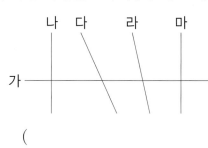

나 다 라 마

가

(   )

03 도형에서 서로 수직인 선분을 찾아 써 보세요.

(05 유사)

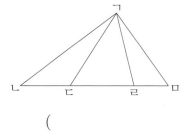

(   )

04 오른쪽 도형에서 서로 수직인 선분을 말한 사람을 찾아 이름을 써 보세요.

(06 유사)

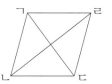

[미영] 선분 ㄱㄹ과 선분 ㄴㄷ
[신우] 선분 ㄱㄴ과 선분 ㄴㄷ
[정은] 선분 ㄱㄷ과 선분 ㄴㄹ

(   )

05 서로 평행한 직선을 찾아 써 보세요.

(08 유사)

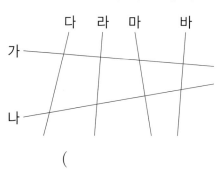

다 라 마 바

가

나

(   )

06 바르게 설명한 것을 찾아 기호를 써 보세요.

(09 유사)

ㄱ 한 점을 지나고 한 직선에 평행한 직선은 셀 수 없이 많이 그을 수 있습니다.
ㄴ 평행한 두 직선은 서로 만납니다.
ㄷ 한 직선에 수직인 두 직선은 서로 수직입니다.
ㄹ 한 직선과 평행한 직선은 셀 수 없이 많이 그을 수 있습니다.

(   )

4 단원

07 평행선이 가장 적은 도형의 기호를 쓰려고 합니다. 풀이 과정을 쓰고, 답을 구하세요.

(11 유사) 서술형

가   나   다

풀이

_____

_____

_____

답

08 도형에서 변 ㅁㅂ과 평행한 변을 모두 찾아
12
유사 써 보세요.

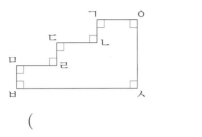

( )

09 도형에서 평행선을 찾아 평행선 사이의 거리
14
유사 는 몇 cm인지 재어 보세요.

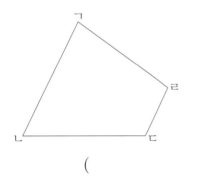

( )

10 평행선 사이의 거리가 가장 긴 도형을 찾아
15
유사 기호를 써 보세요.

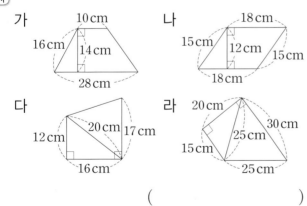

( )

11 도형에서 꼭짓점 ㄷ을 지나고 변 ㄱㄹ에 수직
17
유사 인 직선을 그어 보세요.

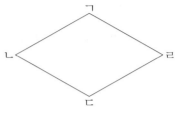

서술형

12 점 ㄱ에서 각 변에 수선을 그을 때 그을 수 있
18
유사 는 수선은 모두 몇 개인지 풀이 과정을 쓰고,
답을 구하세요.

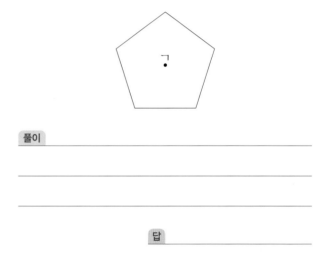

풀이

답

13 주어진 네 선분을 이용하여 평행선이 세 쌍인
20
유사 육각형을 그려 보세요.

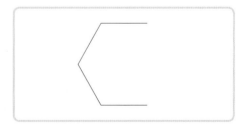

14 색종이에 선분 ㄱㄹ을 한 변으로 하는 가장 큰 직사각형을 그려 보세요.

_{21 유사}

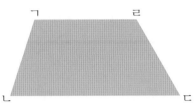

15 직선 가와 직선 나는 서로 평행합니다. 두 직선과 동시에 평행선 사이의 거리가 2.5 cm가 되도록 평행한 직선을 그어 보세요.

_{23 유사}

16 두 변이 각각 4 cm, 2 cm인 직사각형을 완성하세요.

_{24 유사}

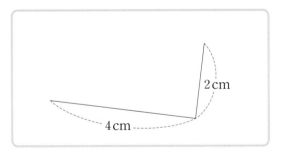

17 도형에서 찾을 수 있는 평행선은 모두 몇 쌍일까요?

_{26 유사}

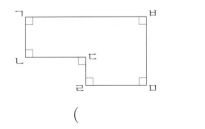

(   )

18 거울에 빛을 비추었을 때 빛을 비추는 각도를 입사각, 빛이 반사되는 각도를 반사각이라고 합니다. 직선 가는 거울에 대한 수선일 때 ㉠과 ㉡의 각도는 각각 몇 도일까요?

_{28 유사}

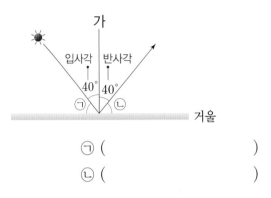

㉠ (   )

㉡ (   )

19 직선 가, 직선 나, 직선 다는 서로 평행합니다. 직선 가와 직선 다 사이의 거리는 몇 cm일까요?

_{30 유사}

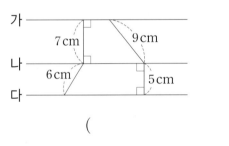

(   )

20 직선 가와 직선 나는 서로 평행합니다. ㉠의 각도는 몇 도일까요?

_{32 유사}

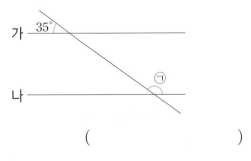

(   )

STEP
1 한번더 **개념 완성하기**

📎 진도북[098~101쪽]의 기본 유형 문제 복습

❯ 정답 52쪽

1 주어진 선분을 사용하여 사다리꼴을 완성하세요.

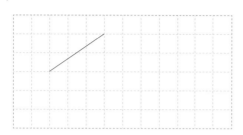

2 직사각형 모양의 종이테이프를 선을 따라 잘랐을 때 잘라 낸 도형 중 평행사변형을 찾아 기호를 써 보세요.

가	나	다	라	마

(   )

3 다음 도형이 사다리꼴인 이유를 설명한 것입니다. ☐ 안에 알맞은 말을 써넣으세요.

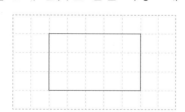

직사각형은 ☐ 한 변이 있으므로 사다리꼴입니다.

4 주어진 선분을 사용하여 마름모를 완성하세요.

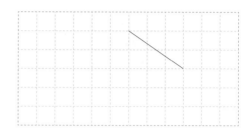

5 다음 도형의 이름이 될 수 없는 것을 찾아 기호를 써 보세요.

ㄱ 사다리꼴
ㄴ 평행사변형
ㄷ 마름모

(   )

6 직사각형과 정사각형에 대한 설명입니다. 잘못된 것의 기호를 써 보세요.

> ㄱ 직사각형과 정사각형의 네 각의 크기는 모두 같습니다.
> ㄴ 직사각형은 정사각형이라고 할 수 있습니다.

(   )

진도북[102~103쪽]의 확인, 강화 문제 복습

STEP 2

한 번 더 실력 다지기

정답 52쪽

01 오른쪽 사각형에 대한 설명
（02 유사） 으로 옳은 것을 찾아 기호를
써 보세요.

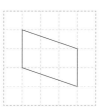

> ㉠ 마주 보는 두 쌍의 변이 서로 평행합니다.
> ㉡ 네 각의 크기가 모두 같습니다.

(   )

02 다음은 크기가 같은 직각삼각형 2개를 변끼리
（03 유사） 맞닿게 이어 붙인 것입니다. 이어 붙인 도형
의 이름으로 알맞은 것을 찾아 ○표 하세요.

마름모   직사각형   정사각형

03 도형판에 만든 사각형에서 한 꼭짓점만 옮겨
（05 유사） 사다리꼴을 만들어 보세요.

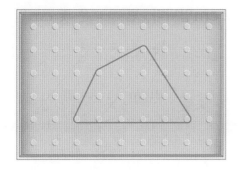

04 다음 도형은 평행사변형이 아닙니다. 그 이유
（06 유사） 를 쓰고, 평행사변형이 되도록 한 꼭짓점을 옮
겨서 그려 보세요.

서술형

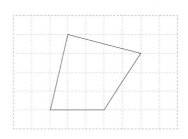

이유 _____

_____

05 사각형 ㄱㄴㄷㄹ 안에 선분을 한 개 그어서 가
（08 유사） 장 큰 정사각형을 만들어 보세요.

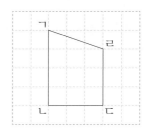

06 그림과 같은 직사각형 모양의 색종이를 접어
（09 유사） 서 자른 후 빗금 친 부분을 펼쳤을 때 만들어
지는 사각형의 이름을 써 보세요.

교과 역량

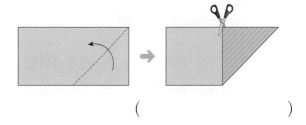

(   )

07 사각형의 성질에 대한 설명으로 잘못된 것을 찾아 기호를 써 보세요.
〔11 유사〕

> ㉠ 마름모, 정사각형은 마주 보는 두 쌍의 변
> 이 서로 평행합니다.
> ㉡ 평행사변형, 마름모는 마주 보는 각의 크
> 기가 같습니다.
> ㉢ 평행사변형, 직사각형은 네 각의 크기가
> 모두 같습니다.

(   )

08 사각형에 대해 잘못 말한 사람을 찾아 이름을 써 보세요.
〔13 유사〕

> [우주] 직사각형은 사다리꼴입니다.
> [성희] 마름모는 직사각형입니다.
> [태수] 정사각형은 평행사변형입니다.

(   )

┌─▶ 한옥 창문 중의 하나

09 다음은 완자무늬창입니다. 표시한 부분의 이름이 될 수 없는 것을 찾아 기호를 써 보세요. `교과 역량`
〔14 유사〕

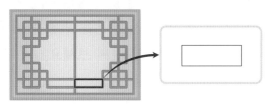

> ㉠ 사다리꼴   ㉡ 평행사변형
> ㉢ 직사각형   ㉣ 정사각형

(   )

10 오른쪽 칠교판 조각으로 직사각형을 만들어 그려 보고, 칠교판 조각 몇 조각으로 만들었는지 써 보세요.
〔16 유사〕

> □ 조각

11 접이식 옷걸이는 마름모 모양으로 이루어져 있습니다. 마름모 모양 한 개의 네 변의 길이의 합이 52 cm일 때 한 변은 몇 cm일까요? `교과 역량`
〔18 유사〕

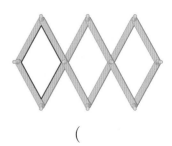

(   )

12 평행사변형 ㄱㄴㄷㄹ의 네 변의 길이의 합은 72 cm입니다. 변 ㄱㄹ은 몇 cm일까요?
〔19 유사〕

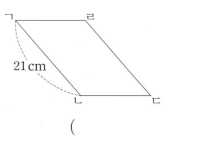

21 cm

(   )

13 사각형 ㄱㄴㄷㄹ은 마름모입니다. ㉠의 각도
〔21 유사〕는 몇 도일까요?

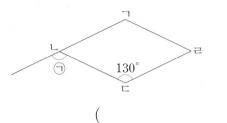

(   )

서술형

14 평행사변형 ㄱㄴㄷㄹ에서 각 ㄱㄹㄷ의 크기는
〔22 유사〕몇 도인지 풀이 과정을 쓰고, 답을 구하세요.

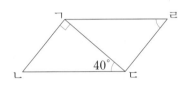

풀이

답

15 오른쪽 사다리꼴 모양의 조각으로 아
〔24 유사〕래 도형을 겹치지 않게 빈틈없이 덮으
려고 합니다. 도형을 빈틈없이 덮고, 사다리꼴
모양의 조각은 모두 몇 조각 필요한지 구하세요.

(   )

16 다음을 모두 만족하는 사각형을 모눈종이에
〔26 유사〕1개 그리고, 그린 도형의 이름을 써 보세요.

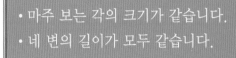

- 마주 보는 각의 크기가 같습니다.
- 네 변의 길이가 모두 같습니다.

(   )

17 그림에서 찾을 수 있는 크고 작은 평행사변형
〔28 유사〕은 모두 몇 개일까요?

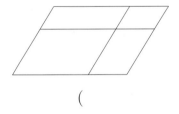

(   )

18 직사각형 모양의 종이를 그림과 같이 접었습
〔30 유사〕니다. ㉠의 각도를 구하세요.

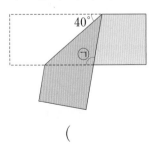

(   )

01 직선 ㄱㅅ과 직선 ㅂㅅ은 서로 수직입니다.
각 ㄱㅅㅂ을 크기가 똑같은 각 5개로 나눈 것
입니다. **각 ㄴㅅㄹ의 크기는 몇 도**인지 풀이
과정을 쓰고, 답을 구하세요.

〔01 유사〕

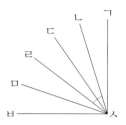

❶ 작은 각 한 개의 각도 구하기

풀이

❷ 각 ㄴㅅㄹ의 크기 구하기

풀이

답

02 직선 가와 직선 나는 서로 수직입니다. **㉠과
㉡의 각도의 차는 몇 도**인지 풀이 과정을 쓰
고, 답을 구하세요.

〔03 유사〕

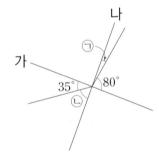

풀이

답

03 정사각형과 똑같은 정삼각형 2개를 겹치지 않
게 변끼리 이어 붙여서 만든 도형입니다. **초록
색 선의 길이는 몇 cm**인지 풀이 과정을 쓰고,
답을 구하세요.

〔04 유사〕

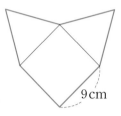

❶ 정삼각형의 한 변의 길이 구하기

풀이

❷ 초록색 선의 길이 구하기

풀이

답

04 마름모 모양의 색종이와 똑같은 평행사변형
모양의 색종이 2장을 겹치지 않게 변끼리 이어
붙여서 만든 도형입니다. **빨간색 선의 길이는
몇 cm**인지 풀이 과정을 쓰고, 답을 구하세요.

〔06 유사〕

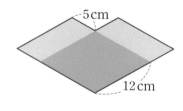

풀이

답

05 도형에서 사각형 ㄱㄴㄷㄹ은 정사각형이고, 사
(07 유사) 각형 ㄱㄹㅁㅂ은 평행사변형입니다. **각 ㄴㄱㅂ
의 크기는 몇 도**인지 풀이 과정을 쓰고, 답을
구하세요.

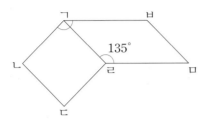

135°

❶ 각 ㄹㄱㅂ의 크기 구하기

풀이

❷ 각 ㄴㄱㅂ의 크기 구하기

풀이

답

06 도형에서 사각형 ㄱㄴㅁㅂ은 마름모이고, 사
(09 유사) 각형 ㄴㄷㄹㅁ은 평행사변형입니다. **각 ㄱㄴㄷ
의 크기는 몇 도**인지 풀이 과정을 쓰고, 답을
구하세요.

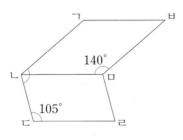

140°

105°

풀이

답

07 직선 가와 직선 나는 서로 평행하고, 직선 다
(10 유사) 는 직선 가에 대한 수선입니다. **㉠의 각도는
몇 도**인지 풀이 과정을 쓰고, 답을 구하세요.

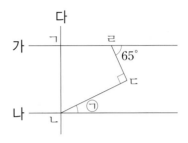

65°

❶ 각 ㄱㄴㄷ의 크기 구하기

풀이

❷ ㉠의 각도 구하기

풀이

답

08 직선 가와 직선 나는 서로 평행합니다. **각 ㄱㄴㄷ
의 크기는 몇 도**인지 풀이 과정을 쓰고, 답을
구하세요.

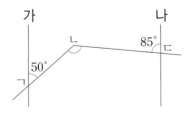

85°

50°

풀이

답

진도북[118~123쪽]의 기본 유형 문제 복습

● 정답 54쪽

STEP 1 · 한 번 더 개념 완성하기

[1~4] 수영이가 키우는 토마토 싹의 키를 6일마다 오전 10시에 조사하여 나타낸 꺾은선그래프입니다. 물음에 답하세요.

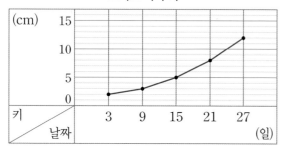

토마토 싹의 키

1 그래프에서 세로 눈금 한 칸의 크기는 몇 cm인가요?

( )

2 9일의 토마토 싹의 키는 몇 cm인가요?

( )

3 24일의 토마토 싹의 키는 몇 cm 정도라고 예상할 수 있을까요?

( )

4 토마토 싹의 키의 변화가 가장 큰 때는 며칠과 며칠 사이인가요?

( )과 ( ) 사이

[5~7] 매년 5월 재원이의 몸무게를 조사하여 나타낸 표를 보고 물결선을 사용한 꺾은선그래프로 나타내려고 합니다. 물음에 답하세요.

재원이의 몸무게

연도(년)	2013	2014	2015	2016	2017
몸무게(kg)	29	32	34	38	41

5 그래프를 그리는 데 꼭 필요한 부분은 몇 kg부터 몇 kg까지인가요?

( )부터 ( )까지

6 표를 보고 물결선을 사용한 꺾은선그래프로 나타내어 보세요.

재원이의 몸무게

7 6의 그래프를 보고 잘못 설명한 학생의 이름을 써 보세요.

[아영] 2016년부터 2017년까지 재원이의 몸무게는 3 kg 늘었습니다.
[준호] 몸무게의 변화가 가장 작은 때는 2015년과 2016년 사이입니다.

( )

STEP
2 한 번 더 **실력 다지기**

> 정답 54쪽

01 민재의 턱걸이 횟수를 조사하여 나타낸 꺾은
02 유사 선그래프입니다. 설명이 잘못된 것을 찾아 기호를 써 보세요.

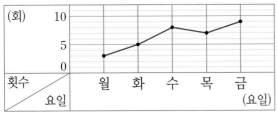

민재의 턱걸이 횟수

㉠ 월요일의 턱걸이 횟수는 3회입니다.
㉡ 턱걸이 횟수가 전날보다 줄어든 날은 수요일입니다.

( )

02 학교 도서관에서 책을 빌려간 학생 수를 조사
04 유사 하여 나타낸 것입니다. 표와 꺾은선그래프를 완성하세요.

학교 도서관에서 책을 빌려간 학생 수

요일	월	화	수	목	금
학생 수(명)	8			32	26

학교 도서관에서 책을 빌려간 학생 수

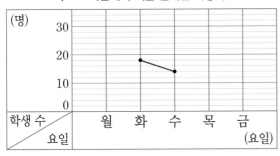

03 어느 가게의 아이스크림 판매량을 조사하여
06 유사 나타낸 꺾은선그래프입니다. 월요일과 수요일의 아이스크림 판매량의 합은 몇 개인가요?

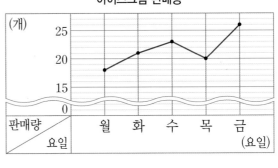

아이스크림 판매량

( )

04 나영이의 키를 매년 1월에 조사하여 나타낸 표
08 유사 입니다. 2017년에는 2016년보다 키가 10 cm 더 컸을 때 표를 완성하고, 물결선을 사용한 꺾은선그래프로 나타내어 보세요.

나영이의 키

연도(년)	2013	2014	2015	2016	2017
키(cm)	122	126	134	140	

나영이의 키

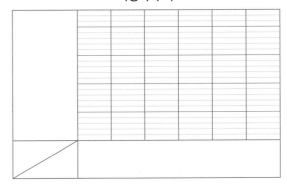

5
단원

05 은지의 윗몸일으키기 횟수를 조사하여 나타낸 막대그래프와 꺾은선그래프입니다. 두 그래프의 같은 점과 다른 점을 설명하세요.
[10 유사]
[서술형]

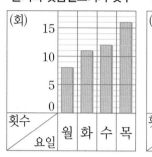
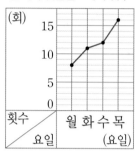

같은 점 _____

_____

다른 점 _____

_____

_____

06 인터넷 기사를 읽고 이 마을의 어린이 수를 꺾은선그래프로 나타내어 보세요.
[12 유사]
[교과 역량]

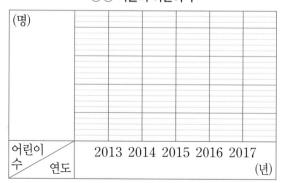

07 가 식물과 나 식물의 키의 변화를 조사하여 나타낸 꺾은선그래프입니다. 가 식물과 나 식물 중 처음에는 천천히 자라다가 시간이 지나면서 빠르게 자란 식물은 어느 것인가요?
[14 유사]

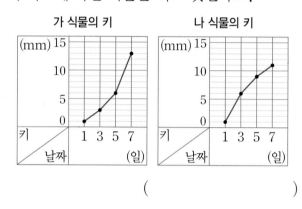

(   )

08 수도꼭지를 사용하여 받은 물의 양을 10초마다 조사하여 나타낸 꺾은선그래프입니다. 30초 후 받은 물의 양은 몇 L일지 예상해 보세요.
[16 유사]

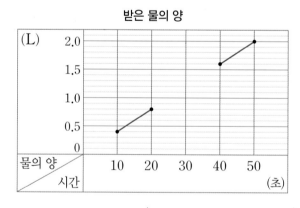

(   )

09 현우의 몸무게를 매년 1월에 조사하여 나타낸
표입니다. 표를 보고 알맞은 그래프로 나타내
고, 몸무게의 변화가 가장 큰 때는 몇 살과 몇
살 사이인지 구하세요.

18
유사

현우의 몸무게

나이(살)	4	5	6	7	8
몸무게(kg)	13	15	18	20	21

현우의 몸무게

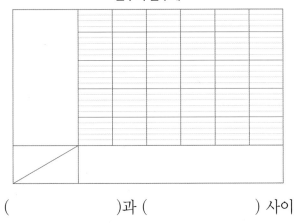

( )과 ( ) 사이

10 가 회사와 나 회사의 월별 자동차 생산량을 나
타낸 꺾은선그래프입니다. 2월의 두 회사의
자동차 생산량의 차는 몇 대일까요?

20
유사

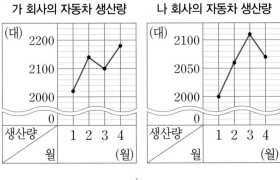

( )

11 어느 농장의 닭과 소의 수를 조사하여 나타낸
꺾은선그래프입니다. 닭의 수가 소의 수보다
더 적은 때는 언제인가요?

22
유사

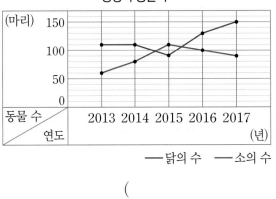

( )

서술형

12 어느 학교의 안경을 쓴 학생 수를 조사하여 나
타낸 꺾은선그래프입니다. 2019년의 안경을
쓴 학생 수는 몇 명일지 예상해 보고, 그 이유
를 써 보세요.

24
유사

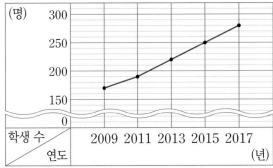

답

이유

5
단원

5. 꺾은선그래프 **39**

STEP
3

한 번 더 **서술형 해결하기**

진도북[130~131쪽]의 연습, 실전 문제 복습

> 정답 56쪽

01 인호와 영아의 키를 매월 1일에 조사하여 나
(01 유사) 타낸 꺾은선그래프입니다. 두 사람의 키의 차
가 가장 작은 때 **두 사람의 키는 각각 몇 cm**
인지 풀이 과정을 쓰고, 답을 구하세요.

인호와 영아의 키

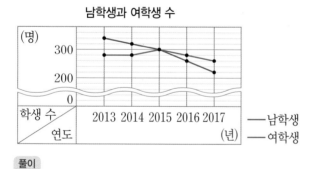

❶ 키의 차가 가장 작은 때 구하기

풀이

❷ 키의 차가 가장 작은 때의 키 구하기

풀이

답 인호: , 영아:

02 어느 학교의 남학생 수와 여학생 수를 조사하
(03 유사) 여 나타낸 꺾은선그래프입니다. 남학생 수와
여학생 수의 차가 가장 클 때 **학생 수의 차는**
몇 명인지 풀이 과정을 쓰고, 답을 구하세요.

남학생과 여학생 수

풀이

답

03 어느 병원의 출생아 수를 조사하여 나타낸 꺾
(04 유사) 은선그래프입니다. **5월의 출생아 수는 몇 명일**
지 예상하려고 합니다. 풀이 과정을 쓰고, 답을
구하세요.

출생아 수

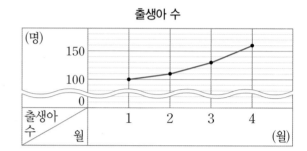

❶ 출생아 수는 매월 몇 명 많아졌는지 구하기

풀이

❷ 5월의 출생아 수 예상하기

풀이

답

04 어느 지역의 10월 한 달 동안 해 뜨는 시각을
(06 유사) 조사하여 나타낸 것입니다. **10월 25일의 해 뜨**
는 시각은 몇 시 몇 분일지 예상하려고 합니다.
풀이 과정을 쓰고, 답을 구하세요.

해 뜨는 시각

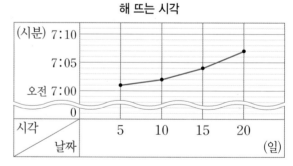

풀이

답

STEP 1 한번더 개념 완성하기

진도북[140~145쪽]의 기본 유형 문제 복습

> 정답 56쪽

1 오각형을 찾을 수 있는 것을 찾아 기호를 써 보세요.

( )

2 점 종이에 그려진 선분을 이용하여 팔각형을 완성해 보세요.

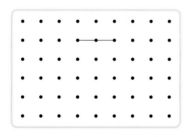

3 칠각형에 대각선을 모두 긋고, 대각선은 모두 몇 개인지 구하세요.

( )

4 대각선의 수가 가장 많은 것을 찾아 기호를 써 보세요.

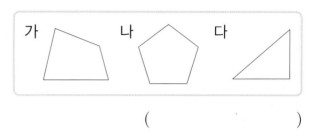

( )

5 사각형 ㄱㄴㄷㄹ은 마름모입니다. 선분 ㅁㄷ은 몇 cm일까요?

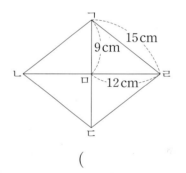

( )

6 오른쪽 모양 조각을 2개 사용하여 사각형을 만들었습니다. 만든 사각형의 특징을 찾아 기호를 써 보세요.

> ㉠ 네 각이 모두 직각입니다.
> ㉡ 두 대각선이 서로 수직으로 만납니다.

( )

01 도형을 이루고 있는 모양 중에서 정다각형을
02 유사 모두 찾아 색칠해 보세요.

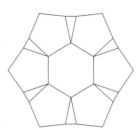

02 다각형이 아닌 것을 모두 찾아 기호를 써 보
03 유사 세요.

( )

교과 역량

03 여러 가지 모양의 단추가 있습니다. 오각형
05 유사 모양의 단추에는 빨간색, 육각형 모양의 단추
에는 파란색, 팔각형 모양의 단추에는 노란색
으로 색칠하세요.

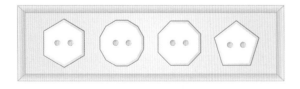

04 변의 수가 가장 많은 다각형을 찾아 기호를
06 유사 쓰고, 그 다각형의 이름을 써 보세요.

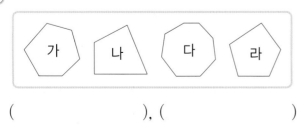

( ), ( )

05 모든 변의 길이의 합이 80 cm인 정이십각형
08 유사 이 있습니다. 이 도형의 한 변은 몇 cm일까요?

( )

06 한 변이 6 cm이고, 모든 변의 길이의 합이
09 유사 36 cm인 정다각형이 있습니다. 이 정다각형
의 이름은 무엇일까요?

( )

07 다음을 보고 정십각형의 한 각의 크기는 몇
11 유사 도인지 구하세요.

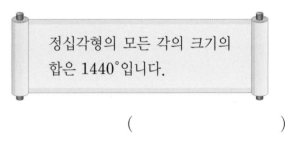

정십각형의 모든 각의 크기의
합은 1440°입니다.

( )

교과 역량

08 다음은 정다각형의 일부분입니다. 이 정다각
12 유사 형의 모든 각의 크기의 합이 720°일 때 정다
각형의 이름은 무엇일까요?

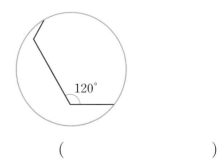

120°

( )

진도북[146~149쪽]의 확인, 강화 문제 복습

● 정답 57쪽

09 정사각형 모양의 색종이를 다음과 같이 접었
⑭유사 다가 펼쳤을 때 접어서 생긴 두 선분이 만나
서 이루는 각의 크기는 몇 도일까요?

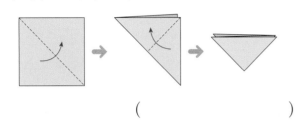

(   )

10 설명을 바르게 한 사람의 이름을 써 보세요.
⑮유사

> [세진] 마름모는 두 대각선이 서로 수직으로
> 만납니다.
> [정아] 평행사변형은 두 대각선의 길이가 같
> 습니다.

(   )

서술형

11 표시된 꼭짓점에서 그을 수 있는 대각선의 수
⑰유사 를 더하면 모두 몇 개인지 풀이 과정을 쓰고,
답을 구하세요.

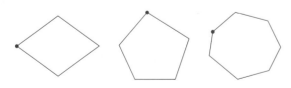

풀이 _____

_____

_____

답 _____

교과 역량

12 긴 고무줄의 양끝을 묶고 그 안에 5명이 들어
⑱유사 가서 오각형을 만들었습니다. 서로 이웃하지
않는 사람끼리 하나의 끈으로 연결한다면 필
요한 끈은 모두 몇 개일까요?

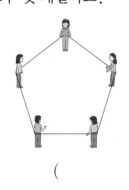

(   )

13 다음 모양 조각 중 3가지를 여러 번 사용하여
⑳유사 모양을 만들고, 만든 모양에 이름을 붙여 보
세요.

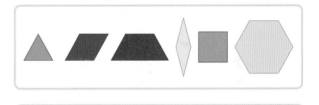

(   )

14 마름모 모양 조각 3개를 사용하여 만들 수 없
㉑유사 는 도형을 찾아 ✕표 하세요.

> 사다리꼴 평행사변형 직사각형 정육각형

15  와 ▬ 를 모두 사용하여 평행사변
23 유사 형을 빈틈없이 채울 수 있는 방법을 나타내어
보세요.

16 보기 의 모양 조각을 모두 사용하여 겹치지 않
24 유사 게 놓아 도형을 빈틈없이 채우려고 합니다. 도
형을 채울 수 있는 방법을 나타내어 보세요.

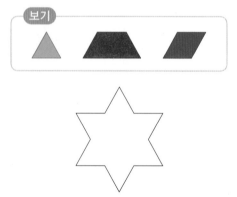

17 직사각형 ㄱㄴㄷㄹ에서 두 대각선의 길이의
26 유사 합은 몇 cm일까요?

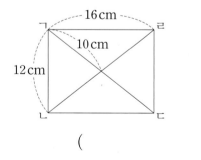

(   )

18 정구각형의 한 각의 크기는 몇 도일까요?
28 유사

(   )

교과 역량

19 은주의 일기를 읽고 은주네가 산 타일의 모양
30 유사 은 어떤 도형인지 이름을 써 보세요.

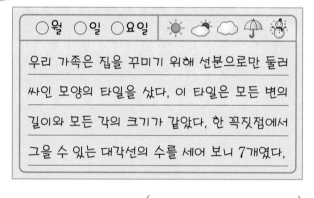

우리 가족은 집을 꾸미기 위해 선분으로만 둘러
싸인 모양의 타일을 샀다. 이 타일은 모든 변의
길이와 모든 각의 크기가 같았다. 한 꼭짓점에서
그을 수 있는 대각선의 수를 세어 보니 7개였다.

(   )

서술형

20 오른쪽 정팔각형을 겹치지 않게
32 유사 놓아 바닥을 빈틈없이 채울 수
있는지, 없는지 쓰고, 그 이유를
설명하세요.

답 _____

이유 _____

STEP 3 한 번 더 서술형 해결하기

진도북[152~153쪽]의 연습, 실전 문제 복습

> 정답 58쪽

01
유사 01

마름모 ㄱㄴㄷㄹ에서 **각 ㅇㄷㄹ의 크기는 몇 도**인지 풀이 과정을 쓰고, 답을 구하세요.

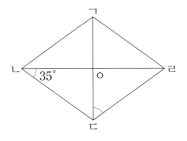

❶ 각 ㄴㄹㄷ의 크기 구하기

풀이

❷ 각 ㅇㄷㄹ의 크기 구하기

풀이

답 _____

02
유사 03

직사각형 ㄱㄴㄷㄹ에서 **각 ㄴㅇㄷ의 크기는 몇 도**인지 풀이 과정을 쓰고, 답을 구하세요.

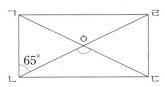

풀이

답 _____

03
유사 04

다음은 정육각형입니다. **각 ㄴㄹㅁ의 크기는 몇 도**인지 풀이 과정을 쓰고, 답을 구하세요.

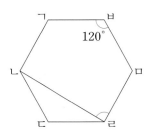

❶ 각 ㄴㄹㄷ의 크기 구하기

풀이

❷ 각 ㄴㄹㅁ의 크기 구하기

풀이

답 _____

04
유사 06

다음은 정십이각형입니다. **각 ㅌㅊㅇ의 크기는 몇 도**인지 풀이 과정을 쓰고, 답을 구하세요.

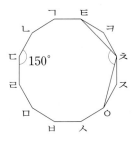

풀이

답 _____

단원 평가

01 그림을 보고 □ 안에 알맞은 수를 써넣으세요.

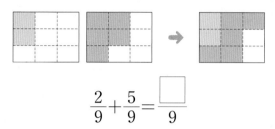

$$\frac{2}{9}+\frac{5}{9}=\frac{\square}{9}$$

02 □ 안에 알맞은 수를 써넣으세요.

1은 $\frac{1}{5}$이 □개, $\frac{2}{5}$는 $\frac{1}{5}$이 □개이므로

$1-\frac{2}{5}$는 $\frac{1}{5}$이 □개입니다.

→ $1-\frac{2}{5}=\frac{\square}{5}$

03 보기 와 같은 방법으로 계산하세요.

보기

$$4\frac{1}{3}-2\frac{2}{3}=3\frac{4}{3}-2\frac{2}{3}$$
$$=(3-2)+\left(\frac{4}{3}-\frac{2}{3}\right)$$
$$=1+\frac{2}{3}=1\frac{2}{3}$$

$3\frac{2}{7}-1\frac{5}{7}$

[04~05] 계산을 하세요.

04 $1\frac{4}{8}+3\frac{3}{8}$

05 $\frac{11}{14}-\frac{8}{14}$

06 은수가 분수의 덧셈을 잘못 계산한 것입니다. 잘못된 부분을 찾아 바르게 고쳐 보세요.

$$\frac{4}{6}+\frac{5}{6}=\frac{4+5}{6+6}=\frac{9}{12}$$

바른 계산

07 빈 곳에 알맞은 수를 써넣으세요.

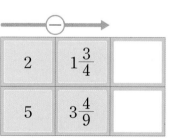

08 ♥에 알맞은 수를 구하세요.

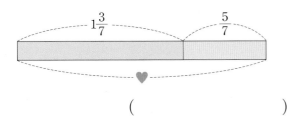

(   )

09 빈 곳에 두 수의 차를 써넣으세요.

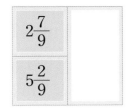

10 계산 결과를 비교하여 ○ 안에 >, =, <를 알맞게 써넣으세요.

$$3\frac{7}{10}+4\frac{2}{10} \quad \bigcirc \quad 5\frac{5}{10}+2\frac{3}{10}$$

11 가장 큰 수와 가장 작은 수의 합을 구하세요.

$$4\frac{3}{9} \qquad 2\frac{7}{9} \qquad 3\frac{8}{9}$$

(   )

12 다음 중 계산 결과가 가장 큰 것은 어느 것일까요? (   )

① $3\frac{2}{6}+2\frac{1}{6}$ ② $1\frac{5}{6}+4\frac{3}{6}$

③ $7\frac{1}{6}-1\frac{5}{6}$ ④ $7\frac{4}{6}-2\frac{3}{6}$

⑤ $9\frac{2}{6}-2\frac{4}{6}$

13 감이 들어 있는 상자의 무게를 재어 보니 $7\frac{5}{7}$ kg입니다. 빈 상자의 무게가 $1\frac{2}{7}$ kg일 때 상자 안에 들어 있는 감만의 무게는 몇 kg 일까요?

(   )

14 □ 안에 알맞은 대분수를 써넣으세요.

$$6\frac{3}{8}-\boxed{}=2\frac{7}{8}$$

15 어떤 수에 $\frac{5}{12}$를 더했더니 1이 되었습니다. 어떤 수는 얼마일까요?

(   )

16 각 바구니에 들어 있는 자두의 무게가 다음과 같습니다. 자두를 2바구니씩 모아 5 kg짜리 선물 포장을 하려고 합니다. 어떤 바구니끼리 모아야 하는지 기호를 써 보세요.

바구니	㉠	㉡	㉢	㉣
자두의 무게(kg)	$2\frac{5}{8}$	$2\frac{2}{8}$	$2\frac{6}{8}$	$2\frac{3}{8}$

[,   ]   [,   ]

17 다음 6장의 수 카드를 한 번씩 모두 사용하여 (가장 큰 대분수)＋(가장 작은 대분수)의 식을 만들고, 계산하세요. (단, 두 대분수의 분모는 각각 7입니다.)

| 2 | 3 | 5 | 9 | 7 | 7 |

$$\square\frac{\square}{\square}+\square\frac{\square}{\square}=\square$$

18 $1\frac{8}{10}+2\frac{5}{10}$를 두 가지 방법으로 계산하세요.

방법 ①

방법 ②

19 길이가 $9\frac{2}{5}$ cm인 색 테이프 2장을 $1\frac{4}{5}$ cm 만큼 겹쳐서 이어 붙인다면 이어 붙인 색 테이프의 전체 길이는 몇 cm인지 풀이 과정을 쓰고, 답을 구하세요.

풀이

답

20 □ 안에 들어갈 수 있는 자연수 중 가장 큰 수는 얼마인지 풀이 과정을 쓰고, 답을 구하세요.

$$\frac{12}{13}-\frac{\square}{13}>\frac{7}{13}$$

풀이

답

단원 평가

01 다음과 같이 세 변의 길이가 같은 삼각형의 이름은 무엇일까요?

(   )

02 이등변삼각형이 아닌 것을 찾아 ×표 하세요.

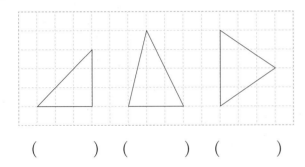

(   ) (   ) (   )

03 다음 중 예각삼각형을 모두 고르세요.

(   )

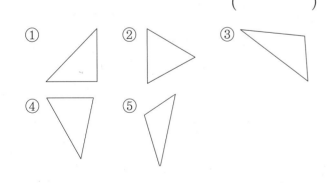

04 삼각형의 세 변의 길이가 다음과 같을 때 이등변삼각형인 것을 찾아 기호를 써 보세요.

> ㉠ 10 cm, 11 cm, 9 cm
> ㉡ 14 cm, 9 cm, 14 cm

(   )

05 자를 사용하여 삼각형의 변의 길이를 재어 보고 정삼각형을 모두 찾아 기호를 써 보세요.

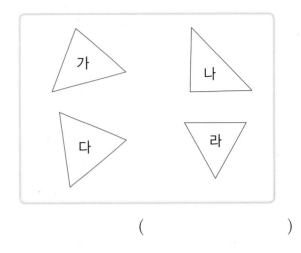

(   )

06 이등변삼각형입니다. □ 안에 알맞은 수를 써 넣으세요.

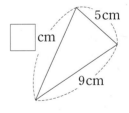

07 주어진 선분을 한 변으로 하는 둔각삼각형을 그려 보세요.

08 다음 삼각형의 한 꼭짓점을 옮겨 예각삼각형을 만들려고 합니다. 꼭짓점 ㄴ을 어느 점으로 옮겨야 할까요? (   )

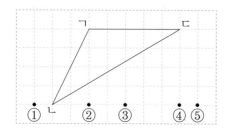

09 이등변삼각형이면서 둔각삼각형인 도형을 찾아 기호를 써 보세요.

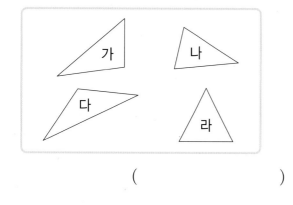

(   )

10 이등변삼각형의 세 변의 길이의 합은 몇 cm일까요?

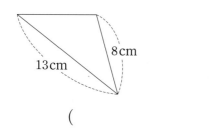

(   )

11 오른쪽 삼각형의 이름으로 알맞은 것을 모두 찾아 ◯표 하세요.

이등변삼각형   정삼각형

예각삼각형   직각삼각형   둔각삼각형

12 삼각형 ㄱㄴㄷ은 정삼각형입니다. 이 삼각형의 세 변의 길이의 합이 42 cm일 때 변 ㄱㄷ의 길이는 몇 cm일까요?

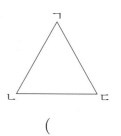

(   )

13 삼각형 ㄱㄴㄷ에서 각 ㄱㄴㄷ의 크기는 몇 도일까요?

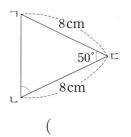

(   )

14 삼각형의 세 각 중 두 각의 크기입니다. 이등변삼각형은 어느 것일까요? (   )

① 45°, 30°   ② 20°, 70°

③ 35°, 60°   ④ 55°, 25°

⑤ 40°, 100°

15 민정이는 길이가 70 cm인 철사를 겹치지 않게 사용하여 한 변이 11 cm인 정삼각형을 2개 만들었습니다. 정삼각형을 만들고 남은 철사는 몇 cm일까요?

(   )

16 삼각형 ㄱㄴㄷ은 이등변삼각형입니다. ㉠과 ㉡의 각도의 합을 구하세요.

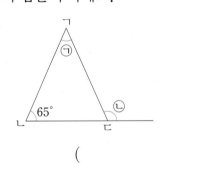

(   )

17 도형에서 가장 작은 각의 크기는 모두 같습니다. 도형에서 찾을 수 있는 정삼각형은 모두 몇 개일까요?

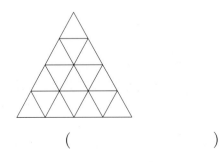

(   )

18 삼각형에 대해 잘못 말한 사람의 이름을 쓰고, 그 이유를 써 보세요.

> [승원] 한 각이 예각인 삼각형은 예각삼각형 이야.
> [희원] 한 각이 둔각인 삼각형은 둔각삼각형 이야.

이름 _____

이유 _____

_____

19 두 각의 크기가 각각 55°, 20°인 삼각형이 있습니다. 이 삼각형은 예각삼각형인지, 둔각삼각형인지 풀이 과정을 쓰고, 답을 구하세요.

풀이 _____

_____

_____

답 _____

20 두 삼각형에서 ㉠과 ㉡의 각도의 차는 몇 도인지 풀이 과정을 쓰고, 답을 구하세요.

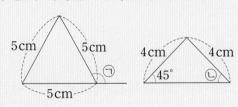

풀이 _____

_____

_____

답 _____

단원 평가지

01 모눈종이 전체의 크기를 1이라고 할 때 색칠한 부분을 분수와 소수로 각각 나타내어 보세요.

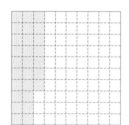

분수	소수

02 다음 수를 소수로 나타내고 읽어 보세요.

> 일의 자리 숫자가 3, 소수 첫째 자리 숫자가 1, 소수 둘째 자리 숫자가 0, 소수 셋째 자리 숫자가 9인 소수 세 자리 수

쓰기 (   )

읽기 (   )

03 □ 안에 알맞은 수를 써넣으세요.

6.2의 $\frac{1}{100}$ 은 □ 입니다.

04 소수 사이의 관계를 바르게 말한 사람은 누구일까요?

> [재현] 0.001의 100배는 0.1이야.
> [승주] 0.01의 1000배는 1이지.

(   )

05 두 소수의 크기를 비교하여 ○ 안에 >, =, <를 알맞게 써넣으세요.

0.78 ○ 0.778

06 계산을 하세요.

8.14−2.78

07 계산 결과가 같은 것끼리 선으로 이어 보세요.

0.3+0.9 ·   · 0.9+0.8

0.7+1.8 ·   · 4.1−2.9

4.3−2.6 ·   · 3.2−0.7

08 숫자 3이 나타내는 수가 가장 큰 수를 찾아 써 보세요.

| 4.13 | 2.375 | 3.402 | 5.843 |

(   )

09 □ 안에 알맞은 수를 구하세요.

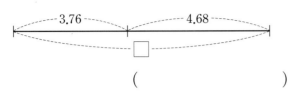

( )

10 다음은 찬우가 주스를 마시기 전과 마신 후의 주스의 양입니다. 찬우가 마신 주스의 양은 몇 L일까요?

처음 주스의 양	남은 주스의 양
2.31 L	1.78 L

( )

11 빈 곳에 알맞은 수를 써넣으세요.

12 다음 수보다 0.55 작은 수를 구하세요.

> 0.1이 46개, 0.01이 28개인 수

( )

13 계산 결과가 큰 순서대로 기호를 써 보세요.

> ㉠ 1.64+0.95
> ㉡ 4.37−1.7
> ㉢ 0.83+1.64

( )

14 □ 안에 알맞은 수를 써넣으세요.

$$
\begin{array}{r}
5\ .\ 1\ \square \\
+\ 2\ .\ \square\ 6 \\
\hline
7\ .\ 6\ 3
\end{array}
$$

[15~16] 어느 전시관의 평면도입니다. 물음에 답하세요.

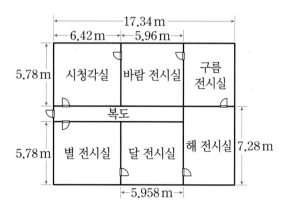

15 바람 전시실과 달 전시실 중 더 큰 전시실은 어디일까요?

( )

16 구름 전시실의 가로는 몇 m일까요?

( )

17 어떤 수에 2.43을 더해야 할 것을 잘못하여 2.43을 뺐더니 7.81이 되었습니다. 바르게 계산한 값은 얼마인지 구하세요.

( )

18 다음은 정후가 소수를 잘못 읽은 것입니다. 잘못 읽은 이유를 쓰고, 바르게 읽어 보세요.

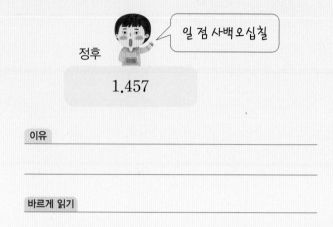

이유 _____

바르게 읽기 _____

19 가장 큰 수와 두 번째로 작은 수의 차는 얼마인지 풀이 과정을 쓰고, 답을 구하세요.

| 4.76 | 5.8 | 4.691 | 5.79 |

풀이 _____

_____

_____

답 _____

20 들이가 9.2 L인 항아리에 간장이 3.46 L 들어 있었는데 간장 2.3 L를 더 담았습니다. 이 항아리를 가득 채우려면 간장을 몇 L 더 담아야 하는지 풀이 과정을 쓰고, 답을 구하세요.

풀이 _____

_____

_____

답 _____

단원 평가

01 그림을 보고 □ 안에 알맞은 말을 써넣으세요.

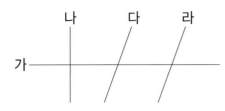

직선 나는 직선 가에 대한 □ 입니다.

[02~04] 도형을 보고 물음에 답하세요.

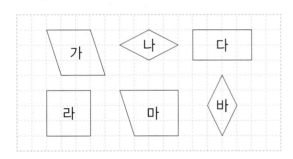

02 마주 보는 두 쌍의 변이 서로 평행한 사각형을 모두 찾아 기호를 써 보세요.

( )

03 네 변의 길이가 모두 같은 사각형을 모두 찾아 기호를 써 보세요.

( )

04 네 변의 길이가 모두 같고 네 각의 크기가 모두 같은 사각형을 찾아 기호를 써 보세요.

( )

05 서로 평행한 직선을 찾아 써 보세요.

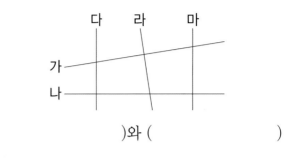

( )와 ( )

06 직각 삼각자를 사용하여 직선 가에 대한 수선을 바르게 그은 것을 찾아 기호를 써 보세요.

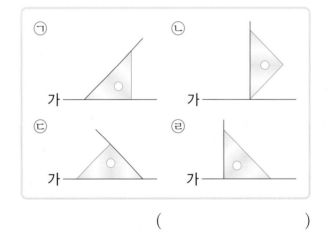

( )

07 평행사변형입니다. □ 안에 알맞은 수를 써넣으세요.

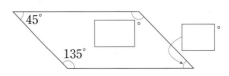

08 주어진 선분을 사용하여 사다리꼴을 완성하세요.

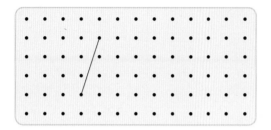

09 도형에서 평행선 사이의 거리는 몇 cm일까요?

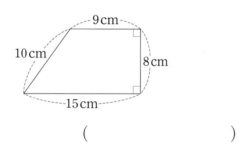

( )

10 사다리꼴 모양의 종이에 선분을 1개 그어 평행사변형을 만들어 보세요.

11 평행선 사이의 거리가 3 cm가 되도록 주어진 직선과 평행한 직선을 그어 보세요.

12 도형에서 서로 평행한 변을 모두 찾아 써 보세요.

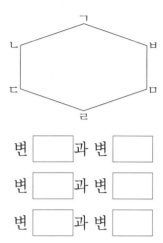

변 [ ] 과 변 [ ]

변 [ ] 과 변 [ ]

변 [ ] 과 변 [ ]

13 직사각형과 정사각형에 대해 설명한 것입니다. 잘못 설명한 사람은 누구일까요?

> [진우] 직사각형은 평행사변형이야.
> [소연] 정사각형은 직사각형이지.
> [민혁] 마름모는 정사각형이야.

( )

14 점 ㅇ을 지나고 직선 가에 수직인 직선은 모두 몇 개 그을 수 있을까요?

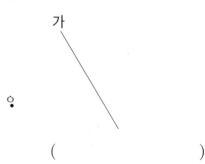

( )

15 평행선이 가장 많은 도형은 어느 것일까요?

( )

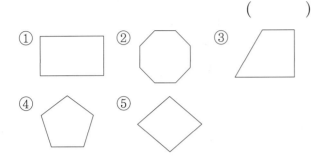

① ② ③
④ ⑤

16 평행사변형의 네 변의 길이의 합이 32 cm일 때 변 ㄱㄴ은 몇 cm일까요?

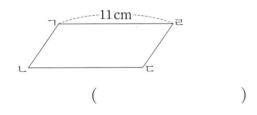

( )

17 직사각형 모양의 종이를 그림과 같이 접었습니다. ㉠의 각도를 구하세요.

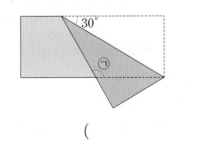

( )

서술형 **문제**

18 직사각형 모양의 색종이를 사용하여 다음과 같은 순서로 도형을 만들었습니다. 만들어진 도형의 이름을 쓰고, 그 이유를 써 보세요.

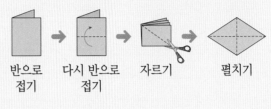

반으로 접기   다시 반으로 접기   자르기   펼치기

답 _____

이유 _____

19 오른쪽 도형에서 변 ㄱㅂ과 변 ㄴㄷ은 서로 평행합니다. 변 ㄱㅂ과 변 ㄴㄷ 사이의 거리는 몇 cm인지 풀이 과정을 쓰고, 답을 구하세요.

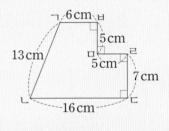

풀이 _____
_____
_____

답 _____

20 오른쪽 그림에서 직선 가와 직선 나는 서로 평행합니다. ㉠의 각도는 몇 도인지 풀이 과정을 쓰고, 답을 구하세요.

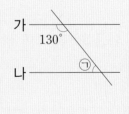

풀이 _____
_____
_____

답 _____

단원 평가지

단원 평가

[01~04] 오이 싹의 키를 조사하여 나타낸 그래프입니다. 물음에 답하세요.

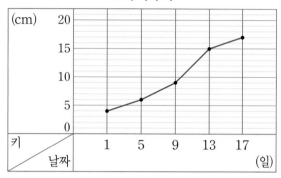

01 위와 같이 수량을 점으로 표시하고, 그 점들을 선분으로 이어 그린 그래프를 무엇이라고 하나요?

( )

02 세로 눈금 한 칸은 몇 cm를 나타내나요?

( )

03 5일의 오이 싹의 키는 몇 cm인가요?

( )

04 11일의 오이 싹의 키는 몇 cm 정도라고 예상할 수 있나요?

( )

[05~06] 강당의 온도를 조사하여 나타낸 꺾은선그래프입니다. 물음에 답하세요.

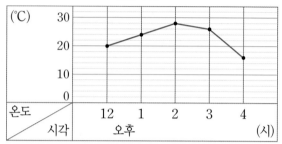

05 꺾은선그래프를 보고 표를 완성하세요.

강당의 온도

시각	낮 12시	오후 1시	오후 2시	오후 3시	오후 4시
온도(℃)	20				

06 가장 높은 온도와 가장 낮은 온도는 각각 몇 ℃인가요?

가장 높은 온도 ( )

가장 낮은 온도 ( )

07 다음 자료 중 꺾은선그래프로 나타내면 좋은 경우를 모두 고르세요. ( )

① 우리 반 학생들이 좋아하는 운동
② 모둠 학생들의 수학 점수
③ 한 달 동안 강낭콩의 키의 변화
④ 일주일 동안 은수의 줄넘기 최고 기록의 변화
⑤ 반별 축구를 좋아하는 학생 수

[08~11] 비커에 물 200 mL를 담은 후 증발하고 남은 물의 양을 조사하여 나타낸 표입니다. 표를 보고 꺾은선그래프로 나타내려고 합니다. 물음에 답하세요.

남은 물의 양

요일	월	화	수	목	금
물의 양(mL)	190	170	160	120	70

08 가로 눈금과 세로 눈금에는 각각 무엇을 나타내는 것이 좋을까요?

가로 눈금 (   )

세로 눈금 (   )

09 세로 눈금 한 칸의 크기는 몇 mL로 하는 것이 좋을까요?

(   )

10 표를 보고 꺾은선그래프로 나타내어 보세요.

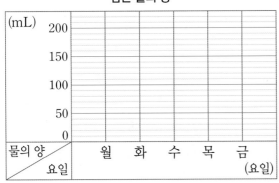

남은 물의 양

11 남은 물의 양이 전날에 비해 가장 많이 줄어든 요일은 언제일까요?

(   )

[12~13] 은혁이의 주별 타수를 조사하여 나타낸 꺾은선그래프입니다. 물음에 답하세요.

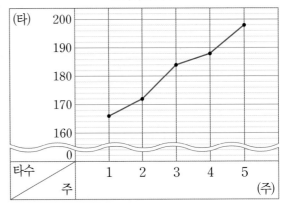

은혁이의 타수

12 그래프에 대한 설명이 옳으면 ○표, 틀리면 ✕표 하세요.

• 은혁이의 타수는 점점 늘어나고 있습니다.

(   )

• 3주의 은혁이의 타수는 182타입니다.

(   )

13 조사한 기간 동안 늘어난 은혁이의 타수는 몇 타일까요?

(   )

14 매월 1일 솔미의 몸무게를 조사하여 나타낸 꺾은선그래프입니다. 8월 1일의 솔미의 몸무게는 몇 kg일지 예상해 보세요.

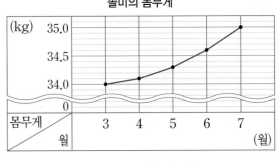

솔미의 몸무게

(   )

단원 평가지

서술형 문제

15 어느 지역의 월별 강수량을 조사하여 나타낸 표입니다. 표를 보고 알맞은 그래프로 나타내어 보세요.

강수량

월	1	2	3	4	5
강수량(mm)	22	30	8	24	32

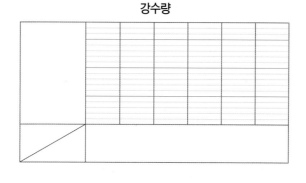

[16~17] 매월 1일 태호와 지혜의 키를 조사하여 나타낸 꺾은선그래프입니다. 물음에 답하세요.

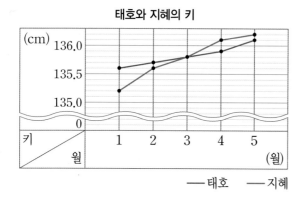

16 태호와 지혜의 키가 같은 때는 몇 월인가요?

( )

17 태호와 지혜의 키의 차가 가장 큰 때의 키의 차는 몇 cm일까요?

( )

18 꺾은선그래프를 보고 낮 12시의 기온은 몇 ℃일지 예상하려고 합니다. 풀이 과정을 쓰고, 답을 구하세요.

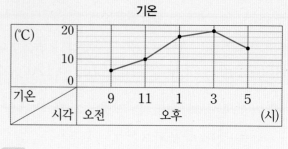

풀이

답

[19~20] 꺾은선그래프를 보고 물음에 답하세요.

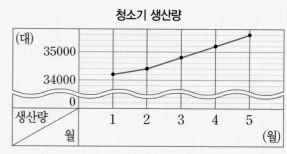

19 1월과 4월의 청소기 생산량의 차는 몇 대인지 풀이 과정을 쓰고, 답을 구하세요.

풀이

답

20 6월의 청소기 생산량은 몇 대일지 예상하려고 합니다. 풀이 과정을 쓰고, 답을 구하세요.

풀이

답

단원 평가

01 선분으로만 둘러싸인 도형을 무엇이라고 할까요?

(   )

[02~03] 도형을 보고 물음에 답하세요.

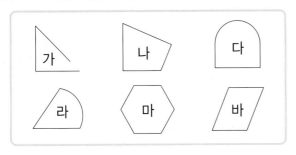

02 다각형을 모두 찾아 기호를 써 보세요.

(   )

03 정다각형을 찾아 기호를 써 보세요.

(   )

04 도형에 대각선을 모두 그어 보세요.

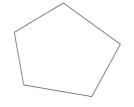

05 정다각형의 이름을 써 보세요.

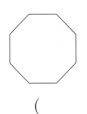

(   )

06 도형에서 대각선을 모두 찾아 써 보세요.

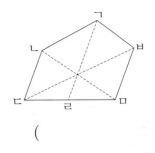

(   )

07 점 종이에 그려진 선분을 이용하여 육각형을 완성해 보세요.

08 사각형의 네 각의 크기의 합을 이용하여 육각형의 모든 각의 크기의 합을 구하려고 합니다. □ 안에 알맞은 수를 써넣으세요.

> (육각형의 모든 각의 크기의 합)
> ＝(사각형의 네 각의 크기의 합)×□
> ＝360°×□＝□°

09 오른쪽 정삼각형 모양 조각 2개를 이용하여 만들 수 없는 도형을 찾아 기호를 써 보세요.

> ㉠ 사다리꼴　　㉡ 평행사변형
> ㉢ 마름모　　㉣ 직사각형

(　　　　　　)

10 사각형 ㄱㄴㄷㄹ은 마름모입니다. □ 안에 알맞은 수를 써넣으세요.

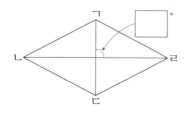

11 두 대각선의 길이가 같은 사각형을 모두 고르세요. (　　　)

① 사다리꼴　　② 평행사변형
③ 마름모　　④ 직사각형
⑤ 정사각형

12  조각을 사용하여 다음 도형을 빈틈없이 채우고, 조각은 모두 몇 조각 필요한지 구하세요.

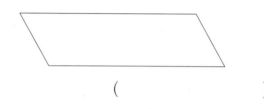

(　　　　　　)

13 모든 변의 길이의 합이 84 cm인 정십이각형의 한 변은 몇 cm일까요?

(　　　　　　)

14 주어진 모양 조각을 모두 사용하여 다음 모양을 빈틈없이 채워 보세요. (단, 같은 모양 조각을 여러 번 사용해도 됩니다.)

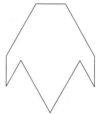

15 두 도형에 그을 수 있는 대각선의 수를 더하면 모두 몇 개일까요?

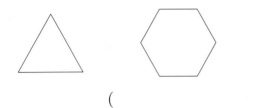

( )

16 정사각형과 정팔각형의 모든 변의 길이의 합은 같습니다. 정팔각형의 한 변은 몇 cm일까요?

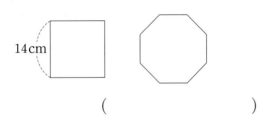

( )

17 정십각형입니다. 이 도형의 한 각의 크기는 몇 도일까요?

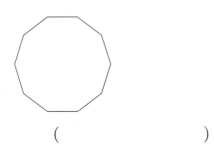

( )

18 주어진 모양 조각을 한 번씩 모두 사용하여 다각형을 만들고, 만든 다각형의 특징을 써 보세요.

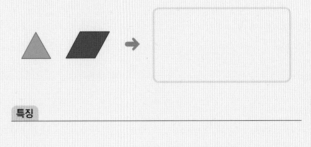

특징

19 정오각형의 한 각의 크기는 108°입니다. 정오각형의 모든 각의 크기의 합은 몇 도인지 풀이 과정을 쓰고, 답을 구하세요.

풀이

답

20 직사각형 ㄱㄴㄷㄹ에서 각 ㄹㅇㄷ의 크기는 몇 도인지 풀이 과정을 쓰고, 답을 구하세요.

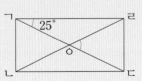

풀이

답

MEMO

큐브
수학
실력

매칭북 4·2

엄마 매니저의 큐브수학

STORY

🔍 초등수학 문제집 추천   ▼

닉네임
사*

3년째 큐브수학 개념으로 엄마표 수학 완성!

4학년부터 개념은 큐브수학으로 시작했는데요. 설명이 쉽게 되어 있어서 접근하기가 좋더라고요. 기초개념만 제대로 잡히면 그다음 단계로 올라가는 건 어렵지 않아요. 처음부터 너무 어려우면 부담스러워 피하기도 하는데 아이가 쉽게 잘 풀어나가는게 효과가 아주 좋았어요. **기초 잡기에는 큐브수학 개념이 제일 만족스러웠어요.**

닉네임
그**

쉽고 재미있게 개념도 탄탄하게!

큐브수학 개념을 계속해서 선택한 이유는 **기초 수학을 체계적으로 풀어가면서 수학 실력을 쌓을 수 있기 때문이에요.** 무료 스마트러닝 개념 동영상 강의도 쉽고 재미나서 혼자서도 충실하게 잘 듣더라고요! 수학 익힘 문제, 더 확장된 문제들까지 다양하게 풀어 볼 수 있어서 좋았어요. 큐브수학만큼 만족도가 큰 문제집은 없는 것 같네요.

닉네임
매****

무료 동영상 강의로 빈틈 없는 홈스쿨링

엄마표 수학을 진행하고 있기 때문에 아이가 잘 따라올 수 있는 수준의 문제집을 고르려고 해요. **특히 홈스쿨링으로 예습을 할 때 가장 좋은 건 동영상 강의예요.** QR코드를 찍으면 바로 동영상을 볼 수 있고, 선생님이 제가 알려주는 것보다 더 알기 쉽게 알려주세요. 부족한 학습은 동영상을 통해 채워줄 수 있어서 정말 좋아요. 혼자서도 언제 어느 때나 강의를 들을 수 있다는 점이 최고!

큐브수학
실력

정답및풀이

4·2

동아출판

정답 및 풀이

| 모바일 빠른 정답 |

QR코드를 찍으면 **정답 및 풀이**를 쉽고 빠르게 확인할 수 있습니다.

1. 분수의 덧셈과 뺄셈

1 $1, 6, 1, \dfrac{7}{8}$ **2** 예 / $7, 5, 2$

3 $4, 3, 1 / 4, 3, 1$

4 $\dfrac{7}{8}+\dfrac{4}{8}=\dfrac{7+4}{8}=\dfrac{11}{8}=1\dfrac{3}{8}$

5 (1) $\dfrac{7}{12}$ (2) $1\dfrac{4}{9}\left(=\dfrac{13}{9}\right)$ (3) $\dfrac{3}{7}$ (4) $\dfrac{7}{11}$

6 (위에서부터) $\dfrac{6}{7}, \dfrac{3}{7}$ **7** 연희

8 (1) $=$ (2) $>$ **9** $\dfrac{7}{10}, 1\dfrac{5}{10}\left(=\dfrac{15}{10}\right)$

6 $\dfrac{4}{7}+\dfrac{2}{7}=\dfrac{4+2}{7}=\dfrac{6}{7}, \dfrac{4}{7}-\dfrac{1}{7}=\dfrac{4-1}{7}=\dfrac{3}{7}$

7 민석: $\dfrac{4}{10}+\dfrac{2}{10}=\dfrac{4+2}{10}=\dfrac{6}{10}$

   연희: $\dfrac{9}{10}-\dfrac{2}{10}=\dfrac{9-2}{10}=\dfrac{7}{10}$

➡ 계산 결과가 $\dfrac{7}{10}$인 식을 들고 있는 사람은 연희입니다.

8 (1) $\dfrac{5}{7}+\dfrac{6}{7}=\dfrac{11}{7}=1\dfrac{4}{7}$

   (2) $\dfrac{11}{12}-\dfrac{5}{12}=\dfrac{6}{12}$ ➡ $\dfrac{6}{12}>\dfrac{4}{12}$

9 (책을 넣은 책가방의 무게)

   $=\dfrac{7}{10}+\dfrac{8}{10}=\dfrac{15}{10}=1\dfrac{5}{10}$ (kg)

1 예

   / $2, 2, 3, 3, 3, 3$

2 (1) $3, 11, 3, 1, 4, 4, 4$ (2) $12, 32, 4, 4$

3 $\dfrac{10}{6}+2\dfrac{3}{6}$에 ◯표

4 (1) $4\dfrac{6}{8}$ (2) $4\dfrac{8}{11}$ (3) $6\dfrac{2}{6}$ (4) $6\dfrac{3}{10}$ **5** $4\dfrac{1}{3}$

6 (1) •—• (2) •✕• (3) •✕•

7 $1\dfrac{3}{9}+3\dfrac{2}{9}=5\dfrac{4}{9}$에 ✕표

8 $1\dfrac{3}{5}, 2\dfrac{4}{5}$

5 $2\dfrac{2}{3}+1\dfrac{2}{3}=(2+1)+\left(\dfrac{2}{3}+\dfrac{2}{3}\right)=3+1\dfrac{1}{3}=4\dfrac{1}{3}$

6 (1) $1\dfrac{2}{5}+2\dfrac{3}{5}=(1+2)+\left(\dfrac{2}{5}+\dfrac{3}{5}\right)$

       $=3+\dfrac{5}{5}=3+1=4$

   (2) $2+1\dfrac{3}{5}=(2+1)+\dfrac{3}{5}=3+\dfrac{3}{5}=3\dfrac{3}{5}$

   (3) $2\dfrac{3}{5}+1\dfrac{4}{5}=(2+1)+\left(\dfrac{3}{5}+\dfrac{4}{5}\right)=3+\dfrac{7}{5}$

       $=3+1\dfrac{2}{5}=4\dfrac{2}{5}$

7 토끼: $1\dfrac{3}{9}+3\dfrac{2}{9}=(1+3)+\left(\dfrac{3}{9}+\dfrac{2}{9}\right)$

       $=4+\dfrac{5}{9}=4\dfrac{5}{9}$

8 (설희가 이틀 동안 책을 읽은 시간)

   $=1\dfrac{1}{5}+1\dfrac{3}{5}=2\dfrac{4}{5}$(시간)

01 $9\dfrac{1}{4}$ **02** $\dfrac{3}{13}$ **03** $\dfrac{2}{7}, \dfrac{6}{7}, 1\dfrac{1}{7}$

04 방법 1 예 $4\dfrac{3}{11}+1\dfrac{9}{11}=(4+1)+\left(\dfrac{3}{11}+\dfrac{9}{11}\right)$

                $=5+\dfrac{12}{11}$

                $=5+1\dfrac{1}{11}=6\dfrac{1}{11}$

   방법 2 예 $4\dfrac{3}{11}+1\dfrac{9}{11}=\dfrac{47}{11}+\dfrac{20}{11}$

                $=\dfrac{67}{11}=6\dfrac{1}{11}$

05 ❶ 예 분모가 같은 진분수끼리의 덧셈은 분모는 그대로 두고, 분자끼리 더해야 합니다. ▶3점

   ❷ $\dfrac{7}{8}+\dfrac{4}{8}=\dfrac{7+4}{8}=\dfrac{11}{8}=1\dfrac{3}{8}$ ▶2점

06 예 $1+2$와 $\dfrac{6}{9}+\dfrac{4}{9}$를 더하면 된다. $1+2=3$,

   $\dfrac{6}{9}+\dfrac{4}{9}=1\dfrac{1}{9}$이므로 $1\dfrac{6}{9}+2\dfrac{4}{9}=4\dfrac{1}{9}$

07 >

08 $\dfrac{7}{13}+\dfrac{10}{13}$에 ○표

09 ㉢, ㉣, ㉡, ㉠

10 $2\dfrac{9}{12}$ kg

11 $37\dfrac{1}{2}+37\dfrac{1}{2}=75$ / 75 g

12 예 ❶ (준영이가 마시고 남은 오렌지 주스의 양)

$$=1-\dfrac{4}{12}=\dfrac{12}{12}-\dfrac{4}{12}=\dfrac{8}{12}\text{ (L)}\;{\blacktriangleright}3점$$

❷ (준영이와 동생이 마시고 남은 오렌지 주스의 양)

$$=\dfrac{8}{12}-\dfrac{3}{12}=\dfrac{5}{12}\text{ (L)}\;{\blacktriangleright}2점\;/\;\dfrac{5}{12}\text{ L}$$

13 $\dfrac{2}{11}$ m

14 $13\dfrac{1}{5}$ m

15 18 m

16 종현

17 예 ❶ (입구~쉼터~정상)

$$=1\dfrac{5}{8}+3\dfrac{7}{8}=5\dfrac{4}{8}\text{ (km)}$$

(입구~약수터~정상)

$$=2\dfrac{6}{8}+1\dfrac{4}{8}=4\dfrac{2}{8}\text{ (km)}\;{\blacktriangleright}3점$$

❷ $5\dfrac{4}{8}$ km $>4\dfrac{2}{8}$ km이므로 약수터를 거쳐서 가
는 길이 더 짧습니다. ▶2점 / 약수터

18 예 $20\dfrac{7}{12}+14\dfrac{8}{12}=35\dfrac{3}{12}$ / $35\dfrac{3}{12}$

19 $\dfrac{3}{10}$에 ×표

20 $2\dfrac{2}{9}$, $4\dfrac{7}{9}$ / $3\dfrac{5}{9}$, $3\dfrac{4}{9}$

21 $\dfrac{11}{13}$

22 $\dfrac{12}{15}$

23 $7\dfrac{2}{4}$

24 $\dfrac{7}{7}$, $\dfrac{12}{7}$ / $\dfrac{8}{7}$, $\dfrac{11}{7}$ / $\dfrac{9}{7}$, $\dfrac{10}{7}$

25 $\dfrac{2}{9}$, $\dfrac{6}{9}$

26 (1) $\dfrac{7}{8}$, $\dfrac{4}{8}$ (2) $\dfrac{3}{8}$

27 5, 4, 1, 3 / $7\dfrac{1}{6}$

28 예 $\dfrac{1}{5}$, $\dfrac{4}{5}$ / $\dfrac{2}{5}$, $\dfrac{3}{5}$

29 예 $1\dfrac{1}{8}$, $1\dfrac{7}{8}$ / $1\dfrac{2}{8}$, $1\dfrac{6}{8}$

30 $\dfrac{5}{9}$

31 8

01 $3\dfrac{2}{4}+5\dfrac{3}{4}=(3+5)+\left(\dfrac{2}{4}+\dfrac{3}{4}\right)=8+\dfrac{5}{4}$
$$\qquad\qquad\;\;=8+1\dfrac{1}{4}=9\dfrac{1}{4}$$

02 $\dfrac{11}{13}-\dfrac{8}{13}=\dfrac{11-8}{13}=\dfrac{3}{13}$

03 수직선의 작은 눈금 한 칸의 크기는 $\dfrac{1}{7}$이므로 ♥가 나

타내는 분수는 $\dfrac{2}{7}$, ★이 나타내는 분수는 $\dfrac{6}{7}$입니다.

→ ♥ + ★ $=\dfrac{2}{7}+\dfrac{6}{7}=\dfrac{2+6}{7}=\dfrac{8}{7}=1\dfrac{1}{7}$

04 방법 ❶ 대분수를 자연수 부분과 진분수 부분으로 나
누어 계산합니다.
방법 ❷ 대분수를 가분수로 바꾸어 계산합니다.

05

채점 기준	❶ 잘못 계산한 이유 쓰기	3점
	❷ 바르게 계산하기	2점

06 다른 풀이 대분수를 가분수로 바꾸어 계산합니다.

$$1\dfrac{6}{9}+2\dfrac{4}{9}=\dfrac{15}{9}+\dfrac{22}{9}=\dfrac{37}{9}=4\dfrac{1}{9}$$

07 $1\dfrac{5}{6}+2\dfrac{5}{6}=4\dfrac{4}{6}$, $2\dfrac{1}{6}+2\dfrac{2}{6}=4\dfrac{3}{6}$ → $4\dfrac{4}{6}>4\dfrac{3}{6}$

08 $\dfrac{8}{12}+\dfrac{3}{12}=\dfrac{8+3}{12}=\dfrac{11}{12}$ → $\dfrac{11}{12}<1$

$$\dfrac{6}{11}+\dfrac{5}{11}=\dfrac{6+5}{11}=\dfrac{11}{11}=1$$

$$\dfrac{7}{13}+\dfrac{10}{13}=\dfrac{7+10}{13}=\dfrac{17}{13}=1\dfrac{4}{13}\;\text{→}\;1\dfrac{4}{13}>1$$

09 ㉠ $\dfrac{3}{8}+\dfrac{1}{8}=\dfrac{4}{8}$ ㉡ $\dfrac{7}{8}-\dfrac{2}{8}=\dfrac{5}{8}$

㉢ $1\dfrac{4}{8}+2\dfrac{5}{8}=4\dfrac{1}{8}$ ㉣ $1\dfrac{7}{8}+\dfrac{10}{8}=3\dfrac{1}{8}$

→ ㉢ $4\dfrac{1}{8}>$ ㉣ $3\dfrac{1}{8}>$ ㉡ $\dfrac{5}{8}>$ ㉠ $\dfrac{4}{8}$

10 (사 오신 감자와 고구마의 무게의 합)

$$=1\dfrac{5}{12}+1\dfrac{4}{12}=(1+1)+\left(\dfrac{5}{12}+\dfrac{4}{12}\right)$$

$$=2+\dfrac{9}{12}=2\dfrac{9}{12}\text{ (kg)}$$

11 (인삼 2냥의 무게)

$$=37\dfrac{1}{2}+37\dfrac{1}{2}=74+\dfrac{2}{2}=74+1=75\text{ (g)}$$

12

채점 기준	❶ 준영이가 마시고 남은 오렌지 주스의 양 구하기	3점
	❷ 준영이와 동생이 마시고 남은 오렌지 주스의 양 구하기	2점

13 ■ $=\dfrac{9}{11}-\dfrac{4}{11}-\dfrac{3}{11}=\dfrac{5}{11}-\dfrac{3}{11}=\dfrac{2}{11}$ (m)

14 (세 변의 길이의 합)

$$=4\dfrac{2}{5}+4\dfrac{2}{5}+4\dfrac{2}{5}=8\dfrac{4}{5}+4\dfrac{2}{5}=13\dfrac{1}{5}\text{ (m)}$$

참고 세 수의 덧셈은 앞에서부터 두 수씩 차례로 더합니다.

15 직사각형에서 마주 보는 변의 길이는 서로 같으므로

$$(네\ 변의\ 길이의\ 합)=5\frac{2}{3}+3\frac{1}{3}+5\frac{2}{3}+3\frac{1}{3}$$
$$=9+5\frac{2}{3}+3\frac{1}{3}$$
$$=14\frac{2}{3}+3\frac{1}{3}=18\,(m)$$

16 (종현이의 색 테이프의 길이)

$$=3+2\frac{6}{7}=(3+2)+\frac{6}{7}=5+\frac{6}{7}=5\frac{6}{7}\,(m)$$

(수진이의 색 테이프의 길이)

$$=1\frac{4}{7}+3\frac{6}{7}=(1+3)+\left(\frac{4}{7}+\frac{6}{7}\right)=4+\frac{10}{7}$$
$$=4+1\frac{3}{7}=5\frac{3}{7}\,(m)$$

$$\Rightarrow 5\frac{6}{7}\,m(종현)>5\frac{3}{7}\,m(수진)$$

17

채점 기준	❶ 쉼터를 거쳐서 가는 길과 약수터를 거쳐서 가는 길의 거리 각각 구하기	3점
	❷ 어디를 거쳐서 가는 길이 더 짧은지 구하기	2점

18 $20\frac{7}{12}>14\frac{8}{12}>11\frac{11}{12}$

➡ 합이 가장 큰 덧셈식:

$$20\frac{7}{12}+14\frac{8}{12}=34+\frac{15}{12}=34+1\frac{3}{12}$$
$$=35\frac{3}{12}$$

19 $\dfrac{8}{10}-\dfrac{7}{10}=\dfrac{1}{10}$, $\dfrac{7}{10}-\dfrac{3}{10}=\dfrac{4}{10}$,

$$\frac{8}{10}-\frac{3}{10}=\frac{5}{10}$$

20 • $2\dfrac{2}{9}+4\dfrac{7}{9}=6+\dfrac{9}{9}=6+1=7$

• $3\dfrac{5}{9}+3\dfrac{4}{9}=6+\dfrac{9}{9}=6+1=7$

21 진분수이면서 분모가 13인 수는

$$\frac{1}{13}, \frac{2}{13}, \frac{3}{13}, \frac{4}{13} \cdots \frac{11}{13}, \frac{12}{13}$$ 입니다.

➡ (가장 큰 수와 가장 작은 수의 차)

$$=\frac{12}{13}-\frac{1}{13}=\frac{11}{13}$$

22 분모가 15인 분수를 $\dfrac{\square}{15}$라 하면

$$\frac{2}{15}<\frac{\square}{15}<\frac{6}{15} \Rightarrow 2<\square<6 \Rightarrow \square=3,\ 4,\ 5$$

조건을 만족하는 분수: $\dfrac{3}{15}$, $\dfrac{4}{15}$, $\dfrac{5}{15}$

$$\Rightarrow \frac{3}{15}+\frac{4}{15}+\frac{5}{15}=\frac{7}{15}+\frac{5}{15}=\frac{12}{15}$$

23 2보다 크고 3보다 작은 분수이므로 조건을 만족하는 분수는 가분수 또는 대분수입니다.
분모는 4이므로 조건을 모두 만족하는 분수는

$$2\frac{1}{4}\left(\frac{9}{4}\right),\ 2\frac{2}{4}\left(\frac{10}{4}\right),\ 2\frac{3}{4}\left(\frac{11}{4}\right)$$입니다.

$$\Rightarrow 2\frac{1}{4}+2\frac{2}{4}+2\frac{3}{4}=4\frac{3}{4}+2\frac{3}{4}=7\frac{2}{4}$$

24

약점 포인트 ●정답률 75%

❶ 분모가 7인 두 가분수의 분자의 합이 될 수 있는 수를 구합니다.

❷ 7보다 크거나 같은 수 중 합이 ❶에서 구한 분자의 합이 되는 경우를 알아봅니다.

두 가분수를 $\dfrac{\blacksquare}{7}$, $\dfrac{\blacktriangle}{7}$라 하면

$$\frac{\blacksquare}{7}+\frac{\blacktriangle}{7}=2\frac{5}{7}=\frac{19}{7} \Rightarrow \blacksquare+\blacktriangle=19$$

두 분수는 분모가 7인 가분수이므로 7보다 크거나 같은 수 중 합이 19인 두 수를 찾습니다.

(7, 12), (8, 11), (9, 10)

$$\Rightarrow \left(\frac{7}{7},\ \frac{12}{7}\right),\ \left(\frac{8}{7},\ \frac{11}{7}\right),\ \left(\frac{9}{7},\ \frac{10}{7}\right)$$

25 분모가 9인 두 진분수를 $\dfrac{\blacksquare}{9}$, $\dfrac{\blacktriangle}{9}$($\blacksquare>\blacktriangle$)라 하면

$$\frac{\blacksquare}{9}+\frac{\blacktriangle}{9}=\frac{8}{9},\ \frac{\blacksquare}{9}-\frac{\blacktriangle}{9}=\frac{4}{9}$$

$$\Rightarrow \blacksquare+\blacktriangle=8,\ \blacksquare-\blacktriangle=4$$

표를 만들어 합이 8, 차가 4인 $\blacksquare$, $\blacktriangle$를 구합니다.

■	7	6	5	4
▲	1	2	3	4
■−▲	6	4	2	0

합: 8 $\Rightarrow \dfrac{2}{9},\ \dfrac{6}{9}$

26

약점 포인트 ●정답률 75%

❶ 만들 수 있는 가장 큰 진분수는 분자가 가장 큰 분수이고, 가장 작은 진분수는 분자가 가장 작은 분수입니다.

❷ 가장 큰 진분수에서 가장 작은 진분수를 뺍니다.

(1) $7>6>4$이므로

• 가장 큰 진분수: $\dfrac{7}{8}$ • 가장 작은 진분수: $\dfrac{4}{8}$

(2) $\dfrac{7}{8}-\dfrac{4}{8}=\dfrac{3}{8}$

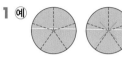

27 나온 주사위의 눈의 수는 1, 3, 4, 5입니다.

· 가장 큰 대분수: $5\frac{4}{6}$ · 가장 작은 대분수: $1\frac{3}{6}$

➡ $5\frac{4}{6}+1\frac{3}{6}=6+\frac{7}{6}=6+1\frac{1}{6}=7\frac{1}{6}$

28 약점 포인트   ●정답률 70%

❶ 1을 분모가 5인 가분수로 나타내어 두 진분수의 분자끼리의 합을 구합니다.
❷ 분자가 되는 경우를 찾아 1을 분모가 5인 두 진분수의 합으로 나타냅니다.

분모가 5인 두 진분수를 $\dfrac{\blacksquare}{5}$, $\dfrac{\blacktriangle}{5}$라 하면

$1=\dfrac{5}{5}$이므로 $\dfrac{5}{5}=\dfrac{\blacksquare}{5}+\dfrac{\blacktriangle}{5}$, $\blacksquare+\blacktriangle=5$

($\blacksquare$, $\blacktriangle$) ➡ (1, 4), (2, 3), (3, 2), (4, 1)

$1=\dfrac{1}{5}+\dfrac{4}{5}$, $1=\dfrac{2}{5}+\dfrac{3}{5}$, $1=\dfrac{3}{5}+\dfrac{2}{5}$, $1=\dfrac{4}{5}+\dfrac{1}{5}$

참고 분모가 같은 두 진분수의 합이 1이 되려면 분자끼리의 합은 분모와 같은 수가 되어야 합니다.

29 3을 분모가 8인 두 대분수의 합으로 나타내므로 두 대분수의 자연수 부분의 합은 2, 분수 부분의 합은 1
└ 두 대분수의 자연수 부분은 모두 1입니다.   └ (분자끼리의 합)=8
이 되도록 식을 만들면 됩니다.

$3=1\frac{1}{8}+1\frac{7}{8}$, $3=1\frac{2}{8}+1\frac{6}{8}$, $3=1\frac{3}{8}+1\frac{5}{8}$,

$3=1\frac{4}{8}+1\frac{4}{8}$, $3=1\frac{5}{8}+1\frac{3}{8}$, $3=1\frac{6}{8}+1\frac{2}{8}$,

$3=1\frac{7}{8}+1\frac{1}{8}$

30 약점 포인트   ●정답률 70%

❶ 생각하고 있는 분수를 □라 하고 알맞은 식을 세웁니다.
❷ 덧셈과 뺄셈의 관계를 이용하여 □를 구합니다.

선예가 생각하고 있는 분수를 □라 하고 식을 세우면

$\square+\dfrac{3}{9}=\dfrac{8}{9}$입니다. $\square=\dfrac{8}{9}-\dfrac{3}{9}=\dfrac{5}{9}$이므로 선예

가 생각하고 있는 분수는 $\dfrac{5}{9}$입니다.

31 어떤 수를 □라 하면 잘못 계산한 식은

$\square-2\frac{1}{3}=3\frac{1}{3}$입니다.

➡ $\square=3\frac{1}{3}+2\frac{1}{3}=5+\frac{2}{3}=5\frac{2}{3}$

바른 계산: $5\frac{2}{3}+2\frac{1}{3}=7+\frac{3}{3}=7+1=8$

STEP ① 개념 **완성하기**   018~019쪽

1 예 / 1, 2, 1, 1, 1, 1

2 4, 3, 4, 1, 3, 1, 3

3 11, 5, 6 / 11, 5, 6, 1, 2

4 $6-3\frac{3}{7}=\frac{42}{7}-\frac{24}{7}=\frac{18}{7}=2\frac{4}{7}$

5 (1) $1\frac{1}{3}$ (2) $2\frac{7}{12}$ (3) $1\frac{8}{9}$ (4) $2\frac{4}{6}$ **6** $2\frac{2}{6}$, $2\frac{2}{7}$

7 $3\frac{5}{7}$, $1\frac{1}{7}$ **8** 의준   **9** $1\frac{2}{5}$, $1\frac{1}{5}$

6 $3\frac{4}{6}-1\frac{2}{6}=2\frac{2}{6}$, $5-2\frac{5}{7}=2\frac{2}{7}$

7 $4\frac{6}{7}-1\frac{1}{7}=3\frac{5}{7}$, $3\frac{5}{7}-2\frac{4}{7}=1\frac{1}{7}$

8 · 영훈: $4-1\frac{2}{9}=3\frac{9}{9}-1\frac{2}{9}=2\frac{7}{9}$

· 정주: $6-\frac{1}{9}=5\frac{9}{9}-\frac{1}{9}=5\frac{8}{9}$

· 의준: $5-4\frac{4}{9}=4\frac{9}{9}-4\frac{4}{9}=\frac{5}{9}$

9 (승수가 사용한 진흙의 무게)

$=2\frac{3}{5}-1\frac{2}{5}=1\frac{1}{5}$ (kg)

STEP ① 개념 **완성하기**   020~021쪽

1 34, 17 / 34, 17, 17, 1, 7

2 (1) 10, 5, 2, 10, 3, 4, 3, 4 (2) 20, 25, 3, 4

3 $6\frac{5}{9}-4\frac{7}{9}$에 ○표

4 (1) $1\frac{3}{8}$ (2) $2\frac{8}{9}$ (3) $2\frac{7}{11}$ (4) $\frac{6}{12}$ **5** $1\frac{3}{6}$

6 $5\frac{3}{8}-2\frac{4}{8}$에 색칠   **7** ㉠   **8** $8\frac{3}{4}$, $1\frac{2}{4}$

5 $3\frac{2}{6}-1\frac{5}{6}=2\frac{8}{6}-1\frac{5}{6}=(2-1)+\left(\frac{8}{6}-\frac{5}{6}\right)$

$\qquad =1+\frac{3}{6}=1\frac{3}{6}$

6 $7\frac{6}{8}-3\frac{7}{8}=6\frac{14}{8}-3\frac{7}{8}=3\frac{7}{8}$

$5\frac{3}{8}-2\frac{4}{8}=4\frac{11}{8}-2\frac{4}{8}=2\frac{7}{8}$

7 ㉠ $7\frac{1}{5}-2\frac{2}{5}=6\frac{6}{5}-2\frac{2}{5}=4\frac{4}{5}$

   ㉡ $8\frac{2}{5}-4\frac{3}{5}=7\frac{7}{5}-4\frac{3}{5}=3\frac{4}{5}$

   ㉢ $6\frac{3}{5}-2\frac{4}{5}=5\frac{8}{5}-2\frac{4}{5}=3\frac{4}{5}$

8 (학교~민지네 집)－(학교~상수네 집)

   $=10\frac{1}{4}-8\frac{3}{4}=9\frac{5}{4}-8\frac{3}{4}=1\frac{2}{4}$ (km)

STEP ❷ 실력 다지기　　　　022~027쪽

01 $2\frac{2}{4}$　　**02** $2\frac{5}{7}$　　**03** $1\frac{2}{5}$

04 $3\frac{3}{4}-1\frac{2}{4}=2\frac{7}{4}-1\frac{2}{4}=1\frac{5}{4}$ 에 ×표 /

   예 $3\frac{3}{4}-1\frac{2}{4}=(3-1)+(\frac{3}{4}-\frac{2}{4})$

   $=2+\frac{1}{4}=2\frac{1}{4}$

05 예 대분수를 가분수로 바꾸어 계산했습니다. ▶5점

06 재희: $\frac{5}{6}$, 2 / 민수: $1\frac{5}{6}$, $4\frac{2}{6}$

07 >　　　**08** $5\frac{1}{5}-2\frac{3}{5}$ 에 ○표

09 ㉢　　**10** $1\frac{13}{50}$ g　　**11** $\frac{11}{14}$ L

12 $1\frac{4}{13}$ kg　　**13** $7\frac{5}{12}$　　**14** $6\frac{5}{9}$

15 $2\frac{9}{13}$　　**16** $5\frac{2}{8}$　　**17** ㉡

18 $1\frac{3}{6}$ L　　**19** 2, 6 / $4\frac{3}{7}$

20 (1) 8, $2\frac{4}{6}$　(2) $5\frac{2}{6}$　　**21** 3　　**22** 1, 2, 3, 4

23 예 ❶ $4\frac{\square}{5}-3\frac{4}{5}$ 의 자연수 부분의 계산에서

   $4-3=1$ 이므로 계산 결과가 1보다 작으려면

   $\frac{\square}{5}<\frac{4}{5}$ 이어야 합니다. ➡ $\square<4$ ▶3점

   ❷ 따라서 □ 안에 들어갈 수 있는 자연수는 1, 2, 3으로 모두 3개입니다. ▶2점 / 3개

24 $15\frac{1}{5}$ cm　　**25** $18\frac{2}{8}$ m　　**26** $1\frac{2}{4}$ m

27 $3\frac{2}{6}$ kg　　**28** $6\frac{4}{5}$ cm　　**29** $42\frac{3}{12}$ L

30 지윤

---

31 예 ❶ ㉠ $2\frac{5}{9}+2\frac{1}{9}=4\frac{6}{9}$ ➡ $5-4\frac{6}{9}=\frac{3}{9}$

   ㉡ $8-2\frac{8}{9}=7\frac{9}{9}-2\frac{8}{9}=5\frac{1}{9}$ ➡ $5\frac{1}{9}-5=\frac{1}{9}$

   ㉢ $5\frac{4}{9}-\frac{6}{9}=4\frac{13}{9}-\frac{6}{9}=4\frac{7}{9}$ ➡ $5-4\frac{7}{9}=\frac{2}{9}$

   ▶3점

   ❷ 따라서 계산 결과가 5에 가까운 식부터 차례로 기호를 쓰면 ㉡, ㉢, ㉠입니다. ▶2점 / ㉡, ㉢, ㉠

01 $7\frac{3}{4}-5\frac{1}{4}=(7-5)+(\frac{3}{4}-\frac{1}{4})=2+\frac{2}{4}=2\frac{2}{4}$

   중요 두 수의 차를 구하려면 큰 수에서 작은 수를 빼야 합니다.

02 $\square=6-3\frac{2}{7}=5\frac{7}{7}-3\frac{2}{7}=2\frac{5}{7}$ (m)

03 가장 큰 수는 $9\frac{1}{5}$, 두 번째로 큰 수는 $7\frac{4}{5}$ 입니다.

   ➡ $9\frac{1}{5}-7\frac{4}{5}=8\frac{6}{5}-7\frac{4}{5}=1\frac{2}{5}$

04 주의 대분수끼리의 뺄셈에서 무조건 자연수에서 1만큼을 가분수로 바꾸지 않도록 주의합니다.

05

채점기준	계산한 방법 쓰기	5점

06 $3\frac{2}{6}-1\frac{5}{6}=2\frac{8}{6}-1\frac{5}{6}=1\frac{3}{6}$

07 $8-3\frac{2}{3}=4\frac{1}{3}$, $4-\frac{1}{3}=3\frac{2}{3}$ ➡ $4\frac{1}{3}>3\frac{2}{3}$

08 $7\frac{1}{5}-5\frac{4}{5}=6\frac{6}{5}-5\frac{4}{5}=1\frac{2}{5}$ ➡ $1\frac{2}{5}<2$

   $4\frac{2}{5}-\frac{14}{5}=\frac{22}{5}-\frac{14}{5}=\frac{8}{5}=1\frac{3}{5}$ ➡ $1\frac{3}{5}<2$

   $5\frac{1}{5}-2\frac{3}{5}=4\frac{6}{5}-2\frac{3}{5}=2\frac{3}{5}$ ➡ $2\frac{3}{5}>2$

09 ㉠ $4-\frac{9}{10}=3\frac{1}{10}$　　㉡ $3-\frac{2}{10}=2\frac{8}{10}$

   ㉢ $7-5\frac{4}{10}=1\frac{6}{10}$　　㉣ $4-1\frac{7}{10}=2\frac{3}{10}$

   ➡ ㉢ $1\frac{6}{10}<$ ㉣ $2\frac{3}{10}<$ ㉡ $2\frac{8}{10}<$ ㉠ $3\frac{1}{10}$

10 (100원짜리 동전의 무게)－(50원짜리 동전의 무게)

   $=5\frac{21}{50}-4\frac{8}{50}=1\frac{13}{50}$ (g)

11 (오후에 마신 물의 양)

   $=1\frac{10}{14}-\frac{13}{14}=\frac{24}{14}-\frac{13}{14}=\frac{11}{14}$ (L)

12 (어제 사용하고 남은 빵가루의 무게)
$$=5-1\frac{7}{13}=4\frac{13}{13}-1\frac{7}{13}=3\frac{6}{13}\,(kg)$$
➡ (오늘 사용하고 남은 빵가루의 무게)
$$=3\frac{6}{13}-2\frac{2}{13}=1\frac{4}{13}\,(kg)$$

13 $8-\square=\frac{7}{12}$ ➡ $\square=8-\frac{7}{12}=7\frac{12}{12}-\frac{7}{12}=7\frac{5}{12}$
주의 $8-\square=\frac{7}{12}$ 에서 $\square=8+\frac{7}{12}$ 이라고 잘못 생각하지 않도록 주의합니다.

14 빈 곳에 알맞은 수를 $\square$라 하면
$$\square+3\frac{2}{9}=9\frac{7}{9} \Rightarrow \square=9\frac{7}{9}-3\frac{2}{9}=6\frac{5}{9}$$

15 어떤 대분수를 $\square$라 하면
$$2\frac{6}{13}+\square=5\frac{2}{13}$$
$$\Rightarrow \square=5\frac{2}{13}-2\frac{6}{13}=4\frac{15}{13}-2\frac{6}{13}=2\frac{9}{13}$$

16 $2\frac{3}{8}-\frac{7}{8}+3\frac{6}{8}=1\frac{11}{8}-\frac{7}{8}+3\frac{6}{8}$
$$=1\frac{4}{8}+3\frac{6}{8}=5\frac{2}{8}$$

17 ㉠ $3\frac{3}{4}+2\frac{2}{4}-1\frac{3}{4}=5\frac{5}{4}-1\frac{3}{4}=4\frac{2}{4}$
㉡ $9\frac{1}{4}-7\frac{3}{4}+3\frac{1}{4}=8\frac{5}{4}-7\frac{3}{4}+3\frac{1}{4}$
$$=1\frac{2}{4}+3\frac{1}{4}=4\frac{3}{4}$$
➡ ㉠ $4\frac{2}{4}<$ ㉡ $4\frac{3}{4}$

18 (남은 주황색 페인트의 양)
$$=2\frac{4}{6}+2\frac{4}{6}-3\frac{5}{6}=4\frac{8}{6}-3\frac{5}{6}=1\frac{3}{6}\,(L)$$
다른 풀이 (만든 주황색 페인트의 양)
$$=2\frac{4}{6}+2\frac{4}{6}=4\frac{8}{6}=5\frac{2}{6}\,(L)$$
➡ (남은 주황색 페인트의 양)
$$=5\frac{2}{6}-3\frac{5}{6}=4\frac{8}{6}-3\frac{5}{6}=1\frac{3}{6}\,(L)$$

19 빼지는 수가 작을수록, 빼는 수가 클수록 차는 작으므로 $8\frac{\square}{7}$의 $\square$ 안에 가장 작은 수인 2를 넣고, $3\frac{\square}{7}$의 $\square$ 안에 가장 큰 수인 6을 넣습니다.
➡ $8\frac{2}{7}-3\frac{6}{7}=7\frac{9}{7}-3\frac{6}{7}=4\frac{3}{7}$

20 빼지는 수가 클수록, 빼는 수가 작을수록 차는 크므로 자연수 부분에 가장 큰 수를 넣고, 대분수의 자연수 부분에 가장 작은 수를 써넣은 후, 남은 두 수로 진분수 부분을 만듭니다.
➡ $8-2\frac{4}{6}=7\frac{6}{6}-2\frac{4}{6}=5\frac{2}{6}$

21 $8\frac{3}{6}-5\frac{5}{6}=2\frac{4}{6}$ 이므로 $8\frac{3}{6}-5\frac{5}{6}<\square$ ➡ $2\frac{4}{6}<\square$
따라서 $\square$ 안에 들어갈 수 있는 자연수 중 가장 작은 수는 3입니다.

22 $6\frac{5}{10}-4\frac{\square}{10}$의 자연수 부분의 계산에서 $6-4=2$이므로 $\frac{5}{10}-\frac{\square}{10}$의 값은 진분수이어야 합니다.
➡ $5>\square$이므로 $\square=1, 2, 3, 4$입니다.

23
채점 기준	❶ $\square$ 안에 들어갈 수 있는 자연수의 범위 구하기	3점
	❷ $\square$ 안에 들어갈 수 있는 자연수의 개수 구하기	2점

24 **약점 포인트**　　　●정답률 75%
❶ 색 테이프 2장의 길이의 합을 구합니다.
❷ ❶에서 구한 값에서 겹쳐진 부분의 길이를 뺍니다.

(색 테이프 2장의 길이의 합)
$$=8\frac{4}{5}+8\frac{4}{5}=16+\frac{8}{5}=16+1\frac{3}{5}=17\frac{3}{5}\,(cm)$$
➡ (이어 붙인 색 테이프의 전체 길이)
$$=17\frac{3}{5}-2\frac{2}{5}=15+\frac{1}{5}=15\frac{1}{5}\,(cm)$$

25 (리본 3장의 길이의 합)$=7\times3=21\,(m)$
(겹쳐진 부분의 길이의 합)$=1\frac{3}{8}+1\frac{3}{8}=2\frac{6}{8}\,(m)$
➡ (이어 붙인 리본의 전체 길이)
$$=21-2\frac{6}{8}=20\frac{8}{8}-2\frac{6}{8}=18\frac{2}{8}\,(m)$$

26 **약점 포인트**　　　●정답률 75%
❶ 사용하기 전 가지고 있던 철사의 길이를 구합니다.
❷ 처음에 가지고 있던 철사의 길이를 구합니다.

(철사를 사용하기 전 가지고 있던 철사의 길이)
$$=1\frac{3}{4}+\frac{2}{4}=1+\frac{5}{4}=1+1\frac{1}{4}=2\frac{1}{4}\,(m)$$
➡ (처음에 가지고 있던 철사의 길이)
$$=2\frac{1}{4}-\frac{3}{4}=1\frac{5}{4}-\frac{3}{4}=1\frac{2}{4}\,(m)$$

27 (과자를 만들기 전 밀가루의 무게)

$$=\frac{3}{6}+\frac{4}{6}=\frac{7}{6}=1\frac{1}{6}\,(\text{kg})$$

(칼국수를 만들기 전 밀가루의 무게)

$$=1\frac{1}{6}+\frac{5}{6}=1+\frac{6}{6}=2\,(\text{kg})$$

➡ (빵을 만들기 전 밀가루의 무게)

$$=2+1\frac{2}{6}=3\frac{2}{6}\,(\text{kg})$$

28 약점 포인트 ● 정답률 70%

❶ 30분 동안 타는 양초의 길이를 구합니다.
❷ 30분 후 남은 양초의 길이를 구합니다.

15분＋15분＝30분이므로
(30분 동안 타는 양초의 길이)

$$=1\frac{3}{5}+1\frac{3}{5}=2+\frac{6}{5}=2+1\frac{1}{5}=3\frac{1}{5}\,(\text{cm})$$

➡ (30분 후 남은 양초의 길이)

$$=10-3\frac{1}{5}=9\frac{5}{5}-3\frac{1}{5}=6\frac{4}{5}\,(\text{cm})$$

29 20분＋20분＋20분＝60분＝1시간이므로
(1시간 동안 새는 물의 양)

$$=2\frac{7}{12}+2\frac{7}{12}+2\frac{7}{12}=5\frac{2}{12}+2\frac{7}{12}=7\frac{9}{12}\,(\text{L})$$

➡ (1시간 후 물탱크에 남아 있는 물의 양)

$$=50-7\frac{9}{12}=49\frac{12}{12}-7\frac{9}{12}=42\frac{3}{12}\,(\text{L})$$

30 약점 포인트 ● 정답률 70%

계산 결과가 3에 가장 가까운 식은 계산 결과와 3의 차가 가장 작은 식입니다.

$$\frac{4}{7}+2\frac{6}{7}=3\frac{3}{7}\ ➡\ 3\frac{3}{7}-3=\boxed{\frac{3}{7}}$$

$$1\frac{5}{7}+1\frac{4}{7}=3\frac{2}{7}\ ➡\ 3\frac{2}{7}-3=\boxed{\frac{2}{7}}$$

$$5\frac{1}{7}-2\frac{2}{7}=2\frac{6}{7}\ ➡\ 3-2\frac{6}{7}=\boxed{\frac{1}{7}}$$

$$\frac{1}{7}<\frac{2}{7}<\frac{3}{7}$$이므로 계산 결과가 3에 가장 가까운 식은 $5\frac{1}{7}-2\frac{2}{7}$입니다.

31

채점 기준	❶ ㉠, ㉡, ㉢ 각각 계산하기	3점
	❷ 계산 결과가 5에 가까운 식부터 차례로 기호 쓰기	2점

---

01 (예) ❶ $\frac{3}{6}$, $\frac{3}{6}$, $1\frac{1}{6}+\frac{3}{6}=1\frac{4}{6}$ (m) ▶2점

❷ $\frac{1}{6}$, $\frac{1}{6}$, $1\frac{4}{6}+\frac{1}{6}=1\frac{5}{6}$ (m) ▶3점 / $1\frac{5}{6}$ m

02 (예) ❶ ㉡는 ㉮보다 $\frac{3}{4}$ 크므로

㉡＝㉮＋$\frac{3}{4}$＝$\frac{2}{4}$＋$\frac{3}{4}$＝$\frac{5}{4}$＝$1\frac{1}{4}$ ▶2점

❷ ㉯는 ㉡보다 $\frac{2}{4}$ 작으므로

㉯＝㉡－$\frac{2}{4}$＝$1\frac{1}{4}$－$\frac{2}{4}$＝$\frac{5}{4}$－$\frac{2}{4}$＝$\frac{3}{4}$ ▶3점

/ $\frac{3}{4}$

03 (예) ❶ ㉮는 ㉯보다 $2\frac{5}{7}$ 작으므로

㉮＝㉯－$2\frac{5}{7}$＝$5\frac{2}{7}$－$2\frac{5}{7}$＝$4\frac{9}{7}$－$2\frac{5}{7}$＝$2\frac{4}{7}$ ▶2점

❷ ㉡는 ㉮보다 $\frac{6}{7}$ 크므로

㉡＝㉮＋$\frac{6}{7}$＝$2\frac{4}{7}$＋$\frac{6}{7}$＝$2+\frac{10}{7}$

＝$2+1\frac{3}{7}$＝$3\frac{3}{7}$ ▶3점 / $3\frac{3}{7}$

04 (예) ❶ $\frac{11}{12}$－$\frac{6}{12}$＝$\frac{5}{12}$ (kg) ▶2점

❷ $\frac{6}{12}$－$\frac{5}{12}$＝$\frac{1}{12}$ (kg) ▶3점 / $\frac{1}{12}$ kg

05 (예) ❶ (시계 1개의 무게)

$$=2\frac{6}{8}-1\frac{7}{8}=\frac{7}{8}\,(\text{kg})\ ▶2점$$

❷ (빈 상자의 무게)

$$=1\frac{7}{8}-\frac{7}{8}-\frac{7}{8}=1-\frac{7}{8}=\frac{1}{8}\,(\text{kg})\ ▶3점$$

/ $\frac{1}{8}$ kg

06 (예) ❶ (장난감 1개의 무게)

$$=3-2\frac{1}{9}=\frac{8}{9}\,(\text{kg})\ ▶2점$$

❷ (빈 상자의 무게)

$$=2\frac{1}{9}-\frac{8}{9}-\frac{8}{9}=1\frac{2}{9}-\frac{8}{9}=\frac{3}{9}\,(\text{kg})\ ▶3점$$

/ $\frac{3}{9}$ kg

07 (예) ❶ 4, $\frac{2}{6}$, 2 ▶1점

❷ 6 ▶1점

❸ 5, 3 / 4, 2 / 3, 1 ▶1점

❹ 5, 3, 8 ▶2점 / 8

08 예 ❶ 자연수 부분끼리의 계산에서 $2+1=3$이므로 $\dfrac{\bigcirc}{8}+\dfrac{\bigcirc}{8}=\dfrac{7}{8}$ ➡ $\bigcirc+\bigcirc=7$입니다. ▶1점

❷ $\bigcirc$, $\bigcirc$은 8보다 작아야 합니다. ▶1점

❸ $\bigcirc>\bigcirc$일 때 $(\bigcirc, \bigcirc)$이 될 수 있는 경우:
$(6, 1), (5, 2), (4, 3)$ ▶1점

❹ 따라서 $\bigcirc=6$, $\bigcirc=1$일 때 $\bigcirc-\bigcirc$의 값이 5로 가장 큽니다. ▶2점 / 5

09 예 ❶ 자연수 부분끼리의 계산에서 $5+3=8$이므로 분수 부분끼리의 계산에서 받아올림이 있습니다.
$\dfrac{\bigcirc}{7}+\dfrac{\bigcirc}{7}=\dfrac{2}{7}+1=\dfrac{9}{7}$ ➡ $\bigcirc+\bigcirc=9$ ▶1점

❷ $\bigcirc$, $\bigcirc$은 7보다 작아야 합니다. ▶1점

❸ $\bigcirc>\bigcirc$일 때 $(\bigcirc, \bigcirc)$이 될 수 있는 경우:
$(6, 3), (5, 4)$ ▶1점

❹ 따라서 $\bigcirc=5$, $\bigcirc=4$일 때 $\bigcirc-\bigcirc$의 값이 1로 가장 작습니다. ▶2점 / 1

10 예 ❶ $1\dfrac{2}{4}$, $1\dfrac{3}{4}$,

$1\dfrac{2}{4}+1\dfrac{3}{4}=2+\dfrac{5}{4}=2+1\dfrac{1}{4}=3\dfrac{1}{4}$ (km) ▶2점

❷ $\dfrac{3}{4}$, $3\dfrac{1}{4}$, $3\dfrac{1}{4}-\dfrac{3}{4}=2\dfrac{5}{4}-\dfrac{3}{4}=2\dfrac{2}{4}$ (km) ▶3점

/ $2\dfrac{2}{4}$ km

11 예 ❶ (㉮~㉱)+(㉯~㉰)

$=5\dfrac{5}{12}+4\dfrac{9}{12}=9+\dfrac{14}{12}$

$=9+1\dfrac{2}{12}=10\dfrac{2}{12}$ (cm) ▶2점

❷ (㉯~㉱)

$=10\dfrac{2}{12}-(㉮~㉰)=10\dfrac{2}{12}-8\dfrac{3}{12}$

$=9\dfrac{14}{12}-8\dfrac{3}{12}=1\dfrac{11}{12}$ (cm) ▶3점 / $1\dfrac{11}{12}$ cm

12 예 ❶ (㉮~㉱)+(㉯~㉰)

$=12\dfrac{7}{10}+15\dfrac{8}{10}=27+\dfrac{15}{10}$

$=27+1\dfrac{5}{10}=28\dfrac{5}{10}$ (cm) ▶2점

❷ (㉯~㉱)

$=28\dfrac{5}{10}-(㉮~㉰)=28\dfrac{5}{10}-21\dfrac{6}{10}$

$=27\dfrac{15}{10}-21\dfrac{6}{10}=6\dfrac{9}{10}$ (cm) ▶3점

/ $6\dfrac{9}{10}$ cm

01	채점 기준	❶ ㉯ 테이프의 길이 구하기	2점
		❷ ㉰ 테이프의 길이 구하기	3점

02	채점 기준	❶ ㉰ 구하기	2점
		❷ ㉯ 구하기	3점

03	채점 기준	❶ ㉮ 구하기	2점
		❷ ㉰ 구하기	3점

04	채점 기준	❶ 인형 1개의 무게 구하기	2점
		❷ 빈 바구니의 무게 구하기	3점

05	채점 기준	❶ 시계 1개의 무게 구하기	2점
		❷ 빈 상자의 무게 구하기	3점

06	채점 기준	❶ 장난감 1개의 무게 구하기	2점
		❷ 빈 상자의 무게 구하기	3점

07	채점 기준	❶ $\bigcirc-\bigcirc$의 값 구하기	1점
		❷ $\bigcirc$, $\bigcirc$에 들어갈 수 있는 수의 범위 구하기	1점
		❸ $\bigcirc$, $\bigcirc$이 될 수 있는 경우 구하기	1점
		❹ $\bigcirc+\bigcirc$의 값이 가장 클 때의 값 구하기	2점

08	채점 기준	❶ $\bigcirc+\bigcirc$의 값 구하기	1점
		❷ $\bigcirc$, $\bigcirc$에 들어갈 수 있는 수의 범위 구하기	1점
		❸ $\bigcirc$, $\bigcirc$이 될 수 있는 경우 구하기	1점
		❹ $\bigcirc-\bigcirc$의 값이 가장 클 때의 값 구하기	2점

09	채점 기준	❶ $\bigcirc+\bigcirc$의 값 구하기	1점
		❷ $\bigcirc$, $\bigcirc$에 들어갈 수 있는 수의 범위 구하기	1점
		❸ $\bigcirc$, $\bigcirc$이 될 수 있는 경우 구하기	1점
		❹ $\bigcirc-\bigcirc$의 값이 가장 작을 때의 값 구하기	2점

중요 자연수 부분끼리의 계산에서 받아올림이 있는지 확인합니다.

10	채점 기준	❶ 집에서 은행까지의 거리와 서점에서 학교까지의 거리의 합 구하기	2점
		❷ 집에서 학교까지의 거리 구하기	3점

11	채점 기준	❶ ㉮에서 ㉰까지와 ㉯에서 ㉱까지의 길이의 합 구하기	2점
		❷ ㉯에서 ㉰까지의 길이 구하기	3점

12	채점 기준	❶ ㉮에서 ㉰까지와 ㉯에서 ㉱까지의 길이의 합 구하기	2점
		❷ ㉯에서 ㉰까지의 길이 구하기	3점

단원 마무리

01 3

02 8, 4, 4

03 6, 5, 3, 6, 5, 3, 1, $3\frac{1}{6}$

04 2, 7, 9 / 9, $1\frac{1}{8}$

05 $5\frac{6}{10}-2\frac{7}{10}=4\frac{16}{10}-2\frac{7}{10}$
$\qquad\quad=(4-2)+(\frac{16}{10}-\frac{7}{10})$
$\qquad\quad=2+\frac{9}{10}=2\frac{9}{10}$

06 $8\frac{1}{3}$

07 ㉡

08 $2\frac{5}{6}$

09 5

10 <

11 1, 2, 3

12 $2\frac{1}{8}$ kg

13 $\frac{9}{11}$, $\frac{3}{11}$

14 3

15 $6\frac{4}{10}-3\frac{9}{10}=2\frac{5}{10}$ / $2\frac{5}{10}$

16 $52\frac{9}{14}$ kg

17 $\frac{5}{11}$, $\frac{4}{11}$

18 예 ❶ 계산 결과는 6보다 클 것입니다. ▶2점

❷ 방법1 $2\frac{4}{5}+3\frac{3}{5}=(2+3)+(\frac{4}{5}+\frac{3}{5})$
$\qquad\qquad\qquad=5+\frac{7}{5}=5+1\frac{2}{5}=6\frac{2}{5}$

방법2 $2\frac{4}{5}+3\frac{3}{5}=\frac{14}{5}+\frac{18}{5}=\frac{32}{5}=6\frac{2}{5}$ ▶3점

19 예 ❶ 직사각형에서 마주 보는 변의 길이는 서로 같습니다. ▶2점

❷ (네 변의 길이의 합)
$=3\frac{1}{4}+1\frac{3}{4}+3\frac{1}{4}+1\frac{3}{4}=5+3\frac{1}{4}+1\frac{3}{4}$
$=8\frac{1}{4}+1\frac{3}{4}=10\,(\text{cm})$ ▶3점 / 10 cm

20 예 ❶ 어떤 수를 □라 하면 $□-2\frac{3}{8}=1\frac{5}{8}$입니다.
$\Rightarrow □=1\frac{5}{8}+2\frac{3}{8}=3+\frac{8}{8}=3+1=4$ ▶3점

❷ 바르게 계산하면 $4+2\frac{3}{8}=6+\frac{3}{8}=6\frac{3}{8}$입니다.

▶2점 / $6\frac{3}{8}$

05 자연수에서 1만큼을 가분수로 바꾸어 계산합니다.

07 ㉠ $3\frac{6}{9}-1\frac{8}{9}=1\frac{7}{9}$ ㉡ $\frac{4}{9}+\frac{7}{9}=1\frac{2}{9}$

08 $□=5-2\frac{1}{6}=4\frac{6}{6}-2\frac{1}{6}=2\frac{5}{6}$

---

09 $3\frac{1}{4}+1\frac{3}{4}=(3+1)+(\frac{1}{4}+\frac{3}{4})$
$\qquad\qquad\quad=4+\frac{4}{4}=4+1=5$

12 (남은 쌀가루의 무게)$=6-3\frac{7}{8}=5\frac{8}{8}-3\frac{7}{8}$
$\qquad\qquad\qquad\qquad\quad=2+\frac{1}{8}=2\frac{1}{8}\,(\text{kg})$

13 · $□-\frac{1}{11}=\frac{8}{11}$ ➡ $□=\frac{8}{11}+\frac{1}{11}=\frac{9}{11}$
· $\frac{8}{11}-\frac{5}{11}=\frac{3}{11}$

14 $\frac{2}{6}+\frac{□}{6}=\frac{2+□}{6}$이고 계산 결과로 나올 수 있는 가장 큰 진분수는 $\frac{5}{6}$입니다.

➡ $\frac{2+□}{6}=\frac{5}{6}$, $2+□=5$, $□=3$이므로 □ 안에 들어갈 수 있는 가장 큰 자연수는 3입니다.

15 $6\frac{4}{10}>5\frac{7}{10}>3\frac{9}{10}$

➡ 차가 가장 큰 뺄셈식: $6\frac{4}{10}-3\frac{9}{10}=2\frac{5}{10}$

중요 ㉠>㉡>㉢일 때 차가 가장 큰 뺄셈식: ㉠－㉢

16 (민정이의 몸무게)$=25\frac{7}{14}+1\frac{9}{14}=27\frac{2}{14}\,(\text{kg})$

➡ (지선이의 몸무게)＋(민정이의 몸무게)
$=25\frac{7}{14}+27\frac{2}{14}=52\frac{9}{14}\,(\text{kg})$

17 분모가 11인 두 진분수를 $\frac{■}{11}$, $\frac{▲}{11}(■>▲)$라 하면
$\frac{■}{11}+\frac{▲}{11}=\frac{9}{11}$, $\frac{■}{11}-\frac{▲}{11}=\frac{1}{11}$이므로
$■+▲=9$, $■-▲=1$입니다. ➡ $■=5$, $▲=4$
따라서 두 진분수는 $\frac{5}{11}$, $\frac{4}{11}$입니다.

18
채점 기준		
❶ 주어진 식의 결과 어림하기	2점
❷ 2가지 방법으로 계산하기	3점

자연수 부분의 합은 $2+3=5$이고, 분수 부분의 합은 1보다 크므로 계산 결과는 6보다 클 것입니다.

19
채점 기준		
❶ 직사각형의 변의 길이의 성질 알아보기	2점
❷ 직사각형의 네 변의 길이의 합 구하기	3점

20
채점 기준		
❶ 어떤 수 구하기	3점
❷ 바르게 계산한 값 구하기	2점

2. 삼각형

STEP **1** 개념 **완성하기** 038~039쪽

1 (1) (왼쪽에서부터) 1, 4, 4
(2) 두에 ○표, 이등변삼각형
2 (1) 2, 2, 2 (2) 세에 ○표, 정삼각형
3

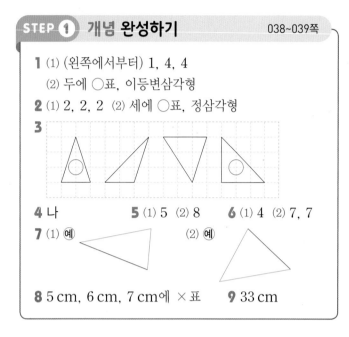

4 나
5 (1) 5 (2) 8
6 (1) 4 (2) 7, 7
7 (1) 예   (2) 예

8 5 cm, 6 cm, 7 cm에 ×표
9 33 cm

5 이등변삼각형은 두 변의 길이가 같습니다.

6 정삼각형은 세 변의 길이가 같습니다.

7 중요 정삼각형은 이등변삼각형이라고 할 수 있으므로 정삼각형을 그려도 답이 됩니다.

8 5 cm, 6 cm, 7 cm는 세 변의 길이가 모두 다르므로 이등변삼각형이 아닙니다.

9 정삼각형은 세 변의 길이가 같으므로
(세 변의 길이의 합)=11+11+11=33(cm)

STEP **1** 개념 **완성하기** 040~041쪽

1 (1)

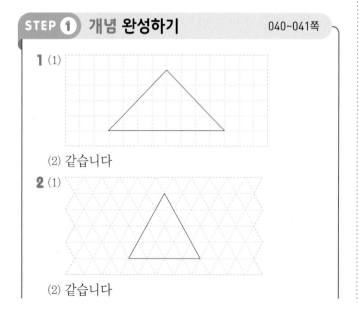

(2) 같습니다
2 (1)

(2) 같습니다

3 (1) 75 (2) 45, 45   **4** 60, 60
5 예

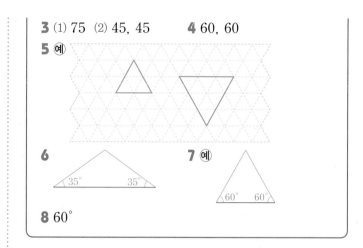

6   **7** 예

8 60°

3 (2) (나머지 두 각의 크기의 합)=180°-90°=90°
이등변삼각형은 두 각의 크기가 같으므로
□=90°÷2=45°

4 정삼각형은 세 각의 크기가 모두 60°로 같습니다.

6 ① 주어진 선분의 양 끝에 각각 35°인 각을 그립니다.
② 두 각의 변이 만나는 점을 찾아 주어진 선분의 양 끝점과 연결하여 삼각형을 완성합니다.

7 ① 주어진 선분의 양 끝에 각각 60°인 각을 그립니다.
② 두 각의 변이 만나는 점을 찾아 주어진 선분의 양 끝점과 연결하여 삼각형을 완성합니다.

8 선분의 양 끝에서 선분을 반지름으로 하여 각각 원의 일부분을 그렸으므로 세 변의 길이는 같습니다.
➡ 그린 삼각형은 정삼각형이므로 ㉠=60°
참고 삼각형의 세 변은 원의 반지름으로 길이가 같습니다.

STEP **1** 개념 **완성하기** 042~043쪽

1 (1) 예각, 예각, 예각에 ○표 (2) 예각, 예각삼각형
2 (1) 예각, 둔각, 예각에 ○표 (2) 둔각, 둔각삼각형
3   **4** 가, 나 / 라, 바 / 다, 마
                    5 ③, ⑤

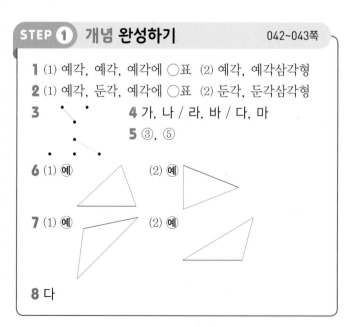

6 (1) 예   (2) 예

7 (1) 예   (2) 예

8 다

5 ③ 한 각이 직각이므로 직각삼각형입니다.
⑤ 두 변의 길이가 같으므로 이등변삼각형입니다.

6 세 각의 크기가 모두 0°보다 크고 직각보다 작은 삼 각형을 그립니다.

7 세 각 중 한 각의 크기가 직각보다 크고 180°보다 작 은 삼각형을 그립니다.

8 가: 이등변삼각형이지만 둔각삼각형이 아닙니다.
나: 둔각삼각형이지만 이등변삼각형이 아닙니다.
라: 이등변삼각형이지만 둔각삼각형이 아닙니다.

STEP 2 실력 다지기 044~049쪽

01 예
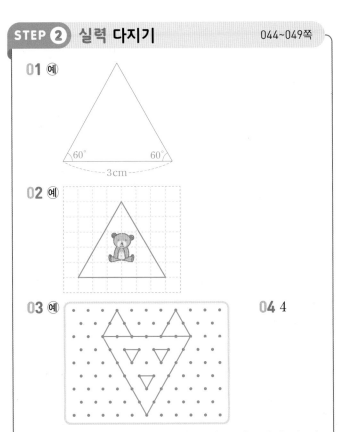

02 예

03 예 **04** 4

05 예 색종이에 그은 두 변의 길이는 색종이의 한 변 의 길이와 같습니다. 따라서 삼각형의 세 변의 길 이는 모두 같으므로 정삼각형입니다. ▶5점

06 8, 11 **07** 15 cm

08 예 ❶ 이등변삼각형은 두 변의 길이가 같으므로
(나머지 한 변)=6 cm ▶3점
❷ (세 변의 길이의 합)=6+5+6=17 (cm) ▶2점
/ 17 cm

09 8 cm **10** 예 한 각이 둔각이므로 둔각삼각형이야.

11 7

12 예 왼쪽(또는 오른쪽)으로 3칸 움직입니다.

13 둔각삼각형 **14** 60 / 예각삼각형 **15** 소연

16 (위에서부터) 마, 라, 가 / 나, 다, 바

17 ㉠, ㉢ **18** 35 **19** 60°

20 예 ❶ 두 변의 길이가 같으므로 이등변삼각형입니 다. 삼각형의 세 각의 크기의 합은 180°이므로
(각 ㄱㄴㄷ)+(각 ㄱㄷㄴ)=180°−30°=150° ▶2점
❷ 이등변삼각형은 두 각의 크기가 같으므로
(각 ㄱㄴㄷ)=150°÷2=75° ▶3점 / 75°

21 120, 120 **22** 125° **23** 60°

24 12개 **25** 10개

26 예
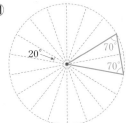

27 예
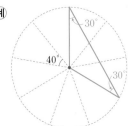

28 12 cm **29** 110° **30** 48 cm

31 예 ❶ (각 ㄱㅂㄹ)=180°−60°−60°=60°이므 로 삼각형 ㄱㄹㅂ은 정삼각형입니다.
➡ (변 ㄱㄹ)=7 cm
(각 ㄹㅁㄴ)=180°−60°−60°=60°이므로 삼각형 ㄹㄴㅁ은 정삼각형입니다.
➡ (변 ㄹㄴ)=7 cm
(변 ㄱㄴ)=(변 ㄱㄹ)+(변 ㄹㄴ)
=7+7=14 (cm) ▶4점
❷ (삼각형 ㄱㄴㄷ의 세 변의 길이의 합)
=14+14+14=42 (cm) ▶1점 / 42 cm

---

01 ① 길이가 3 cm인 선분을 긋습니다.
② 선분의 양 끝에 각각 60°인 각을 그립니다.
③ 두 각의 변이 만나는 점을 찾아 삼각형을 완성합 니다.

02 곰 인형을 둘러싸도록 두 변의 길이가 같은 삼각형을 그립니다.

04 두 각의 크기가 같으므로 이등변삼각형입니다.
이등변삼각형은 두 변의 길이가 같으므로 □=4 cm

05

채점 기준	그린 삼각형이 정삼각형인 이유 설명하기	5점

06 세 사람이 가지고 있는 막대로 이등변삼각형을 만들려면 두 막대의 길이가 같아야 합니다.
➜ 세민이가 가지고 있는 막대의 길이는 8 cm 또는 11 cm입니다.

07 삼각형의 세 각의 크기의 합은 180°이므로
(나머지 한 각의 크기)$=180°-60°-60°=60°$
세 각의 크기가 60°로 같으므로 정삼각형입니다.
정삼각형은 세 변의 길이가 같으므로
(세 변의 길이의 합)$=5+5+5=15$(cm)

08

채점 기준	❶ 나머지 한 변의 길이 구하기	3점
	❷ 세 변의 길이의 합 구하기	2점

09 정삼각형은 세 변의 길이가 같으므로
(만든 정삼각형 1개의 세 변의 길이의 합)
$=7+7+7=21$ (cm)
➜ (남은 털실의 길이)$=50-21-21=8$(cm)

11 • 예각삼각형: 예각이 3개 • 직각삼각형: 예각이 2개
• 둔각삼각형: 예각이 2개
➜ (□ 안에 알맞은 수의 합)$=3+2+2=7$

12 주어진 삼각형의 한 각이 둔각이 되도록 점 ㄱ을 움직이는 방법을 씁니다.
다른 정답 아래쪽으로 3칸 움직입니다.

13 한 각이 둔각(120°)이므로 둔각삼각형입니다.
중요 • 예각삼각형: 세 각이 모두 예각인 삼각형
• 직각삼각형: 한 각이 직각인 삼각형
• 둔각삼각형: 한 각이 둔각인 삼각형

14 삼각형의 세 각의 크기의 합은 180°이므로
$□=180°-55°-65°=60°$
55°, 65°, 60°는 모두 예각이므로 예각삼각형입니다.

15 세형: (나머지 한 각의 크기)
$=180°-50°-45°=85°$ ➜ 예각삼각형
진희: (나머지 한 각의 크기)
$=180°-15°-75°=90°$ ➜ 직각삼각형
소연: (나머지 한 각의 크기)
$=180°-70°-10°=100°$ ➜ 둔각삼각형

16 • 가: 직각삼각형, 이등변삼각형 • 나: 예각삼각형
• 다: 둔각삼각형 • 라: 둔각삼각형, 이등변삼각형
• 마: 예각삼각형, 이등변삼각형 • 바: 직각삼각형

17 (나머지 한 각의 크기)$=180°-50°-80°=50°$
• 세 각이 모두 예각이므로 예각삼각형입니다.
• 두 각의 크기가 같으므로 이등변삼각형입니다.

18 두 변의 길이가 같으므로 이등변삼각형입니다.
이등변삼각형은 두 각의 크기가 같으므로 □$=35°$

20

채점 기준	❶ 각 ㄱㄴㄷ과 각 ㄱㄷㄴ의 크기의 합 구하기	2점
	❷ 각 ㄱㄴㄷ의 크기 구하기	3점

21 직선 위의 한 점을 꼭짓점으로 하는 각의 크기는 180°이고, 정삼각형의 한 각의 크기는 60°이므로
$□=180°-60°=120°$

22 삼각형의 세 각의 크기의 합은 180°이므로
ⓛ+ⓒ$=180°-70°=110°$
이등변삼각형은 두 각의 크기가 같으므로
ⓒ$=110°÷2=55°$
직선 위의 한 점을 꼭짓점으로 하는 각의 크기는 180°이므로 ㉠$=180°-55°=125°$

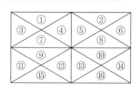

23 정삼각형의 한 각의 크기는 60°이므로
(각 ㄱㄹㄴ)$=60°$, (각 ㅅㄹㅂ)$=60°$
직선 위의 한 점을 꼭짓점으로 하는 각의 크기는 180°이므로 (각 ㄱㄹㅅ)$=180°-60°-60°=60°$

24 약점 포인트 ●정답률 75%

❶ 삼각형 1개와 4개로 이루어진 예각삼각형의 개수를 각각 구합니다.
❷ ❶에서 구한 두 수의 합을 구합니다.

• 삼각형 1개짜리:
③, ④, ⑤, ⑥, ⑪, ⑫, ⑬, ⑭
→ 8개
• 삼각형 4개짜리:
③+⑦+⑨+⑪, ④+⑦+⑨+⑫,
⑤+⑧+⑩+⑬, ⑥+⑧+⑩+⑭ → 4개
➜ (크고 작은 예각삼각형의 수)$=8+4=12$(개)

25 • 삼각형 1개짜리:
①, ②, ④, ⑤, ⑥ → 5개
• 도형 3개짜리: ①+③+⑤,
①+③+⑥, ②+③+④,
②+③+⑥, ③+④+⑤ → 5개
➜ (크고 작은 이등변삼각형의 수)$=5+5=10$(개)

26 ●정답률 70%

❶ 나머지 두 각의 크기가 될 수 있는 경우를 구합니다.
❷ 주어진 각을 이용하여 ❶에서 찾은 경우의 삼각형을 그립니다.

원의 반지름의 길이는 모두 같으므로 원의 반지름을 두 변으로 하는 삼각형은 이등변삼각형입니다.
➡ 이등변삼각형이고, 한 각의 크기가 $40°$이므로 나머지 두 각의 크기는 각각 $40°$, $100°$ 또는 각각 $70°$, $70°$입니다.

27 원의 반지름의 길이는 모두 같으므로 원의 반지름을 두 변으로 하는 삼각형은 이등변삼각형입니다.
➡ 이등변삼각형이고, 한 각의 크기가 $30°$이므로 나머지 두 각의 크기는 각각 $30°$, $120°$ 또는 각각 $75°$, $75°$입니다.

28 ●정답률 70%

❶ 정삼각형의 세 변의 길이의 합을 구합니다.
❷ ㉠의 길이를 구합니다.

• (정삼각형의 세 변의 길이의 합)
  $=10+10+10=30$(cm)
• (이등변삼각형의 세 변의 길이의 합)
  $=$(정삼각형의 세 변의 길이의 합)$=30$ cm
  이등변삼각형은 두 변의 길이가 같으므로 이등변삼각형의 세 변은 9 cm, 9 cm, ㉠입니다.
  ➡ ㉠$=30-9-9=12$(cm)

29 • 삼각형 ㄱㄷㄹ에서
  (각 ㄷㄱㄹ)$+$(각 ㄱㄷㄹ)$=180°-80°=100°$
  이등변삼각형은 두 각의 크기가 같으므로
  (각 ㄷㄱㄹ)$=100°÷2=50°$
• 삼각형 ㄱㄴㄷ은 정삼각형이므로 (각 ㄴㄱㄷ)$=60°$
  ➡ (각 ㄴㄱㄹ)$=$(각 ㄴㄱㄷ)$+$(각 ㄷㄱㄹ)
    $=60°+50°=110°$

30 ●정답률 65%

❶ 삼각형 ㄱㄴㄷ의 한 변의 길이를 구합니다.
❷ 삼각형 ㄹㄴㅁ의 한 변의 길이를 구합니다.
❸ 삼각형 ㄹㄴㅁ의 세 변의 길이의 합을 구합니다.

(삼각형 ㄱㄴㄷ의 한 변)$=63÷3=21$(cm)
(삼각형 ㄹㄴㅁ의 한 변)$=21-5=16$(cm)
➡ (삼각형 ㄹㄴㅁ의 세 변의 길이의 합)
  $=16+16+16=48$(cm)

31

채점기준	❶ 삼각형 ㄱㄴㄷ의 한 변의 길이 구하기	4점
	❷ 삼각형 ㄱㄴㄷ의 세 변의 길이의 합 구하기	1점

STEP ❸ 서술형 해결하기 050~051쪽

01 예 ❶ $50°$, $130°$,
  $180°-130°=50°$, $50°÷2=25°$ ▶3점
  ❷ $25°$, $155°$ ▶2점 / $155°$

02 예 ❶ 삼각형 ㄱㄴㄷ에서 세 변의 길이가 4 cm로 모두 같으므로 삼각형 ㄱㄴㄷ은 정삼각형입니다.
  ➡ (각 ㄱㄴㄷ)$=60°$ ▶3점
  ❷ 직선 위의 한 점을 꼭짓점으로 하는 각의 크기는 $180°$이므로
  (각 ㄷㄴㅁ)$=180°-105°-60°=15°$ ▶2점 / $15°$

03 예 ❶ (변 ㄱㄴ)$=$(변 ㄴㄷ)$=6$ cm이므로 삼각형 ㄱㄴㄷ은 이등변삼각형입니다.
  (각 ㄱㄷㄴ)$=$(각 ㄴㄱㄷ)$=30°$이므로
  (각 ㄱㄴㄷ)$=180°-30°-30°=120°$ ▶3점
  ❷ 직선 위의 한 점을 꼭짓점으로 하는 각의 크기는 $180°$이므로
  (각 ㄷㄴㅁ)$=180°-35°-120°=25°$ ▶2점 / $25°$

04 예 ❶ $60°$, $60°-40°=20°$ ▶2점
  ❷ $20°$, $180°-20°-20°=140°$ ▶3점 / $140°$

05 예 ❶ 삼각형 ㄹㄴㄷ에서
  (각 ㄹㄴㄷ)$+$(각 ㄹㄷㄴ)$=180°-110°=70°$
  이등변삼각형은 두 각의 크기가 같으므로
  (각 ㄹㄴㄷ)$=70°÷2=35°$ ▶3점
  ❷ 삼각형 ㄱㄴㄷ에서 (각 ㄱㄴㄷ)$=60°$이므로
  (각 ㄱㄴㄹ)$=60°-35°=25°$ ▶2점 / $25°$

06 예 ❶ 삼각형 ㄹㄴㄷ에서
  (각 ㄹㄴㄷ)$+$(각 ㄹㄷㄴ)$=180°-120°=60°$
  이등변삼각형은 두 각의 크기가 같으므로
  (각 ㄹㄷㄴ)$=60°÷2=30°$ ▶3점
  ❷ 삼각형 ㄱㄴㄷ에서 (각 ㄱㄷㄴ)$=60°$이므로
  (각 ㄱㄷㄹ)$=60°-30°=30°$ ▶2점 / $30°$

01

채점기준	❶ 각 ㄱㄷㄴ의 크기 구하기	3점
	❷ 각 ㄱㄷㅁ의 크기 구하기	2점

02

채점기준	❶ 각 ㄱㄴㄷ의 크기 구하기	3점
	❷ 각 ㄷㄴㅁ의 크기 구하기	2점

03

채점 기준	❶ 각 ㄱㄴㄷ의 크기 구하기	3점
	❷ 각 ㄷㄷㅁ의 크기 구하기	2점

04

채점 기준	❶ 각 ㄹㄷㄷ의 크기 구하기	2점
	❷ 각 ㄴㄷㄹ의 크기 구하기	3점

05

채점 기준	❶ 각 ㄹㄷㄷ의 크기 구하기	3점
	❷ 각 ㄱㄷㄹ의 크기 구하기	2점

06

채점 기준	❶ 각 ㄹㄷㄴ의 크기 구하기	3점
	❷ 각 ㄱㄷㄹ의 크기 구하기	2점

🚌 단원 **마무리**

052~054쪽

01 ①, ⑤　　**02** 가, 다　　**03** ③

04 (예)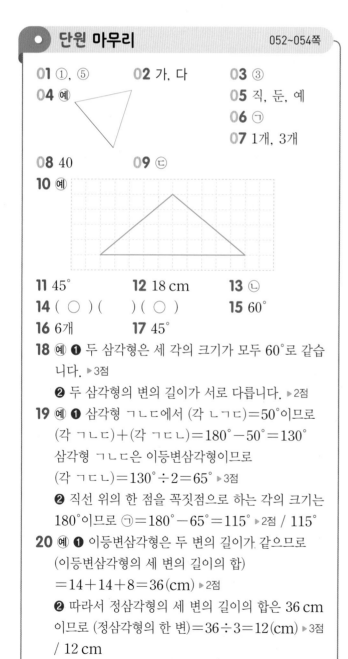

05 직, 둔, 예

06 ㉠

07 1개, 3개

08 40　　**09** ㉢

10 (예)

11 45°　　**12** 18 cm　　**13** ㉡

14 (◯) (　) (◯)　　**15** 60°

16 6개　　**17** 45°

18 (예) ❶ 두 삼각형은 세 각의 크기가 모두 60°로 같습니다. ▶3점

❷ 두 삼각형의 변의 길이가 서로 다릅니다. ▶2점

19 (예) ❶ 삼각형 ㄱㄴㄷ에서 (각 ㄴㄱㄷ)=50°이므로
(각 ㄱㄴㄷ)+(각 ㄱㄷㄴ)=180°−50°=130°
삼각형 ㄱㄴㄷ은 이등변삼각형이므로
(각 ㄱㄷㄴ)=130°÷2=65° ▶3점

❷ 직선 위의 한 점을 꼭짓점으로 하는 각의 크기는
180°이므로 ㉠=180°−65°=115° ▶2점 / 115°

20 (예) ❶ 이등변삼각형은 두 변의 길이가 같으므로
(이등변삼각형의 세 변의 길이의 합)
=14+14+8=36(cm) ▶2점

❷ 따라서 정삼각형의 세 변의 길이의 합은 36 cm
이므로 (정삼각형의 한 변)=36÷3=12(cm) ▶3점
/ 12 cm

---

06 이등변삼각형은 두 변의 길이가 같습니다.
➡ ㉠ __8 cm__, 7 cm, __8 cm__

07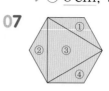
　　• 예각삼각형: ③ → 1개
　　• 둔각삼각형: ①, ②, ④ → 3개

08 이등변삼각형은 두 각의 크기가 같으므로 □=40°

09 ㉢ 둔각삼각형은 한 각이 둔각입니다.

11 두 변의 길이가 같으므로 이등변삼각형입니다.
이등변삼각형은 두 각의 크기가 같으므로 ㉠=45°

12 정삼각형은 세 변의 길이가 같으므로
(변 ㄱㄴ)=54÷3=18(cm)

13 (나머지 한 각의 크기)=180°−60°−60°=60°
㉠ 세 각이 모두 예각이므로 예각삼각형
㉢ 두 각의 크기가 같으므로 이등변삼각형
㉣ 세 각이 모두 60°이므로 정삼각형

15 정삼각형의 한 각의 크기는 60°입니다.
직선 위의 한 점을 꼭짓점으로 하는 각의 크기는
180°이므로 ㉠=180°−60°−60°=60°

16 • 삼각형 1개짜리: ③ → 1개
• 삼각형 2개짜리:
②+③, ③+④ → 2개
• 삼각형 3개짜리:
①+②+③, ②+③+④ → 2개
• 삼각형 4개짜리: ①+②+③+④ → 1개
➡ (크고 작은 예각삼각형의 수)
=1+2+2+1=6(개)

17 삼각형 ㄱㄴㄷ에서
(각 ㄴㄱㄷ)+(각 ㄴㄷㄱ)=180°−150°=30°
삼각형 ㄱㄴㄷ은 이등변삼각형이므로
(각 ㄴㄷㄱ)=30°÷2=15°
삼각형 ㄹㄴㄷ은 정삼각형이므로 (각 ㄹㄷㄴ)=60°
➡ (각 ㄹㄷㅁ)=60°−15°=45°

18

채점 기준	❶ 두 삼각형의 같은 점 쓰기	3점
	❷ 두 삼각형의 다른 점 쓰기	2점

19

채점 기준	❶ 각 ㄱㄷㄴ의 크기 구하기	3점
	❷ ㉠은 몇 도인지 구하기	2점

20

채점 기준	❶ 이등변삼각형의 세 변의 길이의 합 구하기	2점
	❷ 정삼각형의 한 변의 길이 구하기	3점

3. 소수의 덧셈과 뺄셈

STEP ① 개념 완성하기   058~059쪽

1 (1) 100   (2) $\dfrac{1}{100}$, 0.01

2 (1) 일   (2) 0.1   (3) 소수 둘째   (4) 0.005

3 0.61   **4** 0.08, 영 점 영팔 / 1.103, 일 점 일영삼

5

6 (왼쪽부터) 0.188, 0.179 / 0.19, 0.199

7 (1) 0.48   (2) 0.926

8 (1) 0.3   (2) 0.03   (3) 3   (4) 0.003   **9** 일 점 이오

6 • 0.001 큰 수는 소수 셋째 자리 숫자가 1 커지고, 0.001 작은 수는 소수 셋째 자리 숫자가 1 작아집니다.
    • 0.01 큰 수는 소수 둘째 자리 숫자가 1 커지고, 0.01 작은 수는 소수 둘째 자리 숫자가 1 작아집니다.

7 (2) 0.1이 9개이면 0.9, 0.01이 2개이면 0.02, 0.001이 6개이면 0.006이므로 0.926입니다.

8 (1) 0.3**9** ➡ 소수 첫째 자리 숫자, 0.3
   (2) 1.5**3** ➡ 소수 둘째 자리 숫자, 0.03
   (3) **3**.206 ➡ 일의 자리 숫자, 3
   (4) 8.45**3** ➡ 소수 셋째 자리 숫자, 0.003

9 1.25 ➡ 일 점 이오

STEP ① 개념 완성하기   060~061쪽

1 (1) 예 [모눈 그림]   (2) <

2 (1) 100   (2) 1000   (3) 0.01   (4) 0.001

3 (1) 20.7   (2) 8.9   (3) 0.41   (4) 0.063

4 [수직선 3.678 3.68 3.69 3.692] / >

5 (1) 0.46, 4.6   (2) 0.58, 0.058   **6** 1.6**0̸**, 0.34**0̸**

7 (1) <   (2) >   (3) >   (4) <   **8** 0.24의 10배에 색칠

3 (1) 2.07의 10배 ➡ 20.7   (2) 0.089의 100배 ➡ 8.9
   (3) 4.1의 $\dfrac{1}{10}$ ➡ 0.41   (4) 6.3의 $\dfrac{1}{100}$ ➡ 0.063

5 (1) 0.046의 10배 ➡ 0.46, 0.46의 10배 ➡ 4.6
   (2) 5.8의 $\dfrac{1}{10}$ ➡ 0.58, 0.58의 $\dfrac{1}{10}$ ➡ 0.058

6 소수에서 소수점 오른쪽 끝자리에 있는 0은 생략하여 나타낼 수 있습니다. 1.6**0̸**=1.6, 0.34**0̸**=0.34

7 (1) 1.96 < 2.1   (2) 0.76 > 0.67
        1 < 2   7 > 6
   (3) 3.681 > 3.678   (4) 0.254 < 0.259
         8 > 7   4 < 9

중요 소수의 크기 비교 순서

자연수 부분	→	소수 첫째 자리	→	소수 둘째 자리	→	소수 셋째 자리

8 소수를 10배, 100배 하면 수가 소수점을 기준으로 한 자리, 두 자리씩 왼쪽으로 이동합니다.
   • 0.24의 10배 ➡ 2.4   • 0.24의 100배 ➡ 24

STEP ② 실력 다지기   062~067쪽

01 4.87, 5.01

02 [수직선 2.38 ... 2.387 ... 2.39]

03 0.73 m   **04** 현정

05 ❶ 예 소수점 아래의 숫자는 숫자만 읽어야 하는데 자릿값을 읽었습니다. ▶3점
   ❷ 칠 점 삼일사 ▶2점

06 10.98, 십 점 구팔   **07** 소수 둘째 자리 숫자, 0.07

08 5.869에 ○표   **09** ㉡, ㉢   **10** 6.085 L

11 수연   **12** 1.38 m, 35.4 kg

13 (1) 9.37, 93.7   (2) 4610   **14** 8

15 802의 $\dfrac{1}{10}$에 △표   **16** ㉡   **17** 1000배

18 예 ❶ 0.1이 1개이면 0.1, 0.01이 4개이면 0.04, 0.001이 9개이면 0.009이므로 0.149입니다. ▶2점
   ❷ 0.149는 14.9의 $\dfrac{1}{100}$입니다. ➡ ■ $= \dfrac{1}{100}$ ▶3점
   / $\dfrac{1}{100}$

19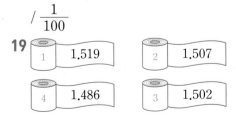

20 ❶ 재중 ▶2점

❷ 예 소수의 크기는 자릿수와 관계없이 높은 자리부터 차례로 비교하여 같은 자리의 수가 클수록 큰 수입니다. ▶3점

21 <　　　　**22** 42.195 / 마라톤　　**23** 얼룩말

24 8.461, 팔 점 사육일　　**25** 5.09　　**26** 0.254

27 예 ❶ 어떤 수의 $\frac{1}{10}$인 수가 3.549이므로 어떤 수는 3.549의 10배입니다.

어떤 수: 3.549의 10배 ➡ 35.49 ▶3점

❷ 어떤 수의 10배: 35.49의 10배 ➡ 354.9 ▶2점
/ 354.9

28 0.135　　　　　　　　**29** 76.42

30 6, 7, 8, 9　　　　　　**31** ㉡

---

01 작은 눈금 한 칸의 크기는 0.01입니다.
4.9에서 왼쪽으로 3칸 간 수는 4.87이고,
5.0에서 오른쪽으로 1칸 간 수는 5.01입니다.

02 작은 눈금 한 칸의 크기는 0.001입니다.
➡ 2.387은 2.38에서 오른쪽으로 7칸 간 곳 또는 2.39에서 왼쪽으로 3칸 간 곳을 가리키도록 화살표로 나타냅니다.

03 줄자에서 가장 큰 눈금 한 칸은 0.1 m, 가장 작은 눈금 한 칸은 0.01 m입니다. ➡ (리본의 길이)=0.73 m
다른 풀이 1 cm=0.01 m이므로
(리본의 길이)=73 cm=0.73 m

04 0.305 ➡ 영 점 삼영오　　　2.097 ➡ 이 점 영구칠
12.25 ➡ 십이 점 이오
따라서 소수를 바르게 읽은 사람은 현정입니다.

05

채점 기준	❶ 잘못 읽은 이유 쓰기	3점
	❷ 바르게 읽기	2점

06 $\frac{1}{10}$=0.1, $\frac{1}{100}$=0.01

1이 10개 →	10
0.1이 9개 →	0.9
0.01이 8개 →	0.08
	10.98 ➡ 십 점 구팔

08 6.357 ➡ 7, 4.605 ➡ 5, 5.869 ➡ 9
소수 셋째 자리 숫자가 가장 큰 수는 5.869입니다.

09 ㉠ 0.58 ➡ 0.5　　　　　㉡ 0.253 ➡ 0.05
㉢ 3.75 ➡ 0.05　　　　　㉣ 9.635 ➡ 0.005

10 1 mL=$\frac{1}{1000}$ L=0.001 L
➡ 6 L 85 mL=6.085 L

11 ・하윤: 1 mm=0.1 cm이므로 52 mm=5.2 cm
・준서: 1 g=0.001 kg이므로 904 g=0.904 kg
・수연: 1 mL=0.001 L이므로 371 mL=0.371 L

12 ・키: 1 cm=0.01 m이므로 138 cm=1.38 m
・몸무게: 1 g=0.001 kg이므로
35 kg 400 g=35.4 kg

13 ⑵ '×10'을 3번 한 수는 '×1000'을 1번 한 수와 같습니다. 4.61의 1000배 ➡ 4610

14 1598.4의 $\frac{1}{100}$ ➡ 15.984
　　　　　　　　　└소수 둘째 자리
➡ 소수 둘째 자리 숫자는 8입니다.

15 ・0.802의 10배 ➡ 8.02　・0.0802의 100배 ➡ 8.02
・802의 $\frac{1}{10}$ ➡ 80.2(△)　・802의 $\frac{1}{100}$ ➡ 8.02

16 ㉠ 3.8은 0.038의 100배입니다. ➡ □=100
㉡ 50은 0.05의 1000배입니다. ➡ □=1000
㉢ 19.04는 1.904의 10배입니다. ➡ □=10
1000>100>10이므로 □ 안에 들어갈 수가 가장 큰 것은 ㉡입니다.

17 ㉠: 일의 자리 숫자, 9
㉡: 소수 셋째 자리 숫자, 0.009
➡ 9는 0.009의 1000배이므로 ㉠이 나타내는 수는 ㉡이 나타내는 수의 1000배입니다.

18

채점 기준	❶ 나타내는 수 구하기	2점
	❷ ■를 분수로 나타내기	3점

19 자연수 부분이 1로 같으므로 소수 첫째 자리부터 차례로 비교합니다.
➡ 1.519>1.507>1.502>1.486

20

채점 기준	❶ 잘못 말한 사람의 이름 쓰기	2점
	❷ 이유 쓰기	3점

21 ・532의 $\frac{1}{100}$ ➡ 5.32　　・0.563의 10배 ➡ 5.63
➡ 5.32 < 5.63
　　　└3 < 6┘

22 1 m=0.001 km이므로 42195 m=42.195 km
50>42.195이므로 경주 거리가 더 짧은 종목은 마라톤입니다.

23 • $0.56 > 0.49 > 0.057$

→ 가장 큰 소수 0.56이 있는 길로 갑니다.

• $3.03 > 2.3 > 2.22$

→ 가장 작은 소수 2.22가 있는 길로 갑니다.

• $6.18 > 6.1$ → 더 큰 소수 6.18이 있는 길로 갑니다.

➡ 지호가 도착한 곳에 있는 동물은 얼룩말입니다.

24

• 8보다 크고 9보다 작은 소수 세 자리 수: $8.\square\square\square$

• 소수 첫째 자리 숫자: $4 \Rightarrow \square.4\square\square$

• 소수 둘째 자리 숫자: $6 \Rightarrow \square.\square6\square$

• 소수 셋째 자리 숫자: $1 \Rightarrow \square.\square\square1$

따라서 조건을 모두 만족하는 소수 세 자리 수는 8.461입니다.

25 • 5보다 크고 6보다 작은 소수 두 자리 수: $5.\square\square$

• 소수 첫째 자리 숫자: $0 \Rightarrow \square.0\square$

• 소수 둘째 자리 숫자: $9 \Rightarrow \square.\square9$

따라서 $\square$ 안에 알맞은 수는 5.09입니다.

26

어떤 수의 10배가 254이므로 어떤 수는 254의 $\dfrac{1}{10}$

입니다. 어떤 수: 254의 $\dfrac{1}{10} \Rightarrow 25.4$

어떤 수의 $\dfrac{1}{100}$: 25.4의 $\dfrac{1}{100} \Rightarrow 0.254$

27

채점 기준	❶ 어떤 수 구하기	3점
	❷ 어떤 수를 10배 한 수 구하기	2점

28

만들 수 있는 소수 세 자리 수: $\square.\square\square\square$

$\square$ 안에 작은 수부터 차례로 써넣으면 가장 작은 수가 됩니다.

➡ 가장 작은 소수 세 자리 수: 0.135

29 만들 수 있는 소수 두 자리 수: $\square\square.\square\square$

$\square$ 안에 큰 수부터 차례로 써넣으면 가장 큰 수가 됩니다. ➡ 가장 큰 소수 두 자리 수: 76.42

30

자연수 부분과 소수 첫째 자리 수는 같으므로 소수 둘째 자리 수와 소수 셋째 자리 수를 비교합니다.

소수 둘째 자리 수는 각각 $\square$, 6이고, 소수 셋째 자리 수는 $6 > 5$이므로 $\square$ 안에는 6보다 크거나 같은 수가 들어갈 수 있습니다.

➡ $\square$ 안에 들어갈 수 있는 수는 6, 7, 8, 9입니다.

31 ㉠ $58.\square91$의 $\square$ 안에 0을 넣고, $58.0\square$의 $\square$ 안에 9를 넣어도 $58.091 > 58.09$입니다. ($\bigcirc$)

㉡ $7.8\square1$의 $\square$ 안에 0부터 9까지의 수 중 어느 수를 넣어도 $7.894 > 7.8\square1$입니다.

➡ 틀린 것은 ㉡입니다.

STEP ❶ 개념 완성하기 068~069쪽

1 (1) 예

(2) 0.7 **2** 0.3, 0.7

3 0.4, 0.3 **4** 24, 16, 8, 0.8

5 (1) 0.9 (2) 0.8 (3) 1.5 (4) 0.2 **6** 1.2

7 ($\bigcirc$) ( ) **8** 0.8 **9** 4.5, 6.9

4 2.4는 0.1이 24개, 1.6은 0.1이 16개이므로 $2.4 - 1.6$은 0.1이 $24 - 16 = 8$(개)인 0.8입니다.

5
(1)
$$\begin{array}{r} 0.7 \\ +0.2 \\ \hline 0.9 \end{array}$$

(2)
$$\begin{array}{r} \overset{10}{\cancel{1}}.6 \\ -0.8 \\ \hline 0.8 \end{array}$$

참고 받아올림과 받아내림에 주의하여 계산합니다.

7 계산 결과에 소수점을 바르게 찍어야 합니다.

8 가장 큰 수: 0.9, 가장 작은 수: 0.1 ➡ $0.9 - 0.1 = 0.8$

9 (지훈이가 자전거를 탄 거리)

$= 4.5 + 2.4 = 6.9$(km)

STEP ① 개념 완성하기　070~071쪽

1 0.68, 0.2, 0.88

2 (1) (예) 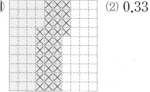　(2) 0.33

3 0.3, 0.16, 0.14　　**4** 2 / 1, 3, 2 / 1, 6, 3, 2

5 (1) 0.95　(2) 0.56　(3) 9.11　(4) 2.45　**6** 1.32

7 ┈ (선 연결)

8 (1) <　(2) >

9 4.26, 1.73

4 5.9를 5.90으로 생각하여 자릿수를 맞추고 계산합니다.

5 (1)
$$\begin{array}{r} \overset{1}{}0.2\,8 \\ +\,0.6\,7 \\ \hline 0.9\,5 \end{array}$$
(2)
$$\begin{array}{r} \overset{6\ \ 10}{0.7\,3} \\ -\,0.1\,7 \\ \hline 0.5\,6 \end{array}$$

참고 받아올림과 받아내림에 주의하여 계산합니다.

7 (1) 0.19＋0.34＝0.53

(2) 0.72＋0.18＝0.9

(3) 0.64－0.14＝0.5

8 (1) 0.36＋0.42＝0.78 ➡ 0.78＜0.81

(2) 3.58－1.67＝1.91 ➡ 1.91＞1.79

9 (남은 털실의 길이)＝4.26－2.53＝1.73(m)

STEP ② 실력 다지기　072~077쪽

01 방법 ❶ (예) 2.8은 0.1이 28개, 1.9는 0.1이 19개인 수이므로 2.8＋1.9는 0.1이 28＋19＝47(개)인 수입니다.
➡ 2.8＋1.9＝4.7

방법 ❷ (예)
$$\begin{array}{r} \overset{1}{}2.8 \\ +\,1.9 \\ \hline 4.7 \end{array}$$

02
$$\begin{array}{r} 3.8\,7 \\ -\,1.9 \end{array}$$ 에 ○표

03 (예) 소수점의 자리를 잘못 맞추고 계산하였습니다.
▶5점

04 0.05　　**05** 6.04　　**06** 10.9

07 ＞　　**08** ㉡, ㉢, ㉠　　**09** 시우

10 1.4 L　　**11** 5.54－4.27＝1.27 / 1.27 kg

12 2.11 kg　　**13** 6.34　　**14** 2, 1, 3

15 (예) ❶ 0.1이 25개, 0.01이 35개인 수는 2.85이고, 0.1이 19개인 수는 1.9입니다. ▶2점

❷ (두 수의 차)＝2.85－1.9＝0.95 ▶3점 / 0.95

16 2.9 g　　**17** 병원　　**18** 0.56 m

19 3.59－0.5＋1.23에 ○표

20 6.15　　**21** 14.46 m　　**22** 2.08 L

23 미륵사지 석탑, 3.8 m　　**24** 6.56 kg

25 4.38

26 (예) ❶ ★－2.76＝0.52, ★＝0.52＋2.76＝3.28
▶3점

❷ 따라서 바르게 계산하면
★＋2.76＝3.28＋2.76＝6.04 ▶2점 / 6.04

27 (위에서부터) 4, 3, 8

28 ㉡＝6에 ×표　　**29** 0.75 km

30 5.22　　**31** 4.95　　**32** 81.21

02 세로셈으로 계산할 때 소수점의 자리를 맞추어 계산해야 합니다.

03

채점기준		
계산이 잘못된 이유 쓰기		5점

04 0.64보다 0.59 작은 수 ➡ 0.64－0.59＝0.05

05 1이 3개, 0.1이 2개, 0.01이 8개인 수: 3.28
➡ 3.28＋2.76＝6.04

06 기현: 일의 자리 숫자가 2, 소수 첫째 자리 숫자가 5인 소수 한 자리 수 → 2.5
시은: 0.1이 134개인 수 → 13.4
➡ (두 수의 차)＝13.4－2.5＝10.9

07 ･0.6＋0.9＝1.5　　　･1.2＋0.2＝1.4
➡ 1.5＞1.4

08 ㉠ 0.9－0.4＝0.5　　㉡ 0.87－0.46＝0.41
㉢ 1.32－0.89＝0.43
➡ ㉡ 0.41＜㉢ 0.43＜㉠ 0.5

09 ･시우: 3.74＋5.01＝8.75
･수정: 10.64－2.05＝8.59
➡ 8.75＞8.59이므로 계산 결과가 더 큰 수를 들고 있는 사람은 시우입니다.

10 (미지근한 물의 양)＝0.9＋0.5＝1.4(L)

11 (고양이의 무게)－(강아지의 무게)
＝5.54－4.27＝1.27(kg)

12 (밀가루의 무게)+(초코칩의 무게)
　　=1.43+0.68=2.11 (kg)

13 □=3.7+2.64=6.34

14 1.21+4.2=5.41, 8.3−2.87=5.43,
　　5.29−0.5=4.79
　　➡ 5.43>5.41>4.79

15
채점 기준	❶ 두 수를 각각 소수로 나타내기	2점
	❷ 두 수의 차 구하기	3점

16 (50원짜리 동전 2개의 무게의 합)
　　=4.16+4.16=8.32 (g)
　　➡ (50원짜리 동전 2개의 무게의 합)
　　　−(100원짜리 동전 1개의 무게)
　　　=8.32−5.42=2.9 (g)

17 (집 ~ 은행 ~ 도서관)=0.9+1.14=2.04 (km)
　　(집 ~ 병원 ~ 도서관)=1.07+0.75=1.82 (km)
　　➡ 2.04>1.82이므로 병원을 거쳐서 가는 길이 더
　　　가깝습니다.

18 (색 테이프 2장의 길이의 합)
　　=0.31+0.31=0.62 (m)
　　➡ (이어 붙인 색 테이프의 전체 길이)
　　　=(색 테이프 2장의 길이의 합)−(겹친 부분의 길이)
　　　=0.62−0.06=0.56 (m)

19 2.85+3.24−1.6=6.09−1.6
　　　　　　①　　　　②　　=4.49

　　3.59−0.5+1.23=3.09+1.23
　　　①　　　　　　　②　　=4.32 (○)

20 7.03>4.38>3.5이므로 가장 큰 수는 7.03, 가장
　　작은 수는 3.5입니다.
　　➡ 7.03+3.5−4.38=10.53−4.38
　　　　　　　　　　　　=6.15

21 (지금 가지고 있는 철사의 길이)
　　=(처음에 있던 철사의 길이)−(사용한 철사의 길이)
　　　+(구입한 철사의 길이)
　　=20−13.84+8.3=6.16+8.3=14.46 (m)

22 1 mL=0.001 L이므로
　　(선정이가 마신 물의 양)=880 mL=0.88 L
　　➡ (두 사람이 마신 물의 양)=1.2+0.88=2.08 (L)
　　중요 먼저 단위를 같게 고칩니다.

23 1 cm=0.01 m이므로
　　(다보탑의 높이)=1040 cm=10.4 m
　　➡ 14.2>10.4이므로 미륵사지 석탑이
　　　14.2−10.4=3.8 (m) 더 높습니다.

24 1 g=0.001 kg이므로
　　4090 g=4.09 kg, 2470 g=2.47 kg
　　4.09 kg>3.59 kg>2.47 kg이므로 가장 무거운
　　무게는 4.09 kg, 가장 가벼운 무게는 2.47 kg입니다.
　　➡ 4.09+2.47=6.56 (kg)

25 약점 포인트　　●정답률 75%

덧셈과 뺄셈의 관계

어떤 수를 □라 하면 4.86+□=9.24입니다.
　□=9.24−4.86=4.38
➡ 어떤 수는 4.38입니다.

26
채점 기준	❶ ★에 알맞은 수 구하기	3점
	❷ 바르게 계산한 값 구하기	2점

27 약점 포인트　　●정답률 70%

❶ 소수 둘째 자리 계산에서 □를 구합니다.
❷ 소수 첫째 자리 계산에서 □를 구합니다.
❸ 일의 자리 계산에서 □를 구합니다.

소수 둘째 자리 계산: □+0=4, □=4
소수 첫째 자리 계산: 9+□=12, □=12−9=3
일의 자리 계산: 1+5+2=□, □=8

28 소수 둘째 자리 계산: ㉠−1=6, ㉠=6+1=7
　　소수 첫째 자리 계산: 10−㉡=3, ㉡=10−3=7
　　일의 자리 계산: 6−1−2=㉢, ㉢=3

29 약점 포인트　　●정답률 65%

❶ 수직선을 그려 각 학생들의 위치를 나타냅니다.
❷ 채영이가 달린 거리를 구합니다.

각 학생들의 위치를 수직선에 나타내면 다음과 같습
니다.

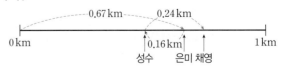

(채영이가 달린 거리)=0.67−0.16+0.24
　　　　　　　　　　=0.51+0.24=0.75 (km)

다른 풀이 (성수가 달린 거리)
$$=(은미가 달린 거리)-0.16$$
$$=0.67-0.16=0.51\,(km)$$
➔ (채영이가 달린 거리)
$$=(성수가 달린 거리)+0.24$$
$$=0.51+0.24=0.75\,(km)$$

30 1이 8개이면 8, 0.1이 3개이면 0.3, 0.01이 8개이면 0.08이므로 ■=8.38입니다.
▲=■+3.93=8.38+3.93=12.31
➔ ●=▲−7.09=12.31−7.09=5.22

31
약점 포인트 ●정답률 65%

❶ 만들 수 있는 가장 큰 수와 가장 작은 수를 구합니다.
❷ ❶에서 구한 두 수의 차를 구합니다.

만들 수 있는 소수 두 자리 수: □.□□
가장 큰 소수는 높은 자리부터 큰 수를 차례로 놓고, 가장 작은 소수는 높은 자리부터 작은 수를 차례로 놓습니다.
가장 큰 소수 두 자리 수: 8.73
가장 작은 소수 두 자리 수: 3.78
➔ (두 수의 차)=8.73−3.78=4.95

32 만들 수 있는 소수 두 자리 수: □□.□□
0<4<5<6이므로
가장 작은 소수 두 자리 수: 40.56
두 번째로 작은 소수 두 자리 수: 40.65
➔ (두 수의 합)=40.56+40.65=81.21

중요 만들려는 소수 두 자리 수에서 자연수 부분의 맨 앞자리에 0이 올 수 없습니다.

STEP ❸ 서술형 해결하기 078~081쪽

01 예 ❶ 640, 0.64, 970, 0.97 ▶2점
❷ 1.9−0.64−0.97, 1.26−0.97=0.29 (kg)
▶3점 / 0.29 kg
02 예 ❶ (어제 마신 우유의 양)=350 mL=0.35 L
(오늘 마신 우유의 양)=500 mL=0.5 L ▶3점
❷ (남은 우유의 양)
$$=(처음에 있던 우유의 양)$$
$$-(어제 마신 우유의 양)$$
$$-(오늘 마신 우유의 양)$$
$$=1-0.35-0.5=0.65-0.5=0.15\,(L)$$ ▶2점
/ 0.15 L

03 예 ❶ (걸어서 간 거리)=200 m=0.2 km
(버스를 타고 간 거리)=960 m=0.96 km ▶3점
❷ (남은 거리)
$$=(전체 거리)-(걸어서 간 거리)$$
$$-(버스를 타고 간 거리)$$
$$=4-0.2-0.96=3.8-0.96$$
$$=2.84\,(km)$$ ▶2점
/ 2.84 km

04 예 ❶ 왼쪽, 한, 50.6 ▶3점
❷ 오른쪽, 두, 50.6, 0.506 ▶2점 / 0.506

05 예 ❶ 인주: 2.94의 $\frac{1}{100}$ ➔ 0.0294,
0.0294의 10배 ➔ 0.294
승현: 19.8의 $\frac{1}{100}$ ➔ 0.198 ▶4점
❷ 0.294>0.198이므로 더 큰 수를 만든 사람은 인주입니다. ▶1점 / 인주

06 예 ❶ 승준: 82.7의 $\frac{1}{10}$ ➔ 8.27,
8.27의 $\frac{1}{10}$ ➔ 0.827
지우: 0.094의 100배 ➔ 9.4,
9.4의 $\frac{1}{10}$ ➔ 0.94 ▶4점
❷ 0.827<0.94이므로 더 작은 수를 만든 사람은 승준입니다. ▶1점 / 승준

07 예 ❶ 12.4−5.8=6.6, 6.6, 커야에 ○표 ▶3점
❷ 6.6, 6.7, 6.7 ▶2점 / 6.7

08 예 ❶ 보이지 않는 부분의 수를 □, >를 =라 하면 16.93=11.51+□입니다.
□=16.93−11.51=5.42
➔ 주어진 식에서 □는 5.42보다 작아야 합니다.
▶3점
❷ 5.42보다 작은 소수 두 자리 수 중 가장 큰 수는 5.41입니다.
따라서 보이지 않는 부분에 들어갈 수 있는 소수 두 자리 수 중 가장 큰 수는 5.41입니다. ▶2점
/ 5.41

09 예 ❶ 보이지 않는 부분의 수를 □, >를 =라 하면 3.14=9.02−□입니다.
□=9.02−3.14=5.88
➔ 주어진 식에서 □는 5.88보다 커야 합니다. ▶3점
❷ 5.88보다 큰 소수 두 자리 수 중 가장 작은 수는 5.89입니다.

따라서 보이지 않는 부분에 들어갈 수 있는 소수 두 자리 수 중 가장 작은 수는 5.89입니다. ▶2점 / 5.89

10 예 ❶ 5, 3 ▶2점
❷ 5, 1 ▶2점
❸ 0.531 ▶1점 / 0.531

11 예 ❶ 첫 번째 조건에서 2보다 크고 3보다 작은 수이므로 일의 자리 숫자는 2입니다. ▶2점
❷ 세 번째 조건에서 일의 자리 숫자는 2이므로 소수 셋째 자리 숫자는 5이고, 두 번째, 네 번째 조건에서 소수 첫째 자리 숫자는 6이므로 소수 둘째 자리 숫자는 3입니다. ▶2점
❸ 따라서 조건을 모두 만족하는 소수 세 자리 수는 2.635입니다. ▶1점 / 2.635

12 예 ❶ 조건 2에서 3보다 크고 4보다 작은 수이므로 일의 자리 숫자는 3입니다. 조건 3에서 일의 자리 숫자는 3이므로 소수 둘째 자리 숫자는 6입니다. ▶2점
❷ 조건 4에서 3으로 나누어떨어지는 한 자리 수는 3, 6, 9이고, 이 중 가장 큰 수는 9이므로 소수 첫째 자리 숫자는 9입니다.
조건 5에서 이 소수를 10배 하면 소수 둘째 자리 숫자는 7이므로 소수 셋째 자리 숫자는 7입니다. ▶2점
❸ 따라서 조건을 모두 만족하는 소수 세 자리 수는 3.967입니다. ▶1점 / 3.967

| **01** 채점 기준 | ❶ 식빵 1개와 케이크 1개를 만드는 데 필요한 밀가루의 무게를 각각 kg 단위로 나타내기 | 2점 |
| | ❷ 남은 밀가루의 무게 구하기 | 3점 |

| **02** 채점 기준 | ❶ 어제와 오늘 마신 우유의 양을 각각 L 단위로 나타내기 | 3점 |
| | ❷ 남은 우유의 양 구하기 | 2점 |

참고 1000 mL=1 L이므로 1 mL=0.001 L입니다.

| **03** 채점 기준 | ❶ 걸어서 간 거리와 버스를 타고 간 거리를 각각 km 단위로 나타내기 | 3점 |
| | ❷ 남은 거리 구하기 | 2점 |

참고 1000 m=1 km이므로 1 m=0.001 km입니다.

| **04** 채점 기준 | ❶ 5.06이 파란색 상자를 통과했을 때 나오는 수 구하기 | 3점 |
| | ❷ ㉠에 알맞은 수 구하기 | 2점 |

| **05** 채점 기준 | ❶ 인주와 승현이가 만든 수 각각 구하기 | 4점 |
| | ❷ 더 큰 수를 만든 사람 찾기 | 1점 |

| **06** 채점 기준 | ❶ 승준이와 지우가 만든 수 각각 구하기 | 4점 |
| | ❷ 더 작은 수를 만든 사람 찾기 | 1점 |

| **07** 채점 기준 | ❶ □ 안에 들어갈 수 있는 수의 범위 구하기 | 3점 |
| | ❷ □ 안에 들어갈 수 있는 수 중 가장 작은 수 구하기 | 2점 |

| **08** 채점 기준 | ❶ 보이지 않는 부분에 들어갈 수 있는 수의 범위 구하기 | 3점 |
| | ❷ 보이지 않는 부분에 들어갈 수 있는 소수 두 자리 수 중 가장 큰 수 구하기 | 2점 |

| **09** 채점 기준 | ❶ 보이지 않는 부분에 들어갈 수 있는 수의 범위 구하기 | 3점 |
| | ❷ 보이지 않는 부분에 들어갈 수 있는 소수 두 자리 수 중 가장 작은 수 구하기 | 2점 |

10 채점 기준	❶ 첫 번째, 두 번째 조건에서 소수 첫째, 소수 둘째 자리 숫자 각각 구하기	2점
	❷ 세 번째 조건에서 소수 셋째 자리 숫자 구하기	2점
	❸ 조건을 모두 만족하는 소수 세 자리 수 구하기	1점

11 채점 기준	❶ 첫 번째 조건에서 일의 자리 숫자 구하기	2점
	❷ 두 번째, 세 번째, 네 번째 조건에서 소수 둘째, 소수 셋째 자리 숫자 각각 구하기	2점
	❸ 조건을 모두 만족하는 소수 세 자리 수 구하기	1점

12 채점 기준	❶ 조건 2, 조건 3에서 일의 자리, 소수 둘째 자리 숫자 각각 구하기	2점
	❷ 조건 4, 조건 5에서 소수 첫째, 소수 셋째 자리 숫자 각각 구하기	2점
	❸ 조건을 모두 만족하는 소수 구하기	1점

단원 마무리 082~084쪽

01 0.263   **02** ㉡   **03** 0.9, 0.9
04 0.69, 6.9, 69   **05** 12.15
06 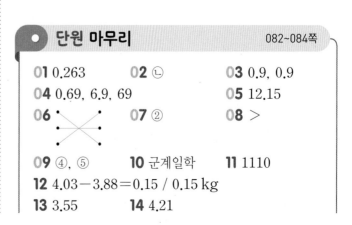   **07** ②   **08** >
09 ④, ⑤   **10** 군계일학   **11** 1110
12 4.03−3.88=0.15 / 0.15 kg
13 3.55   **14** 4.21

15 수영이네 집, 0.85 km   **16** 4.803

17 0, 1

18 예 ❶ ♣의 100배는 12.7이므로

♣는 12.7의 $\frac{1}{100}$입니다. ▶3점

❷ 12.7의 $\frac{1}{100}$ ➡ 0.127 ▶2점 / 0.127

19 ❶

$$\begin{array}{r} 4.8\,1 \\ -\ 1.7 \\ \hline 3.1\,1 \end{array}$$ ▶2점

❷ 예 소수점의 자리를 잘못 맞추고 계산하였습니다. ▶3점

20 예 ❶ (끈의 길이의 합)=6.86+7.4

=14.26 (m) ▶2점

❷ (매듭을 짓는 데 사용한 끈의 길이)

=(끈의 길이의 합)-(전체 끈의 길이)

=14.26-13.94=0.32 (m) ▶3점

/ 0.32 m

03 크기가 1인 모눈종이를 똑같이 10칸으로 나누었으므로 한 칸의 크기는 0.1입니다.

1.8에서 0.9만큼 지우면 남는 부분은 0.9입니다.

➡ 1.8-0.9=0.9

04 소수를 10배 하면 소수점을 기준으로 수가 왼쪽으로 한 자리 이동합니다.

05

$$\begin{array}{r} \overset{1}{\ } \\ 4.6\,3 \\ +7.5\,2 \\ \hline 12.1\,5 \end{array}$$

06 (1) 0.75+1.71=2.46

(2) 3.46-1.15=2.31

(3) 1.2+0.56=1.76

07 각 수에서 숫자 2가 나타내는 수를 알아봅니다.

① 3.7<u>2</u> ➡ 0.02

② 0.<u>2</u>13 ➡ 0.2

③ 17.01<u>2</u> ➡ 0.002

④ 4.30<u>2</u> ➡ 0.002

⑤ 6.0<u>2</u>7 ➡ 0.02

08 0.37+0.84=1.21, 1.6-0.47=1.13

➡ 1.21>1.13

09 ① 0.6   ② 0.6   ③ 0.006

④ 0.06   ⑤ 0.06

10 0.86>0.531>0.519>0.43

➡ 큰 수부터 차례로 놓았을 때 만들어지는 사자성어는 군계일학입니다.

참고 **군계일학**

무리지어 있는 닭 가운데 있는 한 마리의 학이라는 뜻으로 평범한 사람들 가운데 있는 뛰어난 한 사람을 이르는 말입니다.

11 • 2.3은 0.23의 10배 → □=10

• 15는 0.015의 1000배 → □=1000

• 10.3은 0.103의 100배 → □=100

➡ (□ 안에 들어갈 수의 합)

=10+1000+100=1110

12 (빈 바구니의 무게)

=(감자가 들어 있는 바구니의 무게)

-(감자의 무게)

=4.03-3.88=0.15 (kg)

13 □+1.68=5.23, □=5.23-1.68=3.55

14 0.1이 14개 → 1.4

0.01이 8개 → 0.08

1.48

➡ 1.48+2.73=4.21

15 1 m=0.001 km이므로

(학교~수영이네 집)=1250 m=1.25 km

➡ 2.1>1.25이므로 수영이네 집이

2.1-1.25=0.85 (km) 더 가깝습니다.

16 • 첫 번째 조건 → 4.□□□

• 첫 번째, 두 번째 조건 → 4.8□□

• 첫 번째, 두 번째, 세 번째 조건 → 4.8□3

➡ 4.8□3인 수 중 가장 작은 수는 4.803입니다.

17 6.05+2.19=8.24

8.24>8.□4에서 자연수 부분이 8로 같고, 소수 둘째 자리 수가 4로 같으므로 □ 안에는 2보다 작은 수가 들어가야 합니다. ➡ □=0, 1

18

채점 기준	❶ ♣는 12.7의 얼마인지 구하기	3점
	❷ ♣ 구하기	2점

19

채점 기준	❶ 바르게 계산하기	2점
	❷ 이유 쓰기	3점

20

채점 기준	❶ 끈의 길이의 합 구하기	2점
	❷ 매듭을 짓는 데 사용한 끈의 길이 구하기	3점

4. 사각형

STEP 1 개념 완성하기   088~089쪽

1
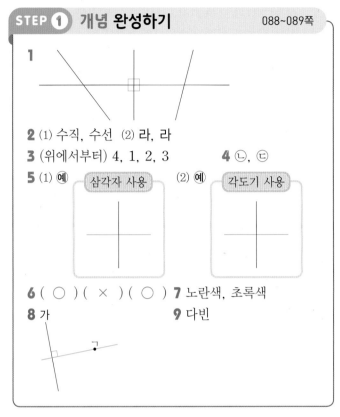

2 (1) 수직, 수선 (2) 라, 라

3 (위에서부터) 4, 1, 2, 3   **4** ㄴ, ㄷ

5 (1) 예
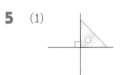
삼각자 사용

(2) 예

각도기 사용

6 (○) (×) (○)   **7** 노란색, 초록색

8 가   **9** 다빈

5 (1)
(2)

8 직각 삼각자에서 직각 부분의 한 변은 가 직선 가에, 다른 변은 점 ㄱ을 지나도 록 맞춘 후 수직인 직선을 긋습니다.

9 한 직선에 대한 수선은 셀 수 없이 많이 그을 수 있 습니다.

중요 한 점을 지나고 한 직선에 수직인 직선은 1개뿐입니다.

STEP 1 개념 완성하기   090~091쪽

1 90, 60, 90, 100 / 나, 라, 평행에 ○표

2 예

---

3 ④   **4** 변 ㄱㄴ, 변 ㄹㄷ   **5** 예

6 1.5 cm

7 가   **8** 예
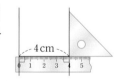

9 예

4 cm

5 직각 삼각자의 한 변을 주어진 직선과 수직이 되도록 맞추고 다른 직각 삼각 자를 사용하여 주어진 직선과 평행한 직선을 긋습니다.

7 직각 삼각자에서 직각 부분의 두 변을   가 각각 직선 **가**와 점 ㄱ에 맞추고 다른 직각 삼각자를 사용하여 점 ㄱ을 지나 고 직선 **가**와 평행한 직선을 긋습니다.

8 서로 만나지 않는 두 직선을 찾아 표시합니다.

9 주어진 직선을 자의 눈금과 겹쳐 놓고, 4 cm인 곳에 직각 삼각자 를 대고 평행한 직선을 긋습니다.

STEP 2 실력 다지기   092~097쪽

01 2군데   **02** ②

03 직선 나와 직선 다, 직선 나와 직선 마

04

05 선분 ㄱㄷ과 선분 ㄴㄹ   **06** 세희

07 3개   **08** 직선 다와 직선 마

09 ❶ ㉢ ▶2점 / ❷ 예 한 직선과 평행한 직선은 셀 수 없이 많습니다. ▶3점

10

11 예 ❶ 평행선이 각각 몇 쌍인지 알아보면
은제: 0쌍, 유민: 3쌍, 지훈: 1쌍 ▶3점
❷ 따라서 평행선이 가장 많은 도형을 그린 사람은
유민입니다. ▶2점 / 유민

12 변 ㄷㄴ, 변 ㄱㅇ, 변 ㅅㅂ **13** 7 cm

14 2 cm **15** 라 **16** 가

17

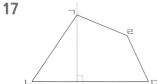

18 예 ❶ 점 ㄱ에서 각 변에 수직인 직선을 1개씩 그
을 수 있습니다. ▶3점
❷ 따라서 점 ㄱ에서 각 변에 그을 수 있는 수선은
모두 3개입니다. ▶2점 / 3개

19

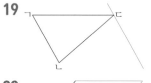

20 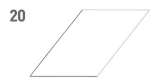 **21**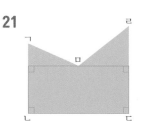

22 예

2.5 cm

23 가 나

2 cm 2 cm

24 3 cm **25** 4쌍

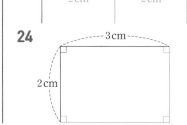

2 cm

---

26 예 ❶ 평행선은 선분 ㄱㅅ과 선분 ㄴㅂ,
선분 ㄱㅅ과 선분 ㄷㅁ, 선분 ㄴㅂ과 선분 ㄷㅁ,
선분 ㄱㄷ과 선분 ㅇㄹ, 선분 ㄱㄷ과 선분 ㅅㅁ,
선분 ㅇㄹ과 선분 ㅅㅁ입니다. ▶4점
❷ 따라서 평행선은 모두 6쌍입니다. ▶1점 / 6쌍

27 38° **28** 25° **29** 21 cm
30 4 cm **31** 70° **32** 135°

02 파란색 선분과 만나서 이루는 각이 직각인 선분을 찾
으면 ②입니다.

03 만나서 이루는 각이 직각인 두 직선은 직선 나와 직
선 다, 직선 나와 직선 마입니다.

04 두 변이 만나서 이루는 각이 직각인 부분을 찾습니다.

05 만나서 이루는 각이 직각인 두 선분은 선분 ㄱㄷ과
선분 ㄴㄹ입니다.

06 • 어진: 선분 ㄴㄹ과 서로 수직인 선분은 없습니다.
• 미란: 서로 수직인 선분은 1쌍입니다.

07 직선 가에 수직인 직선은 직선 다, 직선 마, 직선 바,
직선 아입니다.
→ 직선 다와 평행한 직선은 직선 마, 직선 바, 직선
아로 모두 3개입니다.

08 직선 다와 직선 마는 직선 나에 수직인 직선입니다.
→ 직선 다와 직선 마는 서로 평행합니다.

09

채점 기준	❶ 잘못된 것을 찾아 기호 쓰기	2점
	❷ 바르게 고치기	3점

10

→ ☆에는 서로 평행한 변이 없습니다.

11

채점 기준	❶ 평행선이 각각 몇 쌍인지 알아보기	3점
	❷ 평행선이 가장 많은 도형을 그린 사람 찾기	2점

12 아무리 늘여도 변 ㄹㅁ과 서로 만나지 않는 변은
변 ㄷㄴ, 변 ㄱㅇ, 변 ㅅㅂ입니다.

13 도형에서 평행한 변은 변 ㄱㅁ과 변 ㄴㄹ입니다.
→ (평행선 사이의 거리)＝(선분 ㅁㄷ)＝7 cm

14 변 ㄱㅁ과 변 ㄷㄹ이 서로 평행하므로 두 변 사이에
수직인 선분을 긋고, 그은 선분의 길이를 재어 봅니다.

15 평행선 사이의 거리를 알아보면

가: 24 cm, 나: 16 cm, 다: 24 cm, 라: 28 cm

➡ 평행선 사이의 거리가 가장 긴 도형은 라입니다.

16 각도기를 사용합니다. 각도기의 중 심을 점 ㄱ에, 각도기의 밑금을 직선 가에 맞춥니다. 각도기에서 90°가 되는 점과 점 ㄱ을 직선으로 잇습니다.

17 각도기나 직각 삼각자를 사용하여 꼭짓점 ㄱ을 지나고 변 ㄴㄷ에 수직인 직선을 긋습니다.

18

채점 기준	❶ 점 ㄱ에서 각 변에 그을 수 있는 수선의 개수 각각 구하기	3점
	❷ 그을 수 있는 수선은 모두 몇 개인지 구하기	2점

19 직각 삼각자에서 직각 부분의 한 변을 변 ㄱㄴ에, 다른 변을 꼭짓점 ㄷ에 맞춥니다. 다른 직각 삼각자를 사용하여 꼭짓점 ㄷ을 지나고 변 ㄱㄴ과 평행한 직선을 긋습니다.

20 주어진 선분의 한 끝점을 지나고 다른 선분에 평행하도록 직선을 각각 긋고, 그은 두 직선이 만나는 점을 꼭짓점으로 하여 사각형을 완성합니다.

21 (각 ㄱㄴㄷ)=(각 ㄴㄷㄹ)=90°이므로 꼭짓점 ㅁ을 지나면서 선분 ㄴㄷ에 평행한 직선을 그으면 가장 큰 직사각형이 만들어집니다.

22 왼쪽 그림의 평행선 사이의 거리는 2.5 cm입니다.

23 직선 가와 직선 나 사이에 두 직선과 동시에 평행선 사이의 거리가 2 cm가 되는 평행선을 긋습니다.

24 평행선 사이의 거리가 3 cm, 2 cm인 평행선을 각각 그은 후 두 직선이 만나는 점을 꼭짓점으로 하는 직사각형을 그려 봅니다.

25 약점 포인트 ●정답률 75%

❶ 가로쪽에 있는 선분에서 찾을 수 있는 평행선의 개수를 구합니다.

❷ 세로쪽에 있는 선분에서 찾을 수 있는 평행선의 개수를 구합니다.

❸ ❶과 ❷의 합을 구합니다.

 평행선: 선분 ㄱㅂ과 선분 ㄴㅁ, 선분 ㄱㅂ과 선분 ㄷㄹ, 선분 ㄴㅁ과 선분 ㄷㄹ, 선분 ㄱㄷ과 선분 ㅂㄹ ➡ 4쌍

26

채점 기준	❶ 평행선 모두 찾기	4점
	❷ 평행선은 모두 몇 쌍인지 구하기	1점

27 약점 포인트 ●정답률 75%

❶ 직선 가와 직선 나가 이루는 각의 크기를 구합니다.

❷ ㉠의 각도를 구합니다.

직선 가와 직선 나가 만나서 이루는 각의 크기는 90°입니다. ➡ 52°+㉠=90°, ㉠=90°−52°=38°

28 직선 위의 한 점을 꼭짓점으로 하는 각의 크기는 180°이고, 선분 ㄴㅁ과 선분 ㄷㅁ이 만나서 이루는 각의 크기는 90°입니다.

각 ㄷㅁㄹ의 크기를 □라 하면

65°+90°+□=180°, 155°+□=180°,

□=180°−155°=25°

29 약점 포인트 ●정답률 70%

❶ 도형의 변 중 변 ㄱㄴ과 변 ㄹㄷ에 수직인 변을 모두 찾습니다.

❷ ❶에서 찾은 변의 길이의 합을 구합니다.

변 ㄱㄴ과 변 ㄹㄷ 사이의 거리는 두 변에 각각 수직인 변의 길이의 합과 같습니다.

(변 ㄱㄴ과 변 ㄹㄷ 사이의 거리)

=(변 ㄱㅂ)+(변 ㅁㄹ)

=10+11=21(cm)

참고 (직선 가와 직선 다 사이의 거리)=㉠+㉡

30 (직선 가와 직선 다 사이의 거리)=18 cm

(직선 가와 직선 나 사이의 거리)=14 cm

➡ (직선 나와 직선 다 사이의 거리)

=18−14=4(cm)

31 약점 포인트 ●정답률 65%

❶ 직선 가와 직선 나 사이에 수선을 긋습니다.

❷ (삼각형의 세 각의 크기의 합)=180° 또는 (사각형의 네 각의 크기의 합)=360°임을 이용하여 ㉠의 각도를 구합니다.

오른쪽 그림의 점 ㄱ에서 직선 나에 수직인 직선을 그으면

㉡=90°−70°=20°

삼각형의 세 각의 크기의 합은 180°이므로

㉠=180°−90°−20°=70°

32 오른쪽 그림의 점 ㄱ에서 직선
가에 수직인 직선을 그으면
ⓒ$=90°-45°=45°$
삼각형의 세 각의 크기의 합은
$180°$이므로 ⓒ$=180°-90°-45°=45°$
직선 위의 한 점을 꼭짓점으로 하는 각의 크기는
$180°$이므로 ㉠$=180°-$ⓒ$=180°-45°=135°$

STEP ① 개념 완성하기   098~099쪽

1 ⑴ 변 ㄱㄴ과 변 ㄹㄷ ⑵ 사다리꼴
2 ⑴ 나, 다, 라, 바 ⑵ 평행사변형
3
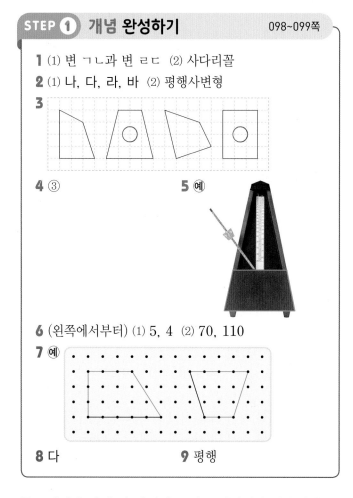
4 ③
5 (예)
6 (왼쪽에서부터) ⑴ 5, 4 ⑵ 70, 110
7 (예)
8 다   **9** 평행

5 평행한 변이 한 쌍이라도 있는 사각형을 찾습니다.
6 ⑴ 평행사변형은 마주 보는 두 변의 길이가 같습니다.
　⑵ 평행사변형은 마주 보는 두 각의 크기가 같습니다.
7 주어진 선분을 사용하여 평행한 변이 한 쌍이라도 있
　는 사각형을 그립니다.
8 마주 보는 두 쌍의 변이 서로 평행한 사각형을 찾습
　니다.
　참고 • 가, 나, 다, 라: 사다리꼴 • 다: 평행사변형
9 정사각형은 마주 보는 두 쌍의 변이 서로 평행하므로
　사다리꼴이라고 할 수 있습니다.

STEP ① 개념 완성하기   100~101쪽

1 나, 다   **2** 가, 다, 마, 바 / 다, 바
3 같고, 수직
4 ⑴ 가, 나, 다 ⑵ 가, 나, 다 ⑶ 가 ⑷ 가, 다 ⑸ 가
5 (위에서부터) ⑴ 50, 4 ⑵ 80, 3, 100
6
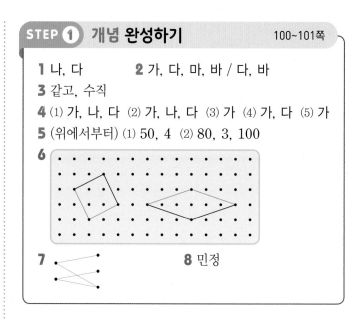
7   **8** 민정

5 마름모는 네 변의 길이가 모두 같고, 마주 보는 각의
　크기가 같습니다.
6 주어진 선분을 사용하여 네 변의 길이가 모두 같은
　사각형을 그립니다.
7 ⑴ 네 변의 길이가 모두 같은 사각형은 마름모, 정사
　　각형입니다.
　⑵ 네 각의 크기가 모두 같은 사각형의 한 각은 직각
　　입니다.
　　➡ 네 각이 모두 직각인 사각형은 직사각형, 정사
　　　각형입니다.
8 직사각형은 네 변의 길이가 모두 같은 것은 아니므로
　정사각형이라고 할 수 없습니다.

STEP ② 실력 다지기   102~107쪽

01 수빈   **02** ⓒ   **03** 마름모에 색칠
04 (예)
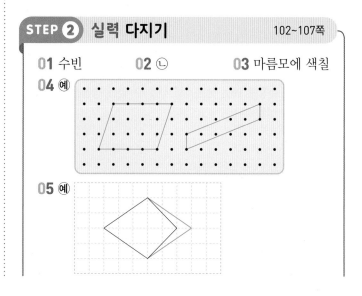
05 (예)

06 (예) **❶** 평행한 변이 없으므로 사다리꼴이 아닙니다.
▸3점

❷
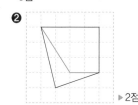
▸2점

07 사다리꼴, 평행사변형, 직사각형

08 (예)
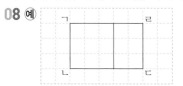
09 사다리꼴

10 (1) 가, 나, 다, 라, 마, 바 (2) 가, 다, 바
(3) 가 (4) 가, 바 (5) 가

11 **❶** ㄹ ▸2점

❷ (예) 사다리꼴에서 마주 보는 각의 크기가 다른 경우가 있습니다. ▸3점

12 정사각형, 직사각형에 색칠

13 (위에서부터) ×, ○, × **14** 정사각형

15 (예)
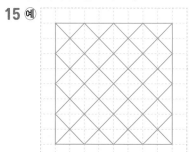
/ (예) 사다리꼴, 평행사변형, 마름모, 직사각형, 정사각형

16 (예)
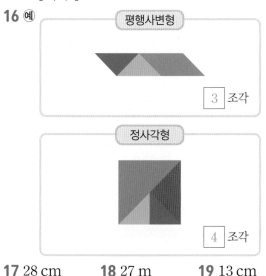

평행사변형
3 조각

정사각형
4 조각

17 28 cm   **18** 27 m   **19** 13 cm
20 150°   **21** 125

22 (예) **❶** 삼각형의 세 각의 크기의 합은 180°이므로
(각 ㄴㄷㄹ)＝180°－45°－45°＝90° ▸2점

❷ 마름모는 마주 보는 각의 크기가 같으므로
(각 ㄴㄱㄹ)＝(각 ㄴㄷㄹ)＝90° ▸3점 / 90°

23 (예) / 18장

24 / 20조각

25 ㄷ, ㄹ

26 (예)
/ 정사각형

27 6개   **28** 6개
29 (1) 30°, 30° (2) 60°   **30** 110°

---

02 평행한 변이 한 쌍 있으므로 사다리꼴입니다.
ㄴ 마주 보는 한 쌍의 변만 서로 평행합니다.

03 이어 붙인 도형의 네 변의 길이는 모두 같습니다.
➡ 이어 붙인 도형의 이름은 마름모입니다.

04 마주 보는 두 쌍의 변이 서로 평행하도록 사각형을 그립니다.

05 네 변의 길이가 모두 같게 되도록 한 꼭짓점을 옮겨서 그립니다.

06
채점기준	❶ 이유 쓰기	3점
	❷ 사다리꼴이 되도록 그리기	2점

07 같은 길이의 수수깡이 2개씩 있으므로 마주 보는 두 쌍의 변이 서로 평행하고, 네 각이 모두 직각인 사각형을 만들 수 있습니다.
➡ 사다리꼴, 평행사변형, 직사각형

08 가장 큰 정사각형을 만들어야 하므로 선분 ㄱㄴ 또는 선분 ㄹㄷ을 한 변으로 하는 정사각형을 만듭니다.

09 빗금 친 부분을 펼치면 오른쪽과 같은 사각형이 만들어집니다.
만들어진 사각형은 평행한 변이 한 쌍 있으므로 사다리꼴입니다.

10 (1) 평행한 변이 한 쌍이라도 있는 사각형을 찾습니다.
(2) 마주 보는 두 쌍의 변이 서로 평행한 사각형을 찾습니다.
(3) 네 변의 길이가 모두 같은 사각형을 찾습니다.
(4) 네 각이 모두 직각인 사각형을 찾습니다.
(5) 네 각이 모두 직각이고 네 변의 길이가 모두 같은 사각형을 찾습니다.

11
채점 기준	❶ 잘못된 것의 기호 쓰기	2점
	❷ 이유 쓰기	3점

12 네 각의 크기가 모두 같은 것은 아니므로 정사각형, 직사각형이 아닙니다.

참고 주어진 사각형은 사다리꼴, 평행사변형, 마름모라고 할 수 있습니다.

13 • 마름모의 네 각은 모두 직각이 아닐 수도 있으므로 정사각형이 아닙니다.
• 정사각형은 마주 보는 두 쌍의 변이 서로 평행하므로 사다리꼴입니다.
• 평행사변형의 네 각은 모두 직각이 아닐 수도 있으므로 직사각형이 아닙니다.

14 겹쳐진 부분은 네 각이 모두 직각이 아니므로 정사각형이 아닙니다.

15 수직인 선분과 평행한 선분을 교차하도록 그려서 모양을 만들 수 있습니다.

참고 수직과 평행을 이용하여 만든 모양에 따라 여러 가지 사각형을 찾을 수 있습니다.

16 칠교판 조각을 사용하여 여러 가지 방법으로 평행사변형과 정사각형을 만들어 봅니다.

17 직사각형은 마주 보는 변의 길이가 같습니다.
➡ (네 변의 길이의 합)$=9+5+9+5=28$(cm)

18 마름모는 네 변의 길이가 모두 같습니다.
➡ $108÷4=27$(m)이므로 한 변은 약 27 m입니다.

19 평행사변형은 마주 보는 변의 길이가 같습니다.
변 ㄴㄷ을 □cm라 하면
(네 변의 길이의 합)$=□+7+□+7=40$(cm),
$□+□+14=40$, $□+□=26$, $□=13$
➡ 변 ㄴㄷ은 13 cm입니다.

20 마름모는 이웃하는 두 각의 크기의 합이 $180°$입니다. $30°+㉠=180°$, $㉠=150°$

다른 풀이 마름모는 마주 보는 각의 크기가 같습니다.
$㉠+30°+㉠+30°=360°$, $㉠+㉠+60°=360°$,
$㉠+㉠=300°$, $㉠=150°$

21 평행사변형은 마주 보는 각의 크기가 같습니다.
➡ (각 ㄴㄷㄹ)$=$(각 ㄹㄱㄴ)$=55°$
직선 위의 한 점을 꼭짓점으로 하는 각의 크기는 $180°$이므로 □$=180°-55°=125°$

22
채점 기준	❶ 각 ㄴㄷㄹ의 크기 구하기	2점
	❷ 각 ㄴㄱㄹ의 크기 구하기	3점

23
약점 포인트 ● 정답률 75%

❶ 주어진 사다리꼴로 모눈종이를 빈틈없이 덮어 봅니다.
❷ (가로에 필요한 색종이 수)×(세로에 필요한 색종이 수)임을 이용하여 필요한 색종이의 수를 구합니다.

사다리꼴 모양의 색종이는 모눈종이의 가로에 6장, 세로에 3장 들어갑니다.
➡ (필요한 색종이 수)
$=$(가로에 필요한 색종이 수)
$×$(세로에 필요한 색종이 수)
$=6×3=18$(장)

24 마름모 모양의 조각은 주어진 도형의 가로에 5조각, 세로에 4조각 들어갑니다.
➡ (필요한 조각 수)
$=$(가로에 필요한 조각 수)×(세로에 필요한 조각 수)
$=5×4=20$(조각)

25
약점 포인트 ● 정답률 75%

❶ 첫 번째 조건에 해당하는 사각형을 찾습니다.
❷ 두 번째 조건에 해당하는 사각형을 찾습니다.
❸ ❶과 ❷를 모두 만족하는 사각형을 찾습니다.

• 마주 보는 변의 길이가 같은 사각형:
마름모, 직사각형, 정사각형
• 네 각의 크기가 모두 같은 사각형:
직사각형, 정사각형

26 • 마주 보는 두 쌍의 변이 서로 평행한 사각형:
평행사변형, 마름모, 직사각형, 정사각형
• 네 변의 길이가 모두 같은 사각형: 마름모, 정사각형
• 네 각의 크기가 모두 같은 사각형:
직사각형, 정사각형

27 **약점 포인트** ●정답률 70%

주어진 그림에서 위와 아래에 있는 변은 서로 평행하므로 나누어진 세 사각형은 모두 사다리꼴입니다.

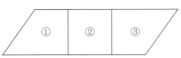

- 작은 사각형 1개짜리: ①, ②, ③ → 3개
- 작은 사각형 2개짜리: ①+②, ②+③ → 2개
- 작은 사각형 3개짜리: ①+②+③ → 1개
  ➡ (크고 작은 사다리꼴의 수)=3+2+1=6(개)

28

- 작은 사각형 1개짜리: ①, ④ → 2개
- 작은 사각형 2개짜리: ②+③ → 1개
- 작은 사각형 3개짜리: ①+②+③, ②+③+④
  → 2개
- 작은 사각형 4개짜리: ①+②+③+④ → 1개
  ➡ (크고 작은 평행사변형의 수)
  =2+1+2+1=6(개)

29 **약점 포인트** ●정답률 65%

❶ (각 ㄱㄷㄴ)=(각 ㅂㄷㄱ)임을 이용하여 각 ㄹㄷㅁ의 크기를 구합니다.
❷ 삼각형의 세 각의 크기의 합을 이용하여 각 ㄹㅁㄷ의 크기를 구합니다.

(1) 접힌 부분의 각도는 같으므로
  (각 ㅂㄷㄱ)=(각 ㄱㄷㄴ)=30°
  ➡ (각 ㄹㄷㅁ)=90°-30°-30°=30°

(2) 삼각형 ㅁㄷㄹ의 세 각의 크기의 합은 180°이므로 (각 ㄹㅁㄷ)=180°-30°-90°=60°

30 접힌 부분의 각도는 같으므로
ⓛ=180°-35°-35°=110°
사각형의 네 각의 크기의 합은
360°이므로
ⓒ=360°-90°-90°-110°=70°
➡ ㉠=180°-ⓒ=180°-70°=110°

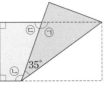

STEP ❸ 서술형 해결하기 108~111쪽

01 예 ❶ 90, 90°÷6=15° ▶3점
  ❷ 3, 15°×3=45° ▶2점 / 45°

02 예 ❶ 직선 가와 직선 나는 서로 수직이므로 두 직선이 만나서 이루는 각은 직각입니다.
  50°+㉠=90°, ㉠=90°-50°=40°
  ㉡+35°=90°, ㉡=90°-35°=55° ▶4점
  ❷ (㉠과 ㉡의 각도의 차)=55°-40°=15° ▶1점
  / 15°

03 예 ❶ 직선 가와 직선 나는 서로 수직이므로 두 직선이 만나서 이루는 각은 직각입니다.
  ㉠+40°=90°, ㉠=90°-40°=50°
  ㉡+15°=90°, ㉡=90°-15°=75° ▶4점
  ❷ (㉠과 ㉡의 각도의 차)=75°-50°=25° ▶1점
  / 25°

04 예 ❶ 같습니다에 ○표, 마름모, 7 ▶3점
  ❷ 5, 7×5=35(cm) ▶2점
  / 35 cm

05 예 ❶ 정사각형은 네 변의 길이가 모두 같습니다.
  (정삼각형의 한 변)=(정사각형의 한 변)=8 cm
  ▶3점
  ❷ 정삼각형은 세 변의 길이가 모두 같으므로 파란색 선은 길이가 8 cm인 선분이 7개입니다.
  ➡ (파란색 선의 길이)=8×7=56(cm) ▶2점
  / 56 cm

06 예 ❶ 정사각형은 네 변의 길이가 모두 같습니다.
  (평행사변형에서 모르는 변의 길이)
  =(정사각형의 한 변)=20 cm ▶3점
  ❷ 평행사변형은 마주 보는 변의 길이가 같으므로 초록색 선은 길이가 20 cm인 선분이 4개, 7 cm인 선분이 6개입니다.
  (20 cm인 선분 4개의 길이)=20×4=80(cm),
  (7 cm인 선분 6개의 길이)=7×6=42(cm)
  ➡ (초록색 선의 길이)=80+42=122(cm) ▶2점
  / 122 cm

07 예 ❶ 180, 180°, 180°-115°=65° ▶3점
  ❷ 90, 90°, 65°+90°=155° ▶2점 / 155°

08 예 ❶ 삼각형 ㄱㄴㄷ은 이등변삼각형이므로
  (각 ㄱㄷㄴ)=(각 ㄱㄴㄷ)=40°
  ➡ (각 ㄱㄷㄹ)=180°-(각 ㄱㄷㄴ)
  =180°-40°=140° ▶2점
  ❷ 마름모에서 이웃한 두 각의 크기의 합이 180°이므로 (각 ㄱㄷㄹ)+(각 ㅁㄹㄷ)=180°,
  140°+(각 ㅁㄹㄷ)=180°
  ➡ (각 ㅁㄹㄷ)=180°-140°=40° ▶3점 / 40°

09 예 ❶ 정삼각형의 한 각의 크기는 60°이므로

(각 ㄹㅁㄷ)=60°

➡ (각 ㄱㅁㄷ)=180°−60°=120° ▸2점

❷ 평행사변형에서 이웃한 두 각의 크기의 합이 180°이므로

(각 ㄱㅁㄷ)+(각 ㅁㄷㄴ)=180°,

120°+(각 ㅁㄷㄴ)=180°

➡ (각 ㅁㄷㄴ)=180°−120°=60° ▸3점 / 60°

10 예 ❶ 90°−45°=45°, 360,

360°−100°−45°−90°=125° ▸3점

❷ 180°−125°=55° ▸2점 / 55°

11 예 ❶ 점 ㄱ에서 직선 나에 수선을 긋고, 그은 수선 이 직선 나와 만나는 점을 점 ㄹ이라 하면

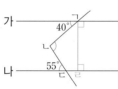

(각 ㄱㄹㄷ)=90°,

(각 ㄴㄱㄹ)=90°−35°=55°,

(각 ㄴㄷㄹ)=180°−40°=140° ▸3점

❷ 사각형 ㄱㄹㄷㄴ의 네 각의 크기의 합은 360°이 므로

(각 ㄱㄴㄷ)=360°−55°−90°−140°=75° ▸2점 / 75°

12 예 ❶ 점 ㄱ에서 직선 나에 수선을 긋고, 그은 수선이 직선 나와 만나는 점을 점 ㄹ이라 하면

(각 ㄱㄹㄷ)=90°,

(각 ㄴㄱㄹ)=90°−40°=50°,

(각 ㄴㄷㄹ)=180°−55°=125° ▸3점

❷ 사각형 ㄱㄴㄷㄹ의 네 각의 크기의 합은 360°이 므로

(각 ㄱㄴㄷ)=360°−50°−125°−90°=95° ▸2점 / 95°

01
채점 기준	❶ 작은 각 한 개의 각도 구하기	3점
	❷ 각 ㅂㄴㅅ의 크기 구하기	2점

02
채점 기준	❶ ㉠과 ㉡의 각도 각각 구하기	4점
	❷ ㉠과 ㉡의 각도의 차 구하기	1점

03
채점 기준	❶ ㉠과 ㉡의 각도 각각 구하기	4점
	❷ ㉠과 ㉡의 각도의 차 구하기	1점

04
채점 기준	❶ 정삼각형의 한 변의 길이 구하기	3점
	❷ 빨간색 선의 길이 구하기	2점

중요 • 마름모는 네 변의 길이가 모두 같습니다.

• 정삼각형은 세 변의 길이가 모두 같습니다.

05
채점 기준	❶ 정삼각형의 한 변의 길이 구하기	3점
	❷ 파란색 선의 길이 구하기	2점

06
채점 기준	❶ 평행사변형에서 모르는 변의 길이 구하기	3점
	❷ 초록색 선의 길이 구하기	2점

07
채점 기준	❶ ㉡의 각도 구하기	3점
	❷ ㉠의 각도 구하기	2점

08
채점 기준	❶ 각 ㄱㄷㄹ의 크기 구하기	2점
	❷ 각 ㅁㄹㄷ의 크기 구하기	3점

09
채점 기준	❶ 각 ㄱㅁㄷ의 크기 구하기	2점
	❷ 각 ㅁㄹㄴ의 크기 구하기	3점

10
채점 기준	❶ ㉢의 각도 구하기	3점
	❷ ㉠의 각도 구하기	2점

중요 두 직선이 서로 수직일 때 두 직선이 만나서 이루는 각은 직 각(90°)입니다.

11
채점 기준	❶ 점 ㄱ에서 직선 나에 수선을 그은 후 여러 각의 크기 구하기	3점
	❷ 각 ㄱㄴㄷ의 크기 구하기	2점

12
채점 기준	❶ 점 ㄱ에서 직선 나에 수선을 그은 후 여러 각의 크기 구하기	3점
	❷ 각 ㄱㄴㄷ의 크기 구하기	2점

단원 마무리
112~114쪽

01

02 가, 나, 다, 라, 마, 바　　**03** 나, 다, 라, 마

04 나, 다　　**05** ㉣　　**06** 2 cm

07 6개

08 예
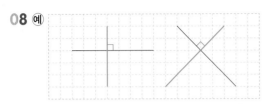

09 (왼쪽에서부터) 55, 125, 9   **10** 예

11
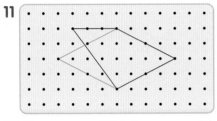

12 ㉡   **13** 2쌍   **14** ①

15 예

16 40°   **17** 13 cm

18 ❶ 마름모입니다. ▶2점

❷ 예 정사각형은 네 변의 길이가 모두 같기 때문에 마름모입니다. ▶3점

19 예 ❶ 도형에서 평행선을 찾으면 변 ㄱㄴ과 변 ㄹㄷ 입니다. ▶3점

❷ 변 ㄱㄴ과 변 ㄹㄷ 사이에 수선을 그어 길이를 재면 4 cm입니다. ▶2점 / 4 cm

20 예 ❶ 점 ㄱ에서 직선 나에 수선을 그으면

㉡=90°−30°=60°

▶3점

❷ 사각형의 네 각의 크기의 합은 360°이므로

㉠=360°−60°−110°−90°=100° ▶2점 / 100°

---

03 마주 보는 두 쌍의 변이 서로 평행한 사각형을 찾습니다.

04 네 변의 길이가 모두 같은 사각형을 찾습니다.

06 ㉣의 길이를 자로 재어 보면 2 cm입니다.

07 선을 따라 잘라 낸 도형 중 평행한 변이 한 쌍이라도 있는 사각형을 찾으면 모두 6개입니다.

08 참고 모눈종이의 가로선과 세로선은 서로 수직이므로 가로선에 대한 수선은 세로선입니다.

09 마름모는 네 변의 길이가 모두 같고, 마주 보는 두 각의 크기가 같습니다.

10 직각 삼각자의 한 변을 주어진 직선과 수직이 되도록 맞추고, 다른 직각 삼각자를 사용하여 주어진 직선과 평행한 직선을 긋습니다.

11 한 꼭짓점을 옮겨서 네 변의 길이가 모두 같은 사각형을 만들어 봅니다.

12 ㉠ 평행사변형은 사다리꼴이라고 할 수 있지만 사다리꼴은 모두 평행사변형이라고 할 수 없습니다.

㉡ 마름모는 네 변의 길이가 모두 같으므로 이웃하는 두 변의 길이가 항상 같습니다.

㉢ 직사각형에는 서로 평행한 변이 두 쌍 있습니다.

㉣ 사다리꼴 중 마주 보는 두 각의 크기가 같지 않은 것이 있습니다.

13 평행선은 직선 가와 직선 나, 직선 라와 직선 바로 모두 2쌍입니다.

14 점 ㄱ을 지나고 직선 가에 수직인 직선은 1개 그을 수 있습니다.

15 • 마주 보는 두 쌍의 변이 서로 평행한 사각형: 평행사변형, 마름모, <u>직사각형</u>, <u>정사각형</u>

• 네 각의 크기가 모두 같은 사각형: <u>직사각형</u>, <u>정사각형</u>

➡ 직사각형 또는 정사각형을 그립니다.

16 평행사변형에서 이웃한 두 각의 크기의 합이 180°이므로 (각 ㄱㄴㄷ)=180°−40°=140°

➡ (각 ㄱㄴㅁ)=180°−(각 ㄱㄴㄷ)
=180°−140°=40°

17 (직선 가와 직선 나 사이의 거리)=8 cm
(직선 나와 직선 다 사이의 거리)=5 cm

➡ (직선 가와 직선 다 사이의 거리)
=8+5=13(cm)

18 채점 기준	❶ 마름모인지, 아닌지 쓰기	2점
	❷ 이유 쓰기	3점

19 채점 기준	❶ 도형에서 평행선 찾기	3점
	❷ 평행선 사이의 거리 재기	2점

20 채점 기준	❶ 점 ㄱ에서 직선 나에 수선을 그은 후 ㉡의 각도 구하기	3점
	❷ ㉠의 각도 구하기	2점

5. 꺾은선그래프

개념 완성하기   118~119쪽

1 꺾은선그래프   **2** 1℃
3 18℃, 15℃
4 예 (나) 그래프는 물결선이 있습니다.
5 (나) 그래프   **6** 화요일
7 10명   **8** 예 150명
9 2015년, 2017년   **10** 2007년, 2009년

2 세로 눈금 5칸: 5℃
➡ 세로 눈금 한 칸: 5÷5=1(℃)

5 (나) 그래프: 물결선을 사용하였기 때문에 세로 눈금의 칸이 넓어져서 턱걸이 횟수의 값을 더 읽기 편합니다.

6 점이 가장 낮게 찍힌 때는 화요일입니다.

7 세로 눈금 5칸: 50명
➡ 세로 눈금 한 칸: 50÷5=10(명)

8 2013년과 2015년의 중간점이 가리키는 곳의 세로 눈금을 읽으면 150명입니다.

9 선이 가장 많이 기울어진 부분을 찾으면 2015년과 2017년 사이입니다.

10 선이 가장 적게 기울어진 부분을 찾으면 2007년과 2009년 사이입니다.

6 예
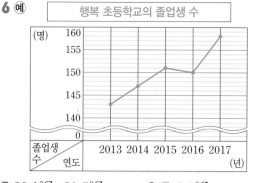
행복 초등학교의 졸업생 수

7 20.1℃, 21.5℃   **8** 예 0.1℃

9 예
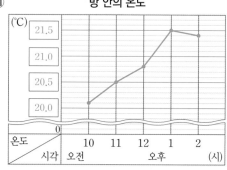
방 안의 온도

3 표를 보고 가로 눈금과 세로 눈금이 만나는 자리에 점을 찍고, 점들을 선분으로 잇습니다.

5 가장 적은 졸업생 수인 143명을 나타낼 수 있어야 하므로 물결선 위로 140부터 나타내는 것이 좋습니다.

7 가장 낮은 온도와 가장 높은 온도를 모두 나타낼 수 있어야 합니다.

8 온도를 소수 첫째 자리까지 조사하였으므로 세로 눈금 한 칸의 크기는 0.1℃로 하는 것이 좋습니다.

9 세로 눈금 한 칸의 크기를 0.1℃로 하여 꺾은선그래프를 그립니다.

개념 완성하기   120~121쪽

1 출생아 수   **2** 1명
3
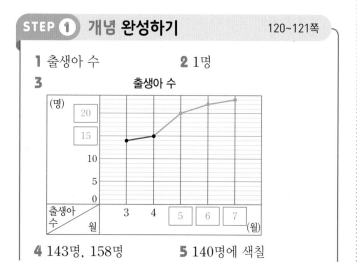
출생아 수

4 143명, 158명   **5** 140명에 색칠

개념 완성하기   122~123쪽

1 14.7, 14.5, 14.4, 14.1
2 예

100 m 달리기 기록

3 예 점점 좋아지고 있다고 말할 수 있습니다.
4 2타

5 성수의 타수

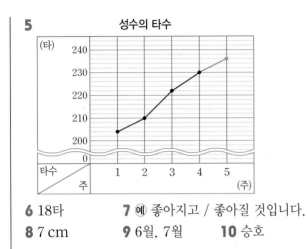

6 18타   **7** ⑩ 좋아지고 / 좋아질 것입니다.

8 7 cm   **9** 6월, 7월   **10** 승호

6 1주의 타수: 204타, 3주의 타수: 222타
➡ (타수의 차)＝222－204＝18(타)

7 선이 오른쪽 위로 올라가고 있으므로 성수의 타수는 점점 좋아지고 있습니다.

8 세로 눈금 한 칸: 1 cm
➡ 4월 1일의 식물의 키: 7 cm

9 선이 가장 많이 기울어진 부분을 찾습니다.

10 주연: 3월 1일부터 4월 1일까지 세로 눈금 2칸만큼 자랐으므로 식물의 키는 2 cm 자랐습니다.
승호: 선의 기울기가 점점 가파르게 변하므로 식물의 키는 시간이 지나면서 빠르게 자랐습니다.

STEP ② 실력 다지기   124~129쪽

01 7대, 5대, 9대   **02** ㉢

03 ⑩

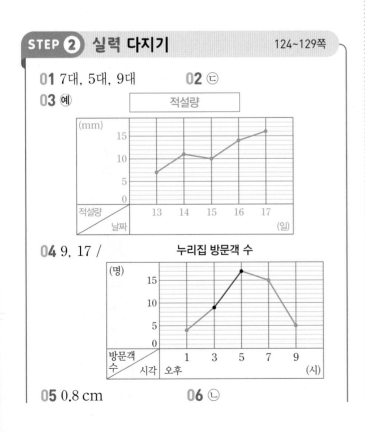

04 9, 17 / 누리집 방문객 수

05 0.8 cm   **06** ㉡

07 ⑩ 학급문고에서 빌려간 책 수

08 93.6 / ⑩ 사용한 물의 양

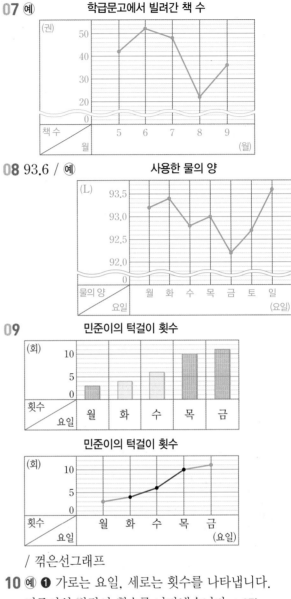

09 민준이의 턱걸이 횟수

민준이의 턱걸이 횟수

/ 꺾은선그래프

10 ⑩ ❶ 가로는 요일, 세로는 횟수를 나타냅니다.
민준이의 턱걸이 횟수를 나타냈습니다. ▶3점
❷ 민준이의 턱걸이 횟수를 막대그래프는 막대로, 꺾은선그래프는 선으로 이어 그렸습니다. ▶2점

11 식물의 키의 변화

12 ⑩ ○○지역의 강수량

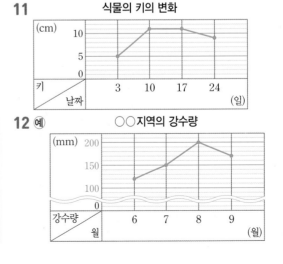

13 9살, 4 cm

14 ❶ 아이스크림 ▶2점

❷ 예 월요일부터 목요일까지 선이 더 많이 기울어져 있기 때문입니다. ▶3점

15

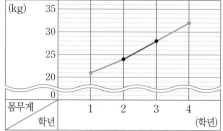
현우의 몸무게

16 예 15 mm　　　　**17** 꺾은선그래프

18 예

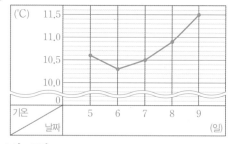
최저 기온

/ 6일, 7일

19 ㉢

20 예 해 뜨는 시각은 늦어지고 있고, 해 지는 시각은 빨라지고 있습니다. ▶5점

21 2015년　　　**22** 2016　　　**23** 예 6000상자

24 예 **❶** 52 kg ▶2점

❷ 2005년부터 1인당 쌀 소비량이 5년마다 10 kg씩 줄어들고 있으므로 2020년의 1인당 쌀 소비량은 62−10=52(kg)이 될 것입니다. ▶3점

02 ㉢ 콩나물의 키가 가장 큰 때: 금요일(12 cm)
콩나물의 키가 가장 작은 때: 월요일(2 cm)
➡ 12−2=10(cm)

03 가로 눈금: 날짜, 세로 눈금: 적설량
➡ 세로 눈금 한 칸의 크기를 1 mm로 하여 세로 눈금에 수를 써넣습니다.
➡ 가로 눈금과 세로 눈금이 만나는 자리에 점을 찍고 선분으로 잇습니다.
➡ 꺾은선그래프의 제목을 씁니다.

05 세로 눈금 한 칸: 0.2 cm
4월: 143.4 cm, 5월: 144.2 cm
➡ 144.2−143.4=0.8(cm)

06 ㉡ 목요일: 37회, 금요일: 38회
➡ 38−37=1(회)

07 0과 22 사이에 자료값이 없으므로 20권 밑부분은 물결선으로 나타냅니다.

08 일요일: 92.7+0.9=93.6(L)
92.2 L부터 93.6 L까지 나타내어야 하므로 세로 눈금 한 칸의 크기는 0.1 L로 하고, 92.0 L 밑부분은 물결선으로 나타냅니다.

09 •막대그래프에서 월요일은 3회, 목요일은 10회, 금요일은 11회입니다.
•꺾은선그래프에서 화요일은 4회, 수요일은 6회입니다.

10

채점 기준	❶ 막대그래프와 꺾은선그래프의 같은 점 쓰기	3점
	❷ 막대그래프와 꺾은선그래프의 다른 점 쓰기	2점

11 3일: 5 cm, 10일: 11 cm, 17일: 11 cm,
24일: 9 cm
그래프에 알맞게 점을 찍은 다음 선분으로 잇습니다.

12 6월: 120 mm, 7월: 150 mm, 8월: 200 mm,
9월: 170 mm
강수량을 120 mm부터 200 mm까지 나타내면 되므로 100 mm 밑부분은 물결선으로 나타냅니다.

13 선이 가장 많이 기울어진 때는 8살과 9살 사이이므로 앉은키가 1년 전에 비해 가장 많이 자란 때는 9살입니다. ➡ 자란 앉은키: 4 cm

14

채점 기준	❶ 판매량의 변화가 더 크게 나타난 것 쓰기	2점
	❷ 이유 쓰기	3점

15 •2학년 때 현우의 몸무게: 24 kg
➡ 1학년 때 현우의 몸무게: 24−3=21(kg)
•4학년 때 현우의 몸무게: 21+11=32(kg)

16 양초에 불을 붙이고 3분 후 양초의 길이는 19 mm, 5분 후 양초의 길이는 11 mm입니다. 19 mm와 11 mm의 중간값이 15 mm이므로 4분 후 양초의 길이는 15 mm라고 예상할 수 있습니다.

17

약점 포인트　　　　　　　　●정답률 75%

•자료의 양을 비교할 때 ➡ 그림그래프, 막대그래프
•자료의 변화 정도를 알아볼 때 ➡ 꺾은선그래프

시간에 따른 인구의 변화를 나타내므로 꺾은선그래프로 나타내는 것이 가장 알맞습니다.

18 자료의 변화 정도를 알아보는 내용은 꺾은선그래프로 나타내는 것이 좋습니다. 선이 가장 적게 기울어진 부분을 찾으면 6일과 7일 사이입니다.

19 ●정답률 70%

❶ 두 그래프의 세로 눈금 한 칸의 크기를 각각 알아봅니다.
❷ ❶에서 구한 것을 바탕으로 그래프의 내용을 확인합니다.

ⓛ 5월의 두 사람의 몸무게는 31.2 kg으로 같습니다.
ⓒ 7월 1일의 은주의 몸무게는 30.6 kg, 윤석이의 몸무게는 32.6 kg이므로 몸무게의 차는 $32.6-30.6=2\,(\mathrm{kg})$입니다.

20

채점 기준	두 그래프를 비교하여 알 수 있는 내용 쓰기	5점

다른 정답 25일의 해 뜨는 시각은 오전 7시 17분, 해 지는 시각은 오후 5시 18분이라고 예상할 수 있습니다.

21 ●정답률 70%

❶ 두 선이 만나는 곳을 찾습니다.
❷ ❶에서 찾은 곳의 가로 눈금을 읽습니다.

두 선이 한 점에서 만나는 부분을 찾아보면 2015년입니다.

22 안경을 쓴 남학생 수가 안경을 쓴 여학생 수보다 많은 때는 남학생 수를 나타내는 선(빨간색)이 여학생 수를 나타내는 선(파란색)보다 위쪽에 있을 때입니다.

23 ●정답률 70%

❶ 3월부터 7월까지 아이스크림 생산량이 몇 상자씩 증가했는지 알아봅니다.
❷ ❶을 이용하여 8월의 아이스크림 생산량을 예상해 봅니다.

3월부터 매달 아이스크림 생산량이 60상자씩 증가하고 있습니다.
➡ 8월의 생산량: $5940+60=6000$(상자)

24

채점 기준	❶ 2020년의 쌀 소비량 예상하기	2점
	❷ 이유 쓰기	3점

STEP ❸ 서술형 해결하기 130~131쪽

01 예 ❶ 적게에 ○표, 8 ▶2점

❷ 8 / 8월, 세로, 20.5 kg / 8월, 세로, 20.4 kg
▶3점
/ 20.5 kg, 20.4 kg

02 예 ❶ 인형 생산량의 차가 가장 큰 때는 두 선 사이의 간격이 가장 많이 벌어진 때인 8월입니다. ▶2점
❷ 8월에 가 공장의 인형 생산량은 1100개, 나 공장의 인형 생산량은 600개입니다.
➡ (인형 생산량의 합)$=1100+600=1700$(개)
▶3점 / 1700개

03 예 ❶ 온도의 차가 가장 큰 때는 두 선 사이의 간격이 가장 많이 벌어진 때인 오후 1시입니다. ▶2점
❷ 오후 1시에 교실의 온도는 14℃, 강당의 온도는 20℃입니다.
➡ (온도의 차)$=20-14=6$(℃) ▶3점 / 6℃

04 예 ❶ $135.2-135=0.2\,(\mathrm{cm})$,
$135.6-135.2=0.4\,(\mathrm{cm})$,
$136.2-135.6=0.6\,(\mathrm{cm})$ ▶3점
❷ 0.8, $136.2+0.8=137\,(\mathrm{cm})$ ▶2점
/ 예 137 cm

05 예 ❶ 매월 늘어난 판매량을 구하면
5월~6월: $110-100=10$(대),
6월~7월: $130-110=20$(대),
7월~8월: $160-130=30$(대),
8월~9월: $200-160=40$(대) ▶3점
❷ 10월의 냉장고 판매량은 9월의 냉장고 판매량보다 50대 늘어난다고 예상할 수 있습니다.
(10월의 냉장고 판매량)$=200+50=250$(대) ▶2점
/ 예 250대

06 예 ❶ 오리의 수는 2014년에 2마리, 2015년에 4마리, 2016년에 8마리, 2017년에 16마리이므로 매년 오리의 수는 전년도 오리의 수의 2배가 됩니다. ▶3점
❷ 따라서 2018년 오리의 수는 2017년 오리의 수의 2배라고 예상할 수 있습니다.
➡ (2018년의 오리의 수)$=16\times2=32$(마리) ▶2점
/ 예 32마리

01

채점 기준	❶ 몸무게의 차가 가장 작은 때 구하기	2점
	❷ 몸무게의 차가 가장 작은 때의 몸무게 구하기	3점

02

채점 기준	❶ 인형 생산량의 차가 가장 큰 때 구하기	2점
	❷ 인형 생산량의 차가 가장 큰 때의 생산량의 합 구하기	3점

03

채점 기준	❶ 온도의 차가 가장 큰 때 구하기	2점
	❷ 온도의 차가 가장 큰 때의 온도의 차 구하기	3점

04

채점 기준	❶ 재희의 키는 매월 몇 cm 자랐는지 구하기	3점
	❷ 7월 15일의 재희의 키 예상하기	2점

05

채점 기준	❶ 판매량은 매월 몇 대 늘어났는지 구하기	3점
	❷ 10월의 냉장고 판매량 예상하기	2점

06

채점 기준	❶ 오리의 수는 매년 어떻게 늘어났는지 구하기	3점
	❷ 2018년 12월 31일의 오리의 수 예상하기	2점

단원 마무리

132~134쪽

01 꺾은선그래프　**02** 1℃　**03** 18℃
04 예 14℃　**05** 날짜, 키　**06** 예 1 cm
07

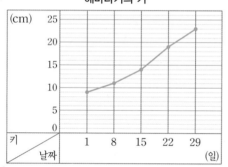
해바라기의 키

08 9 cm　**09** 2014년　**10** 2015년, 2016년
11 주영　**12** 예 50개, 1개
13 예

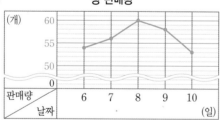
빵 판매량

14 예 33.2 kg
15 예

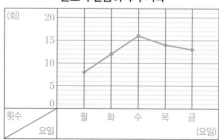
은호의 팔굽혀펴기 기록

16 8월　　**17** 50명

18 예 ❶ 2015년의 동생의 몸무게는 18 kg입니다. ▶3점
❷ 시간이 지날수록 동생의 몸무게는 무거워지고 있습니다. ▶2점
19 예 ❶ 세호의 동생의 몸무게는 2013년에 12 kg, 2017년에 22 kg입니다. ▶3점
❷ 따라서 세호의 동생의 몸무게는
22−12＝10(kg) 늘어났습니다. ▶2점 / 10 kg
20 예 ❶ 2014년부터 2017년까지 세호의 동생의 몸무게는 매년 2 kg씩 늘어났습니다. ▶2점
❷ 2017년의 세호의 동생의 몸무게가 22 kg이므로 2018년의 세호의 동생의 몸무게는 22＋2＝24(kg) 이라고 예상할 수 있습니다. ▶3점 / 예 24 kg

08 (15일부터 29일까지 자란 키)＝23−14＝9(cm)

09 초등학생 수가 4600명인 때의 가로 눈금을 읽으면 2014년입니다.

10 선이 가장 많이 기울어진 부분을 찾으면 2015년과 2016년 사이입니다.

12 가장 적은 빵 판매량을 나타낼 수 있어야 하므로 세로 눈금의 시작은 50개로 하는 것이 좋습니다.

13 50개 밑부분은 물결선으로 나타냅니다.

14 3월 1일의 몸무게인 32.9 kg과 5월 1일의 몸무게인 33.5 kg의 중간값은 33.2 kg이므로 4월 1일의 아현이의 몸무게는 33.2 kg이라고 예상할 수 있습니다.

16 중요 남자 관람객 수와 여자 관람객 수가 같은 때는 두 선이 만나는 곳의 가로 눈금을 읽습니다.

17 두 선 사이의 간격이 가장 많이 벌어진 때: 6월
6월의 남자 관람객 수: 610명,
6월의 여자 관람객 수: 560명
➡ (관람객 수의 차)＝610−560＝50(명)

18

채점 기준	❶ 알 수 있는 내용 1가지 쓰기	3점
	❷ 알 수 있는 다른 내용 1가지 쓰기	2점

19

채점 기준	❶ 2013년과 2017년의 세호의 동생의 몸무게 각각 구하기	3점
	❷ 2013년부터 2017년까지 늘어난 세호의 동생의 몸무게 구하기	2점

20

채점 기준	❶ 2014년부터 2017년까지 매년 늘어난 세호의 동생의 몸무게 구하기	2점
	❷ 2018년의 세호의 동생의 몸무게 예상하기	3점

6. 다각형

140~141쪽

STEP ① 개념 완성하기

1 가, 나, 라, 마 2 다각형
3 (○) (   ) (○) 4 다 5 칠각형
6 (1) 정육각형 (2) 정오각형
7 [교차된 선]
8 (1) 예 [오각형] (2) 예 [칠각형]
9 예

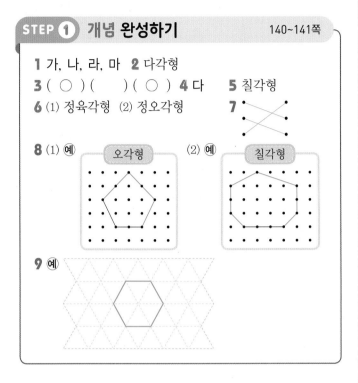

5 변이 7개인 다각형이므로 칠각형입니다.

6 (2) 변이 5개인 정다각형이므로 정오각형입니다.

7 (1) 변이 6개인 다각형이므로 육각형입니다.
　(2) 변이 8개인 다각형이므로 팔각형입니다.
　(3) 변이 5개인 다각형이므로 오각형입니다.

8 (1) 오각형이므로 변이 5개인 도형을 그립니다.

9 6개의 변의 길이와 6개의 각의 크기가 모두 같은 육각형을 그립니다.

142~143쪽

STEP ① 개념 완성하기

1 (○) (   )
2 [마름모에 대각선] 3 4개
4

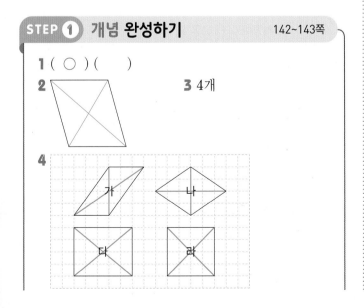

---

5 (1) 다, 라 (2) 나, 라 (3) 가, 나, 다, 라
6 선분 ㄱㄷ, 선분 ㄴㄹ
7 [팔각형 대각선] / 20개 8 다, 가, 나
9 20

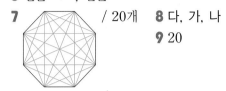

5 참고 • 두 대각선의 길이가 같은 사각형: 직사각형, 정사각형
　• 두 대각선이 서로 수직으로 만나는 사각형:
　　정사각형, 마름모
　• 한 대각선이 다른 대각선을 똑같이 둘로 나누는 사각형:
　　직사각형, 정사각형, 평행사변형, 마름모

6 서로 이웃하지 않는 두 꼭짓점을 이은 선분을 찾습니다.

7 서로 이웃하지 않는 두 꼭짓점을 선분으로 이으면 대각선은 모두 20개입니다.

8 가: 2개　나: 대각선을 그을 수 없습니다.　다: 9개
　➡ 다＞가＞나
　참고 꼭짓점의 수가 많을수록 그을 수 있는 대각선의 수는 많습니다.

9 직사각형의 두 대각선의 길이는 같습니다.

144~145쪽

STEP ① 개념 완성하기

1 삼각형, 사각형에 ○표 2 6개
3 (○) (   ) (   ) 4 삼각형, 사각형
5 ㉡ 6 예 [삼각형] / 예 [평행사변형]
7 예 [평행사변형]
8 (1) 예 [마름모] (2) 슬기

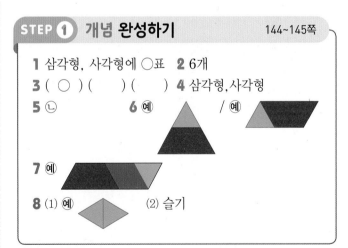

4 가: △ ➡ 삼각형　나: ▱ ➡ 사각형

5 ㉡ 길이가 서로 같은 변끼리 이어 붙여서 채웠습니다.

7 큰 모양 조각부터 먼저 놓으면 평행사변형을 쉽게 만들 수 있습니다.

8 (1) 만들 수 있는 사각형은 마름모입니다.
　(2) 주원: 마름모는 두 대각선의 길이가 서로 다릅니다.

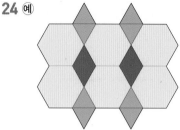

STEP 2 실력 다지기
146~151쪽

01 4개

02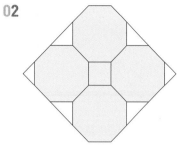

03 예 다각형은 선분으로만 둘러싸인 도형인데 주어진
도형에는 곡선이 있으므로 다각형이 아닙니다. ▶5점

04 정이십각형

05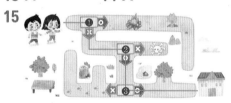

06 나, 칠각형

07 18 m

08 5 cm

09 예 ❶ 정다각형은 변의 길이가 모두 같으므로
변은 36÷4=9(개)입니다. ▶3점
❷ 변이 9개인 정다각형은 정구각형입니다. ▶2점
/ 정구각형

10 1080°   **11** 140°   **12** 정십각형

13 90°   **14** 90°

15

16 7개

17 ❶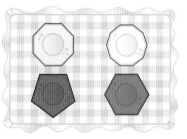
▶2점
❷ 예 꼭짓점의 수가 많은 다각형일수록 더 많은
대각선을 그을 수 있습니다. ▶3점

18 9개

19 방법 1 예   방법 2 예

20 예   / 물고기

---

21 직사각형   **22** 6개   **23** 예

24 예

25 14 cm   **26** 20 cm

27 (1) 예   (2) 720° (3) 120°

28 예 ❶ 정팔각형은 삼각형 6개로 나눌 수 있으므로
(정팔각형의 모든 각의 크기의 합)
=180°×6=1080° ▶3점
❷ 정팔각형은 8개 각의 크기가 모두 같으므로
(정팔각형의 한 각의 크기)
=1080°÷8=135° ▶2점 / 135°

29 정육각형   **30** 정칠각형   **31** 다

32 ❶ 바닥을 빈틈없이 채울 수 없습니다. ▶2점
❷ 예 정오각형은 삼각형 3개로 나눌 수 있으므로
(모든 각의 크기의 합)=180°×3=540°
➡ (한 각의 크기)=540°÷5=108°
108°+108°+108°=324°,
108°+108°+108°+108°=432°이므로 바닥을
빈틈없이 채울 수 없습니다. ▶3점

03

채점 기준	다각형이 아닌 이유 쓰기	5점

04 선분으로만 둘러싸여 있고 변이 20개이므로 이십각
형이고, 변의 길이와 각의 크기가 모두 같으므로 정
이십각형입니다.

05 변이 5개인 접시는 빨간색, 변이 6개인 접시는 파란
색, 변이 8개인 접시는 노란색으로 색칠합니다.

06 가: 4개, 나: 7개, 다: 5개, 라: 4개
➡ 변의 수가 가장 많은 다각형은 나이고, 나의 이름
은 칠각형입니다.

07 정육각형은 6개의 변의 길이가 모두 같으므로
(울타리의 길이)=3×6=18(m)

08 정십이각형은 12개의 변의 길이가 모두 같으므로
(한 변)=60÷12=5(cm)

09

채점 기준	❶ 정다각형의 변의 수 구하기	3점
	❷ 정다각형의 이름 쓰기	2점

10 정팔각형에는 각이 8개 있고 그 크기는 모두 같습니다.
➡ (정팔각형의 모든 각의 크기의 합)
=135°×8=1080°

11 정구각형에는 각이 9개 있고 그 크기는 모두 같습니다.
➡ (정구각형의 한 각의 크기)=1260°÷9=140°

12 정다각형은 모든 각의 크기가 같고,
144°×10=1440°이므로 정십각형입니다.

13 정사각형은 두 대각선이 서로 수직으로 만나므로
(각 ㄱㅇㄴ)=90°입니다.

14 만들어진 도형은 네 변의 길이가 모두 같으므로 마름
모입니다.
마름모의 두 대각선은 서로 수직으로 만나므로 접어
서 생긴 두 선분이 이루는 각도는 90°입니다.

16

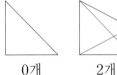

0개　　　2개　　　5개

➡ 0+2+5=7(개)

17

채점 기준	❶ 표시된 꼭짓점에서 대각선 긋기	2점
	❷ 알게 된 점 쓰기	3점

18 변이 6개인 다각형은 육각형입니다.
육각형에는 대각선을 9개 그을 수 있습니다.

참고 (대각선의 수)
=(한 꼭짓점에서 그을 수 있는 대각선의 수)
×(꼭짓점의 수)÷2
예 (육각형의 대각선의 수)=3×6÷2=18÷2=9

19 한 가지 모양 조각을 여러 번 사용하여 변의 길이와
각의 크기가 모두 같은 육각형을 만듭니다.

20 길이가 같은 변끼리 겹치지 않게 이어 붙여 모양을
만들어 봅니다.

21 • 정삼각형:

• 사다리꼴, 평행사변형:

22 대각선을 몇 개 그어 보면 모
양 조각이 놓일 자리를 쉽게
알 수 있습니다.

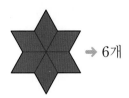 ➡ 6개

25 **약점 포인트**　　●정답률 75%

❶ 마름모의 대각선의 성질을 이용하여 선분 ㄱㅇ과 선
분 ㄹㅇ의 길이를 각각 구합니다.
❷ ❶에서 구한 두 길이의 합을 구합니다.

마름모는 한 대각선이 다른 대각선을 똑같이 둘로 나
누므로
(선분 ㄱㅇ)=10÷2=5(cm),
(선분 ㄹㅇ)=18÷2=9(cm)
➡ (선분 ㄱㅇ)+(선분 ㄹㅇ)=5+9=14(cm)

26 평행사변형은 한 대각선이 다른 대각선을 똑같이 둘
로 나누므로
(선분 ㄱㄷ)=6×2=12(cm),
(선분 ㄴㄹ)=4×2=8(cm)
➡ (두 대각선의 길이의 합)=12+8=20(cm)

27 **약점 포인트**　　●정답률 75%

정육각형은 삼각형 4개로 나눌 수 있습니다.

⑵ (정육각형의 모든 각의 크기의 합)
=(삼각형의 세 각의 크기의 합)×4
=180°×4=720°
⑶ (정육각형의 한 각의 크기)=720°÷6=120°

다른 풀이 정육각형은 사각형 2개로 나
눌 수 있습니다.
(정육각형의 모든 각의 크기의 합)
=360°×2=720°
➡ (정육각형의 한 각의 크기)=720°÷6=120°

28

채점 기준	❶ 정팔각형을 삼각형으로 나누어 모든 각의 크기의 합 구하기	3점
	❷ 정팔각형의 한 각의 크기 구하기	2점

29 **약점 포인트**　　●정답률 70%

❶ 윤진이의 설명을 읽고 다각형의 꼭짓점의 수를 구합니다.
❷ 다각형의 이름을 씁니다.

한 꼭짓점에서 그을 수 있는 대각선이 3개이므로 이
다각형의 꼭짓점은 6개입니다.
➡ 모든 변의 길이와 모든 각의 크기가 같으므로 재
민이와 윤진이가 본 다각형은 정육각형입니다.

30 선분으로만 둘러싸여 있고, 모든 변의 길이와 모든 각의 크기가 같으므로 정다각형입니다.
(정삼각형의 대각선의 수)=0개,
(정사각형의 대각선의 수)=2개,
(정오각형의 대각선의 수)=5개,
(정육각형의 대각선의 수)=9개,
(정칠각형의 대각선의 수)=14개
→ 조건을 모두 만족하는 도형은 정칠각형입니다.

31

●정답률 65%

한 꼭짓점을 중심으로 정다각형을 겹치지 않게 여러 개 놓았을 때 각의 크기의 합이 360°가 되면 평면을 빈틈없이 채울 수 있습니다.

정다각형을 겹치지 않게 여러 개 놓아 평면을 빈틈없이 채우려면 한 꼭짓점을 중심으로 정다각형을 여러 개 놓았을 때 각의 크기의 합이 360°가 되어야 합니다.
• 정삼각형: $60°+60°+60°+60°+60°+60°=360°$
이므로 평면을 빈틈없이 채울 수 있습니다.
• 정사각형: $90°+90°+90°+90°=360°$이므로
평면을 빈틈없이 채울 수 있습니다.
• 정팔각형: $135°+135°=270°$,
$135°+135°+135°=405°$이므로
평면을 빈틈없이 채울 수 없습니다.

32

채점기준	❶ 바닥을 빈틈없이 채울 수 있는지, 없는지 쓰기	2점
	❷ 이유 쓰기	3점

STEP ③ 서술형 해결하기　　　152~153쪽

01 예 ❶ 같고, 똑같이 둘로 나눕니다
/ 이등변삼각형 ▶2점
❷ 수직, 90, 45 ▶3점 / 45°

02 예 ❶ 직사각형은 두 대각선의 길이가 같고, 한 대각선이 다른 대각선을 똑같이 둘로 나누므로 삼각형 ㅇㄴㄷ은 이등변삼각형입니다.
➡ (각 ㄴㄷㅇ)=40° ▶2점
❷ (각 ㄴㅇㄷ)=180°-40°-40°=100°,
(각 ㄹㅇㄷ)=180°-100°=80° ▶3점 / 80°

03 예 ❶ 직사각형은 두 대각선의 길이가 같고, 한 대각선이 다른 대각선을 똑같이 둘로 나누므로 삼각형 ㄱㅇㄹ은 이등변삼각형입니다.
➡ (각 ㅇㄱㄹ)=30° ▶2점

❷ (각 ㄱㅇㄹ)=180°-30°-30°=120°,
(각 ㄱㅇㄴ)=180°-120°=60° ▶3점 / 60°

04 예 ❶ 이등변삼각형, 108, 36 ▶3점
❷ 108, 108°-36°=72° ▶2점 / 72°

05 예 ❶ 정육각형은 모든 변의 길이가 같으므로 삼각형 ㄱㅂㅁ과 삼각형 ㄷㅁㄹ은 이등변삼각형입니다. 정육각형은 모든 각의 크기가 같으므로
(각 ㄱㅂㅁ)=(각 ㄷㄹㅁ)=(각 ㄱㄴㄷ)=120°입니다.
삼각형 ㄱㅂㅁ은 이등변삼각형이므로
(각 ㅂㅁㄱ)=30°, 삼각형 ㄷㅁㄹ은 이등변삼각형이므로 (각 ㄷㅁㄹ)=30°입니다. ▶3점
❷ (각 ㅂㅁㄱ)=(각 ㄱㄴㄷ)=120°이므로
(각 ㄱㅁㄷ)=120°-30°-30°=60° ▶2점 / 60°

06 예 ❶ 정십각형은 모든 변의 길이가 같으므로 삼각형 ㄴㄷㄹ과 삼각형 ㄹㅁㅂ은 이등변삼각형입니다. 정십각형은 모든 각의 크기가 같으므로
(각 ㄴㄷㄹ)=(각 ㄹㅁㅂ)=(각 ㄱㅊㅈ)=144°입니다.
삼각형 ㄴㄷㄹ은 이등변삼각형이므로
(각 ㄴㄹㄷ)=18°, 삼각형 ㄹㅁㅂ은 이등변삼각형이므로 (각 ㅂㄹㅁ)=18°입니다. ▶3점
❷ (각 ㄷㄹㅁ)=(각 ㄱㅊㅈ)=144°이므로
(각 ㄴㄹㅂ)=144°-18°-18°=108° ▶2점 / 108°

01

채점기준	❶ 삼각형 ㅇㄴㄷ은 어떤 삼각형인지 알아보기	2점
	❷ 각 ㅇㄴㄷ의 크기 구하기	3점

02

채점기준	❶ 각 ㄴㄷㅇ의 크기 구하기	2점
	❷ 각 ㄹㅇㄷ의 크기 구하기	3점

03

채점기준	❶ 각 ㅇㄱㄹ의 크기 구하기	2점
	❷ 각 ㄱㅇㄴ의 크기 구하기	3점

04

채점기준	❶ 각 ㄹㅇㄷ의 크기 구하기	3점
	❷ 각 ㄱㅁㄷ의 크기 구하기	2점

05

채점기준	❶ 각 ㅂㅁㄱ과 각 ㄷㅁㄹ의 크기 각각 구하기	3점
	❷ 각 ㄱㅁㄷ의 크기 구하기	2점

06

채점기준	❶ 각 ㄴㄹㄷ과 각 ㅂㄹㅁ의 크기 각각 구하기	3점
	❷ 각 ㄴㄹㅂ의 크기 구하기	2점

01 다각형, 육각형, 칠각형, 팔각형

02 가, 나, 마, 바   **03** 나, 바

04 (○) (×)   **05**

06 선분 ㄱㄷ, 선분 ㄴㄹ

07 삼각형, 사각형, 육각형

08 예 [도형]   **09** (위에서부터) 3, 135

10 3개   **11** 예 [도형]

12 ㉡   **13** 14개   **14** 140°

15 20 cm   **16** 108°   **17** 70°

18 ❶ 정다각형이 아닙니다. ▶2점

　　❷ 예 네 변의 길이가 모두 같지 않으므로 정다각형
　　이 아닙니다. ▶3점

19 예 ❶ (정사각형의 네 변의 길이의 합)
　　　　＝12×4＝48(cm) ▶2점

　　❷ (정육각형의 여섯 변의 길이의 합)＝48 cm
　　(정육각형의 한 변)＝48÷6＝8(cm) ▶3점
　　/ 8 cm

20 예 ❶ (선분 ㅇㄷ)＝(선분 ㄱㄷ)÷2
　　　　　　＝18÷2＝9(cm)

　　(선분 ㄴㄷ)＝(선분 ㄱㄹ)＝15 cm ▶3점

　　❷ (삼각형 ㅇㄴㄷ의 세 변의 길이의 합)
　　　　＝10＋15＋9＝34(cm) ▶2점 / 34 cm

---

04 대각선: 다각형에서 서로 이웃하지 않는 두 꼭짓점을
　　　이은 선분

05 (1) 변이 8개인 다각형이므로 팔각형입니다.
　　(2) 변이 7개인 다각형이므로 칠각형입니다.
　　(3) 변이 4개인 다각형이므로 사각형입니다.

06 서로 이웃하지 않는 두 꼭짓점을 이은 선분을 찾습
　　니다.

07 : 삼각형　 : 사각형　[육각형도형] : 육각형

08 다른 정답

09 정팔각형은 변의 길이가 모두 같고 각의 크기가 모두
　　같습니다.

---

10 주어진 모양 조각으로 오른쪽 육각형을
　　빈틈없이 채우려면 모양 조각은 적어도
　　3개 필요합니다.

11 모양 조각을 여러 번 사용하여 삼각형을 빈틈없이 채
　　워 봅니다.

12 직사각형은 두 대각선의 길이가 같지만 서로 수직으
　　로 만나지 않는 경우도 있습니다.

　　참고 두 대각선의 길이가 같고, 서로 수직으로 만나는 사각형은
　　정사각형입니다.

13 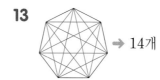 → 14개

14 변이 9개이므로 구각형이고, 모든 변의 길이와 모든
　　각의 크기가 같으므로 정구각형입니다.
　　→ (정구각형의 한 각의 크기)＝1260°÷9＝140°

15 마름모는 한 대각선이 다른 대각선을 똑같이 둘로 나
　　누므로
　　(선분 ㄴㄹ)＝7×2＝14(cm),
　　(선분 ㄱㄷ)＝3×2＝6(cm)
　　→ (두 대각선의 길이의 합)＝14＋6＝20(cm)

16 정오각형은 삼각형 3개로 나눌 수 있습니다.
　　삼각형의 세 각의 크기의 합은 180°이므로
　　(정오각형의 모든 각의 크기의 합)
　　＝180°×3＝540°
　　→ (정오각형의 한 각의 크기)＝540°÷5＝108°

17 직사각형은 두 대각선의 길이가 같고, 한 대각선이
　　다른 대각선을 똑같이 둘로 나누므로 삼각형 ㄱㅇㄹ
　　은 이등변삼각형입니다.
　　삼각형 ㄱㅇㄹ에서 180°－140°＝40°, 40°÷2＝20°
　　이므로 (각 ㅇㄱㄹ)＝20°입니다.
　　→ (각 ㄴㄱㄷ)＝90°－20°＝70°

18
채점기준	❶ 정다각형인지, 아닌지 쓰기	2점
	❷ 이유 쓰기	3점

19
채점기준	❶ 정사각형의 네 변의 길이의 합 구하기	2점
	❷ 정육각형의 한 변의 길이 구하기	3점

20
채점기준	❶ 선분 ㅇㄷ, 선분 ㄴㄷ의 길이 각각 구하기	3점
	❷ 삼각형 ㅇㄴㄷ의 세 변의 길이의 합 구하기	2점

1. 분수의 덧셈과 뺄셈

STEP 1 · 한번더 **개념 완성하기**   01쪽

1 (○) (   )   **2** 지혜   **3** $1\frac{2}{9}$ L

4 5, $5\frac{1}{6}$ **5** ㉢   **6** $2\frac{6}{7}$ m

5 ㉢ $2\frac{3}{10}+4\frac{9}{10}=(2+4)+(\frac{3}{10}+\frac{9}{10})=6+\frac{12}{10}$
$$=6+1\frac{2}{10}=7\frac{2}{10}$$

STEP 2 · 한번더 **실력 다지기**   02~04쪽

01 $\frac{5}{9}$ **02** $1\frac{2}{6}$

03 $1\frac{3}{7}+3\frac{6}{7}=(1+3)+(\frac{3}{7}+\frac{6}{7})=4+\frac{9}{7}$
$$=4+1\frac{2}{7}=5\frac{2}{7}$$

04 예 $2+1$과 $\frac{4}{11}+\frac{5}{11}$ 를 더하면 돼.
$2+1=3$, $\frac{4}{11}+\frac{5}{11}=\frac{9}{11}$ 이므로
$2\frac{4}{11}+1\frac{5}{11}=3\frac{9}{11}$

05 $\frac{5}{12}+\frac{4}{12}$에 ○표

06 (위에서부터) 2, 4 / 1, 3   **07** $3\frac{3}{5}$ L

08 $\frac{3}{13}$ m   **09** $11\frac{1}{3}$ m   **10** $8\frac{2}{4}$ cm

11 예 ❶ (도서관~우체국~시청)
$$=3\frac{2}{11}+1\frac{10}{11}=5\frac{1}{11} \text{ (km)}$$
(도서관~공원~시청)
$$=2\frac{5}{11}+2\frac{8}{11}=5\frac{2}{11} \text{ (km)} \quad ▶3점$$
❷ $5\frac{1}{11}$ km $<5\frac{2}{11}$ km이므로 우체국을 거쳐서
가는 길이 더 짧습니다. ▶2점 / 우체국

12 $\frac{4}{7}$에 ×표   **13** $6\frac{1}{8}$, $2\frac{7}{8}$에 ○표

14 $2\frac{5}{11}$ **15** 12   **16** $\frac{3}{12}$, $\frac{8}{12}$

17 $9\frac{1}{7}$ **18** 예 $1\frac{1}{6}$, $2\frac{5}{6}$ / $1\frac{2}{6}$, $2\frac{4}{6}$

19 예 ❶ 어떤 수를 □라 하면
$$□-2\frac{3}{5}=1\frac{1}{5}\text{입니다.}$$
$$\rightarrow □=1\frac{1}{5}+2\frac{3}{5}=3\frac{4}{5} \quad ▶3점$$
❷ $3\frac{4}{5}+3\frac{2}{5}=6+\frac{6}{5}=6+1\frac{1}{5}=7\frac{1}{5} \quad ▶2점$
/ $7\frac{1}{5}$

02 ♣가 나타내는 분수: $\frac{3}{6}$, ♥가 나타내는 분수: $\frac{5}{6}$
$$\rightarrow ♣+♥=\frac{3}{6}+\frac{5}{6}=\frac{3+5}{6}=\frac{8}{6}=1\frac{2}{6}$$

03 분수 부분의 계산에서 분모는 그대로 두고 분자끼리 더해야 하는데 분모도 더하여 잘못되었습니다.

04 다른 풀이 $2\frac{4}{11}+1\frac{5}{11}=\frac{26}{11}+\frac{16}{11}=\frac{42}{11}=3\frac{9}{11}$

05 • $\frac{3}{5}+\frac{4}{5}=\frac{3+4}{5}=\frac{7}{5}=1\frac{2}{5} \rightarrow 1\frac{2}{5}>1$
• $\frac{5}{12}+\frac{4}{12}=\frac{5+4}{12}=\frac{9}{12} \rightarrow \frac{9}{12}<1$
• $\frac{4}{9}+\frac{6}{9}=\frac{4+6}{9}=\frac{10}{9}=1\frac{1}{9} \rightarrow 1\frac{1}{9}>1$

07 (쌀 2되)$=1\frac{4}{5}+1\frac{4}{5}=2+\frac{8}{5}=2+1\frac{3}{5}=3\frac{3}{5}$ (L)

08 (진희가 사용하고 남은 색 테이프의 길이)
$$=1-\frac{6}{13}=\frac{13}{13}-\frac{6}{13}=\frac{7}{13} \text{ (m)}$$
(성규가 사용하고 남은 색 테이프의 길이)
$$=\frac{7}{13}-\frac{4}{13}=\frac{3}{13} \text{ (m)}$$

09 (사용한 철사의 길이)
$$=3\frac{1}{3}+3\frac{1}{3}+4\frac{2}{3}=6\frac{2}{3}+4\frac{2}{3}=11\frac{1}{3} \text{ (m)}$$

10 (네 변의 길이의 합)
$$=2\frac{3}{4}+1\frac{2}{4}+2\frac{3}{4}+1\frac{2}{4}=8\frac{2}{4} \text{ (cm)}$$

11

채점 기준	❶ 우체국을 거쳐서 가는 길과 공원을 거쳐서 가는 길의 거리 각각 구하기	3점
	❷ 어디를 거쳐서 가는 길이 더 짧은지 구하기	2점

12 $\frac{6}{7}-\frac{5}{7}=\frac{1}{7}$, $\frac{6}{7}-\frac{3}{7}=\frac{3}{7}$, $\frac{5}{7}-\frac{3}{7}=\frac{2}{7}$

13 분수 부분끼리의 합이 1이 되는 대분수끼리 짝 지으면
$4\frac{5}{8}$와 $5\frac{3}{8}$, $6\frac{1}{8}$과 $2\frac{7}{8}$입니다.

➡ $4\frac{5}{8}+5\frac{3}{8}=10(\times)$, $6\frac{1}{8}+2\frac{7}{8}=9(\bigcirc)$

14 분모가 11인 진분수를 $\frac{\square}{11}$라 하면

$\frac{7}{11}<\frac{\square}{11}<\frac{11}{11}$ ➡ $7<\square<11$

$\square$ 안에 들어갈 수 있는 수는 8, 9, 10이므로 조건을
만족하는 분수는 $\frac{8}{11}$, $\frac{9}{11}$, $\frac{10}{11}$입니다.

➡ $\frac{8}{11}+\frac{9}{11}+\frac{10}{11}=1\frac{6}{11}+\frac{10}{11}=2\frac{5}{11}$

15 조건을 만족하는 분수는 $2\frac{1}{3}$, $2\frac{2}{3}$, $3\frac{1}{3}$, $3\frac{2}{3}$입니다.

➡ $2\frac{1}{3}+2\frac{2}{3}+3\frac{1}{3}+3\frac{2}{3}=12$

17 나온 주사위의 눈의 수는 2, 3, 5, 6입니다.

만들 수 있는 가장 큰 대분수: $6\frac{5}{7}$

만들 수 있는 가장 작은 대분수: $2\frac{3}{7}$

➡ $6\frac{5}{7}+2\frac{3}{7}=8+\frac{8}{7}=8+1\frac{1}{7}=9\frac{1}{7}$

18 4를 분모가 6인 두 대분수의 합으로 나타내므로 두
대분수의 자연수 부분끼리의 합은 3, 분수 부분끼리
의 합은 1이 되도록 식을 만들면 됩니다.
$4=1\frac{1}{6}+2\frac{5}{6}$, $4=1\frac{2}{6}+2\frac{4}{6}$, $4=1\frac{3}{6}+2\frac{3}{6}$,
$4=1\frac{4}{6}+2\frac{2}{6}$, $4=1\frac{5}{6}+2\frac{1}{6}$

19
채점 기준	❶ 어떤 수 구하기	3점
	❷ 어떤 수에 $3\frac{2}{5}$를 더한 값 구하기	2점

STEP 1 • 한번더 개념 완성하기 05쪽

1 $3\frac{4}{8}$, $2\frac{3}{8}$ **2** (선 연결) **3** $\frac{4}{7}$ L

---

4 ㉡   **5** ( )   **6** $2\frac{10}{13}$ cm
( )
(△)

6 (빨간색 테이프의 길이)$-$(노란색 테이프의 길이)

$=8\frac{6}{13}-5\frac{9}{13}=7\frac{19}{13}-5\frac{9}{13}=2\frac{10}{13}$ (cm)

STEP2 • 한번더 실력 다지기 06~08쪽

01 $4\frac{1}{5}$ **02** $5\frac{7}{9}$

03 $3\frac{2}{7}-1\frac{6}{7}=\frac{23}{7}-\frac{13}{7}=\frac{10}{7}=1\frac{3}{7}$

04 $\frac{3}{4}$, 3, $1\frac{3}{4}$, $5\frac{2}{4}$ **05** $8\frac{1}{8}-5\frac{7}{8}$에 ○표

06 $6-1\frac{3}{11}$에 색칠   **07** $3\frac{7}{10}$ km

08 $1\frac{1}{15}$ kg   **09** $5\frac{4}{7}$

10 $3\frac{10}{14}$ **11** >

12 예 ❶ (유상이와 지희가 캔 고구마의 무게의 합)
$=3\frac{3}{8}+2\frac{1}{8}=5\frac{4}{8}$ (kg) ▶2점

❷ (먹고 남은 고구마의 무게)
$=5\frac{4}{8}-1\frac{5}{8}=4\frac{12}{8}-1\frac{5}{8}=3\frac{7}{8}$ (kg) ▶3점
/ $3\frac{7}{8}$ kg

13 $9-3\frac{5}{7}$ / $5\frac{2}{7}$ **14** 3개

15 예 ❶ 자연수 부분의 계산에서 $7-3=4$이므로 계
산 결과가 3보다 크고 4보다 작으려면 $\frac{6}{11}<\frac{\square}{11}$
이어야 합니다. ➡ $6<\square<11$ ▶3점

❷ 따라서 $\square$ 안에 들어갈 수 있는 자연수는 7, 8,
9, 10이므로 합은 $7+8+9+10=34$입니다. ▶2점
/ 34

16 $12\frac{4}{9}$ cm   **17** $6\frac{3}{8}$ kg

18 $30\frac{7}{13}$ L   **19** ㉠, ㉢, ㉡

02 $8\frac{5}{9} > 5\frac{2}{9} > 2\frac{7}{9}$ 이므로 가장 큰 수는 $8\frac{5}{9}$, 가장 작은 수는 $2\frac{7}{9}$ 입니다. $\Rightarrow 8\frac{5}{9} - 2\frac{7}{9} = 7\frac{14}{9} - 2\frac{7}{9} = 5\frac{7}{9}$

04 $4\frac{2}{4} - 1\frac{3}{4} = 3\frac{6}{4} - 1\frac{3}{4} = 2\frac{3}{4}$

07 (더 가야 하는 거리)
$= 7\frac{3}{10} - 3\frac{6}{10} = 6\frac{13}{10} - 3\frac{6}{10} = 3\frac{7}{10}$ (km)

09 빈 곳에 알맞은 수를 □라 하면 □$+2\frac{3}{7} = 8$
$\Rightarrow$ □$= 8 - 2\frac{3}{7} = 7\frac{7}{7} - 2\frac{3}{7} = 5\frac{4}{7}$

10 어떤 대분수를 □라 하면 $3\frac{9}{14} +$□$= 7\frac{5}{14}$
$\Rightarrow$ □$= 7\frac{5}{14} - 3\frac{9}{14} = 6\frac{19}{14} - 3\frac{9}{14} = 3\frac{10}{14}$

11 • $1\frac{4}{5} + 6\frac{3}{5} - 2\frac{4}{5} = 7\frac{7}{5} - 2\frac{4}{5} = 5\frac{3}{5}$
• $8\frac{1}{5} - 5\frac{4}{5} + 2\frac{3}{5} = 7\frac{6}{5} - 5\frac{4}{5} + 2\frac{3}{5} = 2\frac{2}{5} + 2\frac{3}{5}$
$= 4 + \frac{5}{5} = 4 + 1 = 5$

12
채점 기준	❶ 유상이와 지희가 캔 고구마의 무게의 합 구하기	2점
	❷ 먹고 남은 고구마의 무게 구하기	3점

13 빼지는 수가 클수록, 빼는 수가 작을수록 차는 크므로 자연수 부분에 가장 큰 수를 넣고, 대분수의 자연수 부분에 가장 작은 수를 넣은 후, 남은 두 수로 진분수 부분을 만듭니다.
$\Rightarrow 9 - 3\frac{5}{7} = 8\frac{7}{7} - 3\frac{5}{7} = 5\frac{2}{7}$

14 $8\frac{□}{7} - 3\frac{3}{7}$에서 $8 - 3 = 5$이므로 $\frac{□}{7} - \frac{3}{7}$의 값은 진분수이어야 합니다. $\Rightarrow 3 <$ □ < 7
따라서 □ 안에 들어갈 수 있는 자연수는 4, 5, 6으로 모두 3개입니다.

15
채점 기준	❶ □ 안에 들어갈 수 있는 자연수의 범위 구하기	3점
	❷ □ 안에 들어갈 수 있는 자연수의 합 구하기	2점

16 (색 테이프 3장의 길이의 합)
$= 5\frac{1}{9} + 5\frac{1}{9} + 5\frac{1}{9}$
$= 10\frac{2}{9} + 5\frac{1}{9} = 15\frac{3}{9}$ (cm)

(겹쳐진 부분의 길이의 합)
$= 1\frac{4}{9} + 1\frac{4}{9} = 2\frac{8}{9}$ (cm)
$\Rightarrow$ (이어 붙인 색 테이프의 전체 길이)
$= 15\frac{3}{9} - 2\frac{8}{9} = 14\frac{12}{9} - 2\frac{8}{9} = 12\frac{4}{9}$ (cm)

17 (음식을 하기 전 찹쌀가루의 무게)
$= 2\frac{5}{8} + 1\frac{2}{8} = 3\frac{7}{8}$ (kg)
(정미 어머니께서 산 찹쌀가루의 무게)
$= 3\frac{7}{8} + \frac{7}{8} + 1\frac{5}{8} = 4\frac{6}{8} + 1\frac{5}{8} = 6\frac{3}{8}$ (kg)

18 40초＋40초＋40초＝120초＝2분이므로
(2분 동안 빠져나가는 물의 양)
$= 3\frac{2}{13} + 3\frac{2}{13} + 3\frac{2}{13} = 6\frac{4}{13} + 3\frac{2}{13} = 9\frac{6}{13}$ (L)
$\Rightarrow$ (2분 후 욕조에 남아 있는 물의 양)
$= 40 - 9\frac{6}{13} = 39\frac{13}{13} - 9\frac{6}{13} = 30\frac{7}{13}$ (L)

19 ㉠ $8 - 2\frac{1}{14} = 7\frac{14}{14} - 2\frac{1}{14} = 5\frac{13}{14}$
$\Rightarrow 6 - 5\frac{13}{14} = \frac{1}{14}$

㉡ $9\frac{5}{14} - 3\frac{2}{14} = 6\frac{3}{14} \Rightarrow 6\frac{3}{14} - 6 = \frac{3}{14}$

㉢ $3\frac{3}{14} + 2\frac{13}{14} = 5\frac{16}{14} = 6\frac{2}{14} \Rightarrow 6\frac{2}{14} - 6 = \frac{2}{14}$
따라서 계산 결과가 6에 가까운 식부터 차례로 기호를 쓰면 ㉠, ㉢, ㉡입니다.

STEP3 · 한번더 서술형 해결하기 09~10쪽

01 예 ❶ (㉯ 끈의 길이)
$= (㉮ 끈의 길이) + 1\frac{1}{5}$
$= 2\frac{2}{5} + 1\frac{1}{5} = 3\frac{3}{5}$ (m) ▶2점

❷ (㉰ 끈의 길이) $= (㉯ 끈의 길이) + \frac{4}{5}$
$= 3\frac{3}{5} + \frac{4}{5} = 3\frac{7}{5} = 4\frac{2}{5}$ (m) ▶3점

/ $4\frac{2}{5}$ m

02 예 ❶ ㉯는 ㉰보다 $1\frac{5}{9}$ 크므로

$㉯=㉰+1\frac{5}{9}=6\frac{5}{9}+1\frac{5}{9}=7\frac{10}{9}=8\frac{1}{9}$ ▸2점

❷ ㉮는 ㉯보다 $3\frac{8}{9}$ 작으므로

$㉮=㉯-3\frac{8}{9}=8\frac{1}{9}-3\frac{8}{9}=7\frac{10}{9}-3\frac{8}{9}=4\frac{2}{9}$

▸3점 / $4\frac{2}{9}$

03 예 ❶ (책 1권의 무게)

＝(책 2권이 들어 있는 가방의 무게)

－(책 1권이 들어 있는 가방의 무게)

$=\frac{13}{14}-\frac{9}{14}=\frac{4}{14}$ (kg) ▸2점

❷ (빈 가방의 무게)

＝(책 1권이 들어 있는 가방의 무게)

－(책 1권의 무게)

$=\frac{9}{14}-\frac{4}{14}=\frac{5}{14}$ (kg) ▸3점 / $\frac{5}{14}$ kg

04 예 ❶ (쇠구슬 1개의 무게)

＝(쇠구슬 3개가 들어 있는 주머니의 무게)

－(쇠구슬 2개가 들어 있는 주머니의 무게)

$=3-2\frac{1}{11}=\frac{10}{11}$ (kg) ▸2점

❷ (빈 주머니의 무게)

＝(쇠구슬 2개가 들어 있는 주머니의 무게)

$-\frac{10}{11}-\frac{10}{11}$

$=2\frac{1}{11}-\frac{10}{11}-\frac{10}{11}=\frac{3}{11}$ (kg) ▸3점 / $\frac{3}{11}$ kg

05 예 ❶ 자연수 부분끼리의 계산에서 $4-1=3$이므로

$\frac{㉠}{7}-\frac{㉡}{7}=\frac{4}{7}$입니다. ➡ ㉠－㉡=4 ▸1점

❷ ㉠과 ㉡은 분모보다 작아야 하므로 ㉠, ㉡은 7 보다 작아야 합니다. ▸1점

❸ (㉠, ㉡)이 될 수 있는 경우: (6, 2), (5, 1) ▸1점

❹ ㉠=5, ㉡=1일 때 ㉠＋㉡의 값이 6으로 가장 작습니다. ▸2점 / 6

06 예 ❶ 자연수 부분끼리의 계산에서 $2+3=5$이므로 분수 부분끼리의 계산에서 받아올림이 있습니다.

$\frac{㉠}{8}+\frac{㉡}{8}=\frac{3}{8}+1=\frac{11}{8}$ ➡ ㉠＋㉡=11 ▸1점

❷ ㉠과 ㉡은 분모보다 작아야 하므로 ㉠, ㉡은 8 보다 작아야 합니다. ▸1점

❸ ㉠＞㉡일 때 (㉠, ㉡)이 될 수 있는 경우: (7, 4), (6, 5) ▸1점

❹ 따라서 ㉠=7, ㉡=4일 때 ㉠－㉡의 값은 3으 로 가장 큽니다. ▸2점 / 3

07 예 ❶ (문구점~시청)＋(공원~경찰서)

$=2\frac{3}{10}+1\frac{9}{10}=4\frac{2}{10}$ (km) ▸2점

❷ (문구점~경찰서)

$=4\frac{2}{10}-1\frac{1}{10}=3\frac{1}{10}$ (km) ▸3점 / $3\frac{1}{10}$ km

08 예 ❶ (㉰~㉭)＝(㉮~㉭)－(㉮~㉰)

$=6\frac{12}{13}-3\frac{2}{13}=3\frac{10}{13}$ (m) ▸2점

❷ (㉯~㉭)＝(㉯~㉰)＋(㉰~㉭)

$=1\frac{9}{13}+3\frac{10}{13}=4\frac{19}{13}=5\frac{6}{13}$ (m)

▸3점 / $5\frac{6}{13}$ m

01	채점 기준	❶ ㉯ 끈의 길이 구하기	2점
		❷ ㉰ 끈의 길이 구하기	3점

02	채점 기준	❶ ㉯ 구하기	2점
		❷ ㉮ 구하기	3점

03	채점 기준	❶ 책 1권의 무게 구하기	2점
		❷ 빈 가방의 무게 구하기	3점

04	채점 기준	❶ 쇠구슬 1개의 무게 구하기	2점
		❷ 빈 주머니의 무게 구하기	3점

05		❶ ㉠－㉡의 값 구하기	1점
	채점 기준	❷ ㉠, ㉡에 들어갈 수 있는 수의 범위 구하기	1점
		❸ ㉠, ㉡이 될 수 있는 경우 구하기	1점
		❹ ㉠＋㉡의 값이 가장 작을 때의 값 구하기	2점

06		❶ ㉠＋㉡의 값 구하기	1점
	채점 기준	❷ ㉠, ㉡에 들어갈 수 있는 수의 범위 구하기	1점
		❸ ㉠, ㉡이 될 수 있는 경우 구하기	1점
		❹ ㉠－㉡의 값이 가장 클 때의 값 구하기	2점

07	채점 기준	❶ 문구점에서 시청까지의 거리와 공원에서 경찰서까지의 거리의 합 구하기	2점
		❷ 문구점에서 경찰서까지의 거리 구하기	3점

08	채점 기준	❶ ㉰에서 ㉭까지의 길이 구하기	2점
		❷ ㉯에서 ㉭까지의 길이 구하기	3점

2. 삼각형

STEP 1 · 한번더 개념 완성하기   11쪽

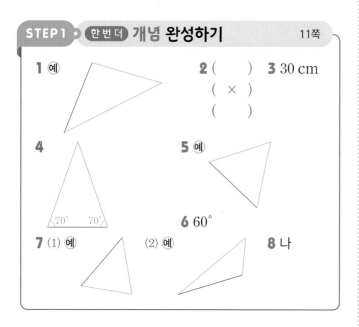

1 예

2 ( )
(×)
( )

3 30 cm

4

5 예

6 60°

7 (1) 예   (2) 예

8 나

3 정삼각형은 세 변의 길이가 같으므로
(세 변의 길이의 합)=10+10+10=30(cm)

5 ① 주어진 선분의 양 끝에 각각 각도가 60°인 각을
그립니다.
② 두 각의 변이 만나는 점을 찾아 주어진 선분의 양
끝점과 연결하여 삼각형을 완성합니다.

8 가: 예각삼각형이지만 이등변삼각형이 아닙니다.
다: 이등변삼각형이지만 예각삼각형이 아닙니다.

STEP2 · 한번더 실력 다지기   12~14쪽

01 예

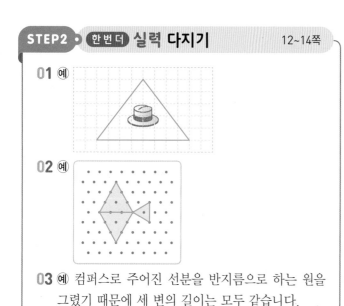

02 예

03 예 컴퍼스로 주어진 선분을 반지름으로 하는 원을
그렸기 때문에 세 변의 길이는 모두 같습니다.
따라서 정삼각형이 그려집니다. ▶5점

04 ③, ④   **05** 18 cm   **06** 12 cm

07 8개   **08** 예 오른쪽으로 3칸 움직입니다.

09 95 / 둔각삼각형   **10** ㉠

11 ㉡, ㉢

12 예 ❶ 세 변의 길이가 같으므로 정삼각형입니다. ▶2점
❷ 정삼각형은 세 각의 크기가 같으므로
(각 ㄷㄱㄴ)=180°÷3=60°입니다. ▶3점 / 60°

13 130°   **14** 135°   **15** 50°

16 6개   **17** 예

18 80°

19 27 cm

03

채점 기준	정삼각형이 그려지는 이유 쓰기	5점

04 이등변삼각형은 두 변의 길이가 같으므로 나머지 한 변
의 길이가 될 수 있는 것은 9 cm 또는 12 cm입니다.

05 이등변삼각형은 두 변의 길이가 같으므로 나머지 한
변은 7 cm입니다.
➡ (세 변의 길이의 합)=7+7+4=18(cm)

06 (만든 정삼각형 1개의 세 변의 길이의 합)
=8+8+8=24(cm)
➡ (남은 철사의 길이)=60-24-24=12(cm)

07 예각이 정삼각형은 3개, 예각삼각형은 3개, 둔각삼각
형은 2개 있습니다. ➡ 3+3+2=8(개)

09 삼각형의 세 각의 크기의 합은 180°이므로
□=180°-40°-45°=95°입니다.
따라서 한 각이 둔각이므로 둔각삼각형입니다.

10 ㉠ (나머지 한 각의 크기)=180°-80°-15°=85°
➡ 예각삼각형
㉡ (나머지 한 각의 크기)=180°-35°-55°=90°
➡ 직각삼각형
㉢ (나머지 한 각의 크기)=180°-20°-60°=100°
➡ 둔각삼각형

11 (나머지 한 각의 크기)=180°-30°-75°=75°
두 각의 크기가 같으므로 이등변삼각형이고,
세 각이 모두 예각이므로 예각삼각형입니다.

12

채점 기준	❶ 주어진 삼각형은 어떤 삼각형인지 알기	2점
	❷ 각 ㄷㄱㄴ의 크기 구하기	3점

13 두 변의 길이가 같으므로 이등변삼각형이고, 이등변삼 각형은 두 각의 크기가 같으므로 (각 ㄱㄷㄴ)=25°

➡ (각 ㄴㄱㄷ)=180°-25°-25°=130°

14

삼각형의 세 각의 크기의 합은 180°이므로
ⓛ+ⓒ=180°-90°=90°
이등변삼각형은 두 각의 크기가 같으므로
ⓛ=90°÷2=45°
직선 위의 한 점을 꼭짓점으로 하는 각의 크기는
180°이므로 ㉠=180°-45°=135°

15 삼각형 ㄱㄴㄷ은 이등변삼각형이므로
(각 ㄱㄷㄴ)=70°
삼각형 ㅁㄷㄹ은 정삼각형이므로 (각 ㅁㄷㄹ)=60°
직선 위의 한 점을 꼭짓점으로 하는 각의 크기는
180°이므로 (각 ㄱㄷㅁ)=180°-70°-60°=50°

16 • 삼각형 1개짜리: ①
• 삼각형 2개짜리:
  ①+②, ①+③
• 삼각형 3개짜리: ①+③+⑤
• 삼각형 4개짜리: ①+②+③+④
• 삼각형 6개짜리: ①+②+③+④+⑤+⑥

➡ (크고 작은 예각삼각형의 수)
  =1+2+1+1+1=6(개)

17 원의 반지름의 길이는 모두 같으므로 원의 반지름을 두 변으로 하는 삼각형은 이등변삼각형입니다. 한 각의 크기가 50°이므로 나머지 두 각의 크기는 각 각 50°, 80° 또는 65°, 65°입니다.

18 이등변삼각형은 두 각의 크기가 같으므로
(각 ㄴㄷㄱ)=180°-80°-80°=20°
정삼각형은 세 각의 크기가 같으므로 (각 ㄷㄱㄹ)=60°

➡ (각 ㄴㄱㄹ)=(각 ㄴㄱㄷ)+(각 ㄷㄱㄹ)
  =20°+60°=80°

19 (각 ㄹㄴㄷ)=180°-25°-130°=25°이므로 삼각형 ㄴㄷㄹ은 이등변삼각형입니다.

➡ (변 ㄴㄷ)=(변 ㄴㄹ)=9 cm
삼각형 ㄱㄴㄷ에서 (각 ㄱㄴㄷ)=35°+25°=60°이 므로 (각 ㄱㄷㄴ)=120°-60°-60°=60°입니다.
따라서 삼각형 ㄱㄴㄷ은 정삼각형이므로
(세 변의 길이의 합)=9+9+9=27(cm)입니다.

---

01 예 ❶ 직선 위의 한 점을 꼭짓점으로 하는 각의 크 기는 180°이므로
(각 ㄱㄷㄴ)=180°-150°=30°
삼각형 ㄱㄴㄷ은 이등변삼각형이므로
(각 ㄴㄱㄷ)=180°-30°-30°=120° ▶3점
❷ (각 ㄹㄱㄷ)=180°-120°=60° ▶2점 / 60°

02 예 ❶ (변 ㄱㄴ)=(변 ㄱㄷ)=11 cm이므로 삼각 형 ㄱㄴㄷ은 이등변삼각형입니다.
(각 ㄱㄴㄷ)+(각 ㄱㄷㄴ)
=180°-40°=140°

➡ (각 ㄱㄴㄷ)=140°÷2=70° ▶3점
❷ 직선 위의 한 점을 꼭짓점으로 하는 각의 크기 는 180°이므로
(각 ㄱㄴㄹ)=180°-70°-65°=45° ▶2점 / 45°

03 예 ❶ 삼각형 ㄱㄴㄷ은 정삼각형이므로
(각 ㄱㄴㄷ)=60°

➡ (각 ㄹㄴㄷ)=60°-30°=30° ▶3점
❷ (각 ㄴㄹㄷ)+(각 ㄴㄷㄹ)
  =180°-30°=150°
삼각형 ㄹㄴㄷ은 이등변삼각형이므로
(각 ㄴㄹㄷ)=150°÷2=75° ▶2점 / 75°

04 예 ❶ 삼각형 ㄱㄴㄷ은 정삼각형이므로
(각 ㄱㄴㄷ)=60°

➡ (각 ㄹㄴㄷ)=60°-10°=50° ▶3점
❷ 삼각형 ㄹㄴㄷ은 이등변삼각형이므로
(각 ㄴㄷㄹ)=180°-50°-50°=80° ▶2점
/ 80°

01

채점 기준	❶ 각 ㄴㄱㄷ의 크기 구하기	3점
	❷ 각 ㄹㄱㄷ의 크기 구하기	2점

02

채점 기준	❶ 각 ㄱㄴㄷ의 크기 구하기	3점
	❷ 각 ㄱㄴㄹ의 크기 구하기	2점

03

채점 기준	❶ 각 ㄹㄴㄷ의 크기 구하기	3점
	❷ 각 ㄴㄹㄷ의 크기 구하기	2점

참고 정삼각형은 세 각의 크기가 모두 같으므로
(정삼각형의 한 각의 크기)=180°÷3=60°

04

채점 기준	❶ 각 ㄹㄴㄷ의 크기 구하기	3점
	❷ 각 ㄴㄷㄹ의 크기 구하기	2점

3. 소수의 덧셈과 뺄셈

STEP1 · 한번더 개념 완성하기 16쪽

1 0.574 **2** ㉢ **3** 삼 점 육칠
4 3개 **5** (1) > (2) < **6** ( )
(○)

4 0.10=0.1, 2.080=2.08, 10.730=10.73
따라서 생략할 수 있는 0은 모두 3개입니다.

5 (1) 2.87 > 2.78 (2) 5.608 < 5.631
$\underset{8>7}{}$ $\underset{0<3}{}$

STEP2 · 한번더 실력 다지기 17~19쪽

01 8.753, 8.765 **02** 0.68 m
03 주영, 이십일 점 영사 **04** 4.109, 사 점 일영구
05 예 ❶ 각 수에서 소수 둘째 자리 숫자를 알아봅니다.
3.1<u>6</u>9 ➡ 6, 8.4<u>0</u>7 ➡ 0, 5.0<u>9</u>2 ➡ 9 ▶3점
❷ 0<6<9이므로 소수 둘째 자리 숫자가 가장
작은 수는 8.407입니다. ▶2점 / 8.407
06 ④ **07** ㉢ **08** 0.545 m **09** 0
10 ㉣ **11** 1000배 **12** $\dfrac{1}{10}$
13 예 0.58은 0.01이 58개인 수이고, 0.7은 0.01이
70개인 수이므로 0.58은 0.7보다 작은 수입니다.
따라서 ○ 안에는 <가 들어가야 합니다. ▶5점
14 예 ❶ 보영: 1590의 $\dfrac{1}{1000}$ ➡ 1.59
지훈: 0.137의 10배 ➡ 1.37 ▶3점
❷ 1.59>1.37이므로 보영이가 들고 있는 수가
$\underset{5>3}{}$
더 큽니다. ▶2점 / 보영
15 나팔꽃 **16** 3.67 **17** 0.051
18 8.612 **19** ㉡, ㉢, ㉠

05 채점 기준 ❶ 각 수에서 소수 둘째 자리 숫자 알아보기 / 3점
❷ 소수 둘째 자리 숫자가 가장 작은 수 찾기 / 2점

07 ㉢ 1 L=1000 mL이므로 1 mL=0.001 L입니다.
➡ 285 mL=0.285 L

08 1 mm=0.1 cm=0.001 m이므로
545 mm=0.545 m입니다.

09 28의 $\dfrac{1}{1000}$ 은 0.028입니다.
0.028의 소수 첫째 자리 숫자는 0입니다.

10 ㉠ 193의 $\dfrac{1}{100}$ ➡ 1.93 ㉡ 0.193의 10배 ➡ 1.93
㉢ 19.3의 $\dfrac{1}{10}$ ➡ 1.93 ㉣ 19.3의 100배 ➡ 1930

12 0.1이 4개이면 0.4, 0.01이 7개이면 0.07, 0.001이 1개
이면 0.001이므로 0.471입니다.
0.471은 4.71의 $\dfrac{1}{10}$ 입니다. ➡ ★=$\dfrac{1}{10}$

13 채점 기준 잘못 비교한 이유 쓰기 / 5점

14 채점 기준 ❶ 보영이와 지훈이가 들고 있는 수 각각 구하기 / 3점
❷ 더 큰 수를 들고 있는 사람의 이름 쓰기 / 2점

15 1.49<1.51, 5.84<5.841
➡ 준성이가 도착한 곳에 있는 꽃은 나팔꽃입니다.

16 • 3보다 크고 4보다 작은 소수 두 자리 수: 3.□□
• 소수 첫째 자리 숫자:
4보다 크고 8보다 작은 짝수 ➡ 6
• 소수 둘째 자리 숫자: 7
따라서 조건을 모두 만족하는 소수는 3.67입니다.

17 어떤 수의 100배가 510이므로 어떤 수는 510의
$\dfrac{1}{100}$ 입니다. 따라서 어떤 수는 5.1이므로 5.1의
$\dfrac{1}{100}$ 인 수는 0.051입니다.

18 만들 수 있는 소수 세 자리 수는 □.□□□이므로
가장 큰 소수 세 자리 수는 8.621입니다.
따라서 두 번째로 큰 소수는 8.612입니다.

19 ㉠ 25.0□4의 □ 안에 9를 넣고, ㉡ 25.□97의 □
안에 0을 넣어도 ㉠이 가장 작고 ㉡이 가장 큽니다.
$\underset{㉡}{25.097} > \underset{㉢}{25.096} > \underset{㉠}{25.094}$

STEP1 · 한번더 개념 완성하기 20쪽

1 ㉡ **2** 0.5 **3** 1.3 L
4 0.44, 2.33 **5** < **6** 0.35 kg

5 1.47+2.55=4.02
6.32-2.05=4.27 ➡ 4.02<4.27

6 (빈 그릇의 무게)=4.58-4.23=0.35 (kg)

01 　4.8 5 에 ○표 / 6.45
　　+1.6

02 ❶　　7.4 3
　　　−1.5
　　　5.9 3 ▸2점

　　❷ 예 소수점의 자리를 잘못 맞추고 계산하였습니다. ▸3점

03 4.89　　　**04** 0.8　　　**05** 2, 1, 3

06 ㉡　　　**07** 0.05 m　　**08** 1.37 L

09 ㉢　　　**10** 3.25　　　**11** 학교

12 2.07 m　　**13** 3.97　　　**14** 6.19 kg

15 한라산, 1.11 km　　　　　**16** 11.25 L

17 예 **❶** 어떤 수를 □라 하면 □+3.56=10.74,
10.74−3.56=□, □=7.18이므로
어떤 수는 7.18입니다. ▸3점

　　❷ 따라서 바르게 계산하면 7.18−3.56=3.62입니다. ▸2점 / 3.62

18 (위에서부터) 5, 2, 2　**19** 12.01　　**20** 72.45

02

채점 기준	❶ 바르게 계산하기	2점
	❷ 이유 쓰기	3점

05 2.8−1.5=1.3, 0.72+0.59=1.31,
4.71−3.48=1.23 ➡ 1.31>1.3>1.23

06 ㉠ 5.69+2.17=7.86
　　㉡ 11.38−4.09=7.29
　　➡ 7.86>7.29이므로 더 작은 수는 ㉡입니다.

07 (희정이의 키)−(지훈이의 키)
　　=1.43−1.38=0.05 (m)

08 (만든 초록색 페인트의 양)=0.79+0.58=1.37 (L)

09 ㉠ 8.61−2.9=5.71 ⎤
　　㉡ 1.5+3.92=5.42 ⎬ ➡ 4.68<5.42<5.71
　　㉢ 9.4−4.72=4.68 ⎦

10 • 0.1이 41개, 0.01이 50개인 수: 4.6
　　• 0.01이 135개인 수: 1.35
　　➡ 4.6−1.35=3.25

11 (집~우체국~은행)=1.17+0.8=1.97 (km)
　　(집~학교~은행)=0.95+0.86=1.81 (km)
　　➡ 1.97>1.81이므로 학교를 거쳐서 가는 길이 더 가깝습니다.

12 (㉠~㉢)+(㉡~㉣)=1.34+1.52=2.86 (m)
　　➡ (㉠~㉣)=2.86−0.79=2.07 (m)

13 5.86<7.24<9.13이므로 가장 작은 수는 5.86, 두 번째로 작은 수는 7.24입니다.
　　➡ 5.86+7.24−9.13=13.1−9.13=3.97

15 (북한산의 높이)=840 m=0.84 km
　　➡ 1.95>0.84이므로 한라산이
　　　 1.95−0.84=1.11 (km) 더 높습니다.

16 7490 mL=7.49 L, 8300 mL=8.3 L
　　8.3 L>7.49 L>2.95 L이므로 가장 많은 들이는 8.3 L, 가장 적은 들이는 2.95 L입니다.
　　➡ 8.3+2.95=11.25 (L)

17

채점 기준	❶ 어떤 수 구하기	3점
	❷ 바르게 계산한 값 구하기	2점

18　　4 . ㉡ ㉠
　　− 1 . 7 ㉠
　　　㉢ . 7 8

• 소수 둘째 자리 계산:
　10−㉠=8, ㉠=2
• 소수 첫째 자리 계산:
　㉡−1+10−7=7, ㉡=5
• 일의 자리 계산: 4−1−1=㉢, ㉢=2

19 1이 9개이면 9, 0.01이 35개이면 0.35이므로
★=9.35입니다.
♣=★−5.71=9.35−5.71=3.64
♥=♣+8.37=3.64+8.37=12.01

20 만들 수 있는 소수 두 자리 수: □□.□□
• 가장 큰 소수 두 자리 수: 97.42
• 가장 작은 소수 두 자리 수: 24.79,
　두 번째로 작은 소수 두 자리 수: 24.97
➡ (두 수의 차)=97.42−24.97=72.45

01 예 **❶** (곰 인형을 포장하는 데 사용한 색 테이프의 길이)=73 cm=0.73 m
(로봇을 포장하는 데 사용한 색 테이프의 길이)
=59 cm=0.59 m ▸3점
❷ (남은 색 테이프의 길이)
=2.1−0.73−0.59=1.37−0.59
=0.78 (m) ▸2점
/ 0.78 m

02 예 ❶ (감자의 무게)=1600 g=1.6 kg
(고구마의 무게)=1950 g=1.95 kg ▶3점
❷ (빈 바구니의 무게)
$$=4-1.6-1.95=2.4-1.95$$
$$=0.45 \, (kg) \, ▶2점$$
/ 0.45 kg

03 예 ❶ (72가 빨간색 상자를 통과했을 때 나오는 수)
$$=(72의 \frac{1}{1000})=0.072 \, ▶2점$$
❷ (㉠에 알맞은 수)=(0.072의 100배)=7.2 ▶3점
/ 7.2

04 예 ❶ 모아: 430의 $\frac{1}{100}$ ➡ 4.3,
$\qquad$ 4.3의 $\frac{1}{100}$ ➡ 0.043
준우: 0.5의 $\frac{1}{100}$ ➡ 0.005,
$\qquad$ 0.005의 1000배 ➡ 5 ▶4점
❷ 0.043<5이므로 더 큰 수를 만든 사람은 준우입니다. ▶1점 / 준우

05 예 ❶ <를 =라 하면 3.9+□=11.2입니다.
□=11.2-3.9=7.3
➡ 주어진 식에서 □는 7.3보다 작아야 합니다. ▶3점
❷ 7.3보다 작은 소수 한 자리 수 중 가장 큰 수는 7.2입니다.
따라서 □ 안에 들어갈 수 있는 소수 한 자리 수 중 가장 큰 수는 7.2입니다. ▶2점 / 7.2

06 예 ❶ 보이지 않는 부분의 수를 □, <를 =라 하면 8.23-□=4.76입니다.
□=8.23-4.76=3.47
➡ 주어진 식에서 □는 3.47보다 커야 합니다. ▶3점
❷ 3.47보다 큰 소수 두 자리 수 중 가장 작은 수는 3.48입니다.
따라서 보이지 않는 부분에 들어갈 수 있는 소수 두 자리 수 중 가장 작은 수는 3.48입니다. ▶2점
/ 3.48

07 예 ❶ 1.73보다 크고 1.76보다 작으므로 자연수 부분은 1, 소수 첫째 자리 숫자는 7입니다.
3보다 크거나 같고 6보다 작은 수 중 짝수는 4이므로 소수 둘째 자리 숫자는 4입니다. ▶2점
❷ 소수 첫째 자리 숫자는 7이므로 소수 셋째 자리 숫자는 3입니다. ▶2점
❸ 조건을 모두 만족하는 소수 세 자리 수는 1.743입니다. ▶1점 / 1.743

08 예 ❶ 두 번째 설명에서 5보다 크고 6보다 작은 소수 세 자리 수이므로 5.□□□입니다.
일의 자리 숫자는 5이므로 세 번째 설명에서 소수 셋째 자리 숫자는 4입니다. ▶2점
❷ 네 번째 설명에서 4로 나누어떨어지는 수는 4, 8이고, 소수 셋째 자리 숫자가 4이므로 소수 첫째 자리 숫자는 8입니다. 다섯 번째 설명에서 이 소수를 10배 하면 소수 첫째 자리 숫자는 3이므로 소수의 소수 둘째 자리 숫자는 3입니다. ▶2점
❸ 따라서 정우가 설명하는 소수 세 자리 수는 5.834입니다. ▶1점 / 5.834

| 01 | ❶ 곰 인형과 로봇을 포장하는 데 사용한 색 테이프의 길이를 각각 m 단위로 나타내기 | 3점 |
| 채점 기준 | ❷ 남은 색 테이프의 길이 구하기 | 2점 |

| 02 | ❶ 감자와 고구마의 무게를 각각 kg 단위로 나타내기 | 3점 |
| 채점 기준 | ❷ 빈 바구니의 무게 구하기 | 2점 |

| 03 | ❶ 72가 빨간색 상자를 통과했을 때 나오는 수 구하기 | 2점 |
| 채점 기준 | ❷ ㉠에 알맞은 수 구하기 | 3점 |

| 04 | ❶ 모아와 준우가 만든 수 각각 구하기 | 4점 |
| 채점 기준 | ❷ 더 큰 수를 만든 사람 찾기 | 1점 |

| 05 | ❶ □ 안에 들어갈 수 있는 수의 범위 구하기 | 3점 |
| 채점 기준 | ❷ □ 안에 들어갈 수 있는 수 중 가장 큰 수 구하기 | 2점 |

| 06 | ❶ 보이지 않는 부분에 들어갈 수 있는 수의 범위 구하기 | 3점 |
| 채점 기준 | ❷ 보이지 않는 부분에 들어갈 수 있는 수 중 가장 작은 수 구하기 | 2점 |

07	❶ 첫 번째, 두 번째 조건에서 소수 첫째, 소수 둘째 자리 숫자 각각 구하기	2점
채점 기준	❷ 세 번째 조건에서 소수 셋째 자리 숫자 구하기	2점
	❸ 조건을 모두 만족하는 소수 세 자리 수 구하기	1점

08	❶ 두 번째, 세 번째 설명에서 일의 자리, 소수 셋째 자리 숫자 구하기	2점
채점 기준	❷ 첫 번째, 네 번째, 다섯 번째 설명에서 소수 첫째, 소수 둘째 자리 숫자 구하기	2점
	❸ 정우가 설명하는 소수 세 자리 수 구하기	1점

4. 사각형

1 변 ㄱㄴ

2 (예)

가

3 ⑤

4 1개

5 (예)

6 (예)

3cm

4 한 점을 지나고 한 직선에 평행한 직선은 1개 그을 수 있습니다.

ㄱ
가

01

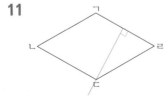

02 직선 가와 직선 나, 직선 가와 직선 마

03 선분 ㄱㄴ과 선분 ㄱㅁ

04 정은

05 직선 라와 직선 바

06 ㄹ

07 (예) ❶ 평행선이 각각 몇 쌍인지 알아보면 가는 2쌍, 나는 1쌍, 다는 2쌍입니다. ▶3점

❷ 따라서 평행선이 가장 적은 도형은 나입니다. ▶2점 / 나

08 변 ㄷㄹ, 변 ㄱㄴ, 변 ㅇㅅ

09 3 cm

10 라

11

ㄱ
ㄴ　　　ㄹ
ㄷ

12 (예) ❶ 점 ㄱ에서 각 변에 수직인 직선을 1개씩 그을 수 있습니다. ▶3점

❷ 따라서 점 ㄱ에서 각 변에 그을 수 있는 수선은 모두 5개입니다. ▶2점 / 5개

---

13 (예)

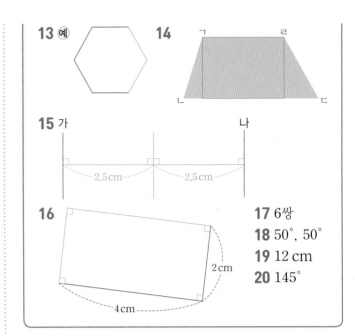

14

ㄱ　　　　ㄹ
ㄴ　　　　ㄷ

15 가

나

2.5cm ─── 2.5cm

16

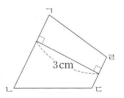
2cm
4cm

17 6쌍

18 50°, 50°

19 12 cm

20 145°

05 직선 라와 직선 바는 직선 가에 수직인 직선입니다. 따라서 직선 라와 직선 바는 서로 평행합니다.

06 ㉠ 한 점을 지나고 한 직선에 평행한 직선은 1개입니다.

㉡ 평행한 두 직선은 서로 만나지 않습니다.

㉢ 한 직선에 수직인 두 직선은 서로 평행합니다.

07

채점기준	❶ 평행선이 각각 몇 쌍인지 구하기	3점
	❷ 평행선이 가장 적은 도형 찾기	2점

가　　　　나　　　　다

09 변 ㄱㄴ과 변 ㄹㄷ이 서로 평행하므로 두 변 사이에 수직인 선분을 긋고, 그은 선분의 길이를 재어 봅니다.

ㄱ
3cm

10 평행선 사이의 거리를 알아보면

가: 14 cm, 나: 12 cm, 다: 16 cm, 라: 20 cm

11 각도기나 직각 삼각자를 사용하여 꼭짓점 ㄷ을 지나고 변 ㄱㄹ에 수직인 직선을 긋습니다.

12

채점기준	❶ 점 ㄱ에서 각 변에 그을 수 있는 수선의 개수 각각 구하기	3점
	❷ 그을 수 있는 수선은 모두 몇 개인지 구하기	2점

13 주어진 네 선분 중 두 선분은 서로 평행하므로 평행한 두 선분의 끝점에서 나머지 선분에 각각 평행하도록 직선을 긋습니다. 그은 두 직선이 만나는 점을 꼭짓점으로 하여 육각형을 완성합니다.

16 평행선 사이의 거리가 4 cm, 2 cm인 평행선을 각각 그은 후 두 직선이 만나는 점을 꼭짓점으로 하는 직사각형을 그려 봅니다.

17 평행선은 선분 ㄱㄴ과 선분 ㄷㄹ, 선분 ㄱㄴ과 선분 ㅂㅁ, 선분 ㄷㄹ과 선분 ㅂㅁ, 선분 ㄱㅂ과 선분 ㄴㄷ, 선분 ㄱㅂ과 선분 ㄹㅁ, 선분 ㄴㄷ과 선분 ㄹㅁ으로 모두 6쌍입니다.

19 직선 가와 직선 나 사이의 거리: 7 cm
직선 나와 직선 다 사이의 거리: 5 cm
➡ 직선 가와 직선 다 사이의 거리: 7+5=12(cm)

20 오른쪽 그림의 점 ㄱ에서 직선 나에 수직인 직선을 그으면
ㄴ=180°−35°−90°=55°입니다.
삼각형의 세 각의 크기의 합은 180°이므로
ㄷ=180°−55°−90°=35°입니다.
직선 위의 한 점을 꼭짓점으로 하는 각의 크기는 180°이므로 ㄱ=180°−35°=145°입니다.

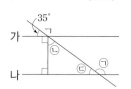

STEP 1 • 한번더 개념 완성하기   30쪽

1 예
2 라
3 평행

4 예
5 ㉢
6 ㉡

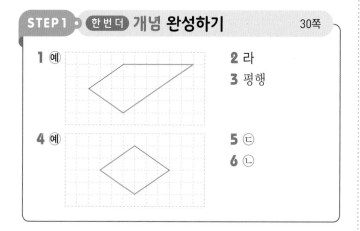

5 주어진 도형은 길이가 서로 다른 변이 있으므로 마름모라고 할 수 없습니다.

6 ㉠ 직사각형과 정사각형은 네 각이 모두 직각입니다.
㉡ 직사각형은 네 변의 길이가 모두 같은 것은 아니므로 정사각형이라고 할 수 없습니다.

STEP 2 • 한번더 실력 다지기   31~33쪽

01 ㉠
02 직사각형에 ○표
03 예

04 예 ❶ 마주 보는 두 쌍의 변이 서로 평행하지 않으므로 평행사변형이 아닙니다. ▶3점
❷   ▶2점

05
06 예 정사각형

07 ㉢
08 성희
09 ㉣
10 예   / 5

11 13 cm
12 15 cm
13 130°

14 예 ❶ 삼각형 ㄱㄴㄷ의 세 각의 크기의 합은 180°이므로 (각 ㄱㄴㄷ)=180°−90°−40°=50° ▶2점
❷ 평행사변형은 마주 보는 각의 크기가 같으므로
(각 ㄱㄹㄷ)=(각 ㄱㄴㄷ)=50° ▶3점 / 50°

15   / 18조각

16 예   / 마름모

17 9개
18 100°

04

채점 기준	❶ 이유 쓰기	3점
	❷ 평행사변형이 되도록 그리기	2점

06 만들어지는 사각형은 네 변의 길이가 같고 네 각이 모두 직각이므로 정사각형입니다.
참고 사다리꼴, 평행사변형, 마름모, 직사각형이라고 써도 정답입니다.

07 ㉢ 평행사변형은 네 각의 크기가 모두 같지 않은 경우가 있습니다.

08 우주: 직사각형은 평행한 변이 두 쌍 있으므로 사다리꼴입니다.
성희: 마름모의 네 각은 모두 직각이 아니므로 직사각형이 아닙니다.
태수: 정사각형은 마주 보는 두 쌍의 변이 서로 평행하므로 평행사변형입니다.

11 마름모는 네 변의 길이가 모두 같습니다.
$52 \div 4 = 13$(cm)이므로 한 변은 13 cm입니다.

12 평행사변형은 마주 보는 변의 길이가 같습니다.
변 ㄱㄹ을 □cm라 하면 □+21+□+21=72,
□+□=30, □=15입니다. → (변 ㄱㄹ)=15 cm

13 마름모는 이웃하는 두 각의 크기의 합이 180°이므로
(각 ㄱㄴㄷ)=$180° - 130° = 50°$입니다.
직선 위의 한 점을 꼭짓점으로 하는 각의 크기는
180°이므로 ㉠=$180° - 50° = 130°$입니다.

14
채점 기준	❶ 각 ㄱㄴㄷ의 크기 구하기	2점
	❷ 각 ㄱㄹㄷ의 크기 구하기	3점

15 사다리꼴 모양의 조각은 주어진 도형의 가로에 6조각, 세로에 3조각 들어가므로 모두 $6 \times 3 = 18$(조각) 필요합니다.

16 • 마주 보는 각의 크기가 같은 사각형:
평행사변형, 마름모, 직사각형, 정사각형
• 네 변의 길이가 모두 같은 사각형: 마름모, 정사각형
→ 마름모와 정사각형 중에서 1개를 그립니다.

17 • 작은 사각형 1개짜리:
①, ②, ③, ④ → 4개

• 작은 사각형 2개짜리:
①+②, ③+④, ①+③, ②+④ → 4개
• 작은 사각형 4개짜리: ①+②+③+④ → 1개
→ (크고 작은 평행사변형의 수)=4+4+1=9(개)

18 접힌 부분의 각도는 같으므로
ㄴ=$180° - 40° - 40°$
$= 100°$

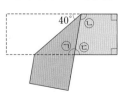

사각형의 네 각의 크기의 합은
360°이므로
ㄷ=$360° - 100° - 90° - 90° = 80°$
→ ㉠=$180° - 80° = 100°$

01 예) ❶ 직선 ㄱㅅ과 직선 ㅂㅅ은 서로 수직이므로
(각 ㄱㅅㅂ)=90°이고, 각 ㄱㅅㅂ을 크기가 똑같은 각 5개로 나누었으므로
(작은 각 한 개의 각도)=$90° \div 5 = 18°$ ▶3점
❷ 각 ㄴㅅㄹ의 크기는 작은 각 한 개의 각도의 2배이므로 (각 ㄴㅅㄹ)=$18° \times 2 = 36°$입니다. ▶2점
/ 36°

02 예) ❶ 직선 가와 직선 나는 서로 수직이므로 두 직선이 만나서 이루는 각은 직각입니다.
㉠+80°=90°, ㉠=$90° - 80° = 10°$
35°+㉡=90°, ㉡=$90° - 35° = 55°$ ▶4점
❷ (㉠과 ㉡의 각도의 차)=$55° - 10° = 45°$ ▶1점
/ 45°

03 예) ❶ 정사각형은 네 변의 길이가 모두 같으므로 정삼각형의 한 변의 길이는 9 cm입니다. ▶3점
❷ 정삼각형은 세 변의 길이가 모두 같으므로 초록색 선은 길이가 9 cm인 선분이 6개입니다.
→ (초록색 선의 길이)=$9 \times 6 = 54$(cm) ▶2점
/ 54 cm

04 예) ❶ 마름모는 네 변의 길이가 모두 같으므로 평행사변형에서 모르는 변의 길이는 12 cm입니다.
▶3점
❷ 평행사변형은 마주 보는 변의 길이가 같으므로 빨간색 선은 길이가 12 cm인 선분이 4개, 5 cm인 선분이 4개입니다.
$12 \times 4 = 48$(cm), $5 \times 4 = 20$(cm)
→ (빨간색 선의 길이)=$48 + 20 = 68$(cm) ▶2점
/ 68 cm

05 예) ❶ 평행사변형에서 이웃하는 두 각의 크기의 합이 180°이므로
(각 ㄹㄱㅂ)=$180° - 135° = 45°$입니다. ▶3점
❷ 정사각형의 한 각의 크기는 90°이므로
(각 ㄴㄱㅂ)=$90° + 45° = 135°$입니다. ▶2점 / 135°

06 예) ❶ 마름모에서 이웃하는 두 각의 크기의 합이 180°이므로
(각 ㄱㄴㅁ)=$180° - 140° = 40°$입니다. ▶2점
❷ 평행사변형에서 이웃하는 두 각의 크기의 합이 180°이므로
(각 ㅁㄷㄷ)=$180° - 105° = 75°$입니다. ▶2점
❸ 따라서 (각 ㄱㄴㄷ)=$40° + 75° = 115°$입니다.
▶1점 / 115°

07 예 ❶ (각 ㄱㄹㄷ)=180°−65°=115°
직선 다는 직선 가에 대한 수선이므로
(각 ㄴㄱㄹ)=90°입니다.
➡ (각 ㄱㄴㄷ)=360°−90°−115°−90°=65°
▸3점
❷ 직선 나는 직선 다에 대한 수선이므로
㉠=90°−65°=25°입니다. ▸2점 / 25°

08 예 ❶ 점 ㄱ에서 직선 나에
수선을 긋고,
그은 수선이 직선 나와 만
나는 점을 점 ㄹ이라 하면
(각 ㄱㄹㄷ)=90°, (각 ㄴㄱㄹ)=90°−50°=40°,
(각 ㄴㄷㄹ)=180°−85°=95°입니다. ▸3점
❷ 사각형 ㄴㄱㄹㄷ에서
(각 ㄱㄴㄷ)=360°−40°−90°−95°=135°입
니다. ▸2점 / 135°

01
| 채점 기준 | ❶ 작은 각 한 개의 각도 구하기 | 3점 |
| | ❷ 각 ㄴㅅㄹ의 크기 구하기 | 2점 |

중요 두 직선이 서로 수직일 때 두 직선이 만나서 이루는 각의 크기는 90°입니다.

02
| 채점 기준 | ❶ ㉠과 ㉡의 각도 각각 구하기 | 4점 |
| | ❷ ㉠과 ㉡의 각도의 차 구하기 | 1점 |

03
| 채점 기준 | ❶ 정삼각형의 한 변의 길이 구하기 | 3점 |
| | ❷ 초록색 선의 길이 구하기 | 2점 |

04
| 채점 기준 | ❶ 평행사변형에서 모르는 변의 길이 구하기 | 3점 |
| | ❷ 빨간색 선의 길이 구하기 | 2점 |

05
| 채점 기준 | ❶ 각 ㄹㄱㅂ의 크기 구하기 | 3점 |
| | ❷ 각 ㄴㄱㅂ의 크기 구하기 | 2점 |

06
채점 기준	❶ 각 ㄱㄴㅁ의 크기 구하기	2점
	❷ 각 ㅁㄴㄷ의 크기 구하기	2점
	❸ 각 ㄱㄴㄷ의 크기 구하기	1점

07
| 채점 기준 | ❶ 각 ㄱㄴㄷ의 크기 구하기 | 3점 |
| | ❷ ㉠의 각도 구하기 | 2점 |

08
| 채점 기준 | ❶ 점 ㄱ에서 직선 나에 수선을 그은 후 여러 각의 크기 구하기 | 3점 |
| | ❷ 각 ㄱㄴㄷ의 크기 구하기 | 2점 |

5. 꺾은선그래프

STEP1 한번더 개념 완성하기　36쪽

1 1 cm　2 3 cm　3 예 10 cm
4 21일, 27일　5 29 kg, 41 kg
6 예

7 준호

1 세로 눈금 5칸: 5 cm
➡ 세로 눈금 한 칸: 5÷5=1 (cm)

3 21일과 27일의 중간점이 가리키는 곳의 세로 눈금을 읽으면 10 cm입니다.

4 선이 가장 많이 기울어진 부분을 찾으면 21일과 27일 사이입니다.

5 가장 가벼운 몸무게와 가장 무거운 몸무게를 모두 나타낼 수 있어야 합니다.

7 아영: 2016년부터 2017년까지 41−38=3 (kg) 늘었습니다.
준호: 몸무게의 변화가 가장 작은 때는 선이 가장 적게 기울어진 2014년과 2015년 사이입니다.

STEP2 한번더 실력 다지기　37~39쪽

01 ㉡
02 18, 14 /
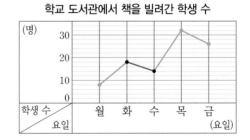

03 41개

04 150 /

예

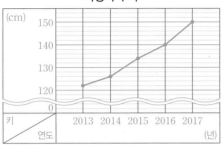

나영이의 키

05 예 ❶ 가로는 요일, 세로는 횟수를 나타냅니다.
은지의 윗몸일으키기 횟수를 나타내었습니다. ▶3점
❷ 은지의 윗몸일으키기 횟수를 막대그래프는 막
대로, 꺾은선그래프는 선으로 이어 그렸습니다.
▶2점

06 예

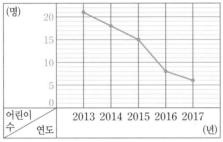

○○ 마을의 어린이 수

07 가 식물　　　　　　　**08** 예 1.2 L

09 예

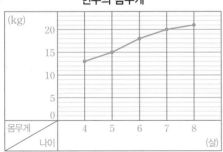

현우의 몸무게

/ 5살, 6살

10 80대　　　　　　　**11** 2015년

12 예 ❶ 310명 ▶2점
❷ 2011년부터 안경을 쓴 학생 수가 2년마다 30명
씩 늘어나고 있으므로
2019년의 안경을 쓴 학생 수는
280＋30＝310(명)이 될 것입니다. ▶3점

01 ㉡ 턱걸이 횟수가 전날보다 줄어든 날은 목요일입니다.

02 표를 보고 꺾은선그래프에서 빠진 부분을 완성하고,
꺾은선그래프를 보고 표에서 빠진 부분을 완성합니다.

03 세로 눈금 한 칸: 1개
월요일: 18개, 수요일: 23개
➡ 18＋23＝41(개)

04 2017년: 140＋10＝150 (cm)
122 cm부터 150 cm까지 나타내어야 하므로 세로
눈금 한 칸의 크기는 2 cm로 하고, 120 cm 밑부분
은 물결선으로 나타냅니다.
참고 조사한 나영이의 키가 모두 짝수이므로 세로 눈금 한 칸의
크기를 2 cm로 하면 편리합니다.

05

채점 기준	❶ 막대그래프와 꺾은선그래프의 같은 점 쓰기	3점
	❷ 막대그래프와 꺾은선그래프의 다른 점 쓰기	2점

06 각 연도별로 어린이 수를 알아봅니다.
2013년: 21명, 2014년: 18명, 2015년: 15명,
2016년: 8명, 2017년: 6명
각 연도의 어린이 수에 맞게 점을 찍은 다음 선분으로
잇습니다.

07 처음에는 선이 적게 기울어졌다가 시간이 지나면서
많이 기울어지는 그래프를 찾습니다.
➡ 가 식물
나 식물은 처음에는 빠르게 자라다가 시간이 지나면
서 천천히 자랐습니다.

08 받은 물의 양은 20초 후 0.8 L, 40초 후 1.6 L 이고,
0.8 L와 1.6 L의 중간값은 1.2 L이므로
30초 후 받은 물의 양은 1.2 L라고 예상할 수 있습
니다.

09 자료의 변화 정도를 알아보는 내용은 꺾은선그래프
로 나타내는 것이 좋습니다.
선이 가장 많이 기울어진 부분을 찾으면 5살과 6살
사이입니다.

10 2월의 자동차 생산량은 가 회사가 2140대, 나 회사
가 2060대입니다.
➡ 2140－2060＝80(대)

11 닭의 수가 소의 수보다 더 적을 때는 닭의 수를 나타
내는 선(빨간색 선)이 소의 수를 나타내는 선(파란색
선)보다 아래쪽에 있을 때입니다.
➡ 2015년에 닭의 수가 소의 수보다 더 적습니다.

12

채점 기준	❶ 2019년의 안경을 쓴 학생 수 예상하기	2점
	❷ 이유 쓰기	3점

| STEP3 • 한번더 서술형 **해결하기** | 40쪽 |

01 예 ❶ 두 사람의 키의 차가 가장 작은 때는 두 선의 간격이 가장 적게 벌어진 때이므로 6월입니다. ▶3점

❷ 6월에 인호의 키는 137.2 cm, 영아의 키는 137 cm입니다. ▶2점 / 137.2 cm, 137 cm

02 예 ❶ 학생 수의 차가 가장 큰 때는 두 선의 간격이 가장 많이 벌어진 때이므로 2013년입니다. ▶2점

❷ 2013년에 남학생은 340명, 여학생은 280명입니다.

➡ (학생 수의 차)=340−280=60(명) ▶3점 / 60명

03 예 ❶ 출생아 수를 구하면 1월은 100명, 2월은 110명, 3월은 130명, 4월은 160명입니다.

➡ 출생아 수는 매월 10명, 20명, 30명 많아졌습니다. ▶3점

❷ 5월은 4월보다 출생아 수가 40명 많아질 것으로 예상할 수 있습니다. 따라서 5월의 출생아 수는 160+40=200(명)으로 예상할 수 있습니다. ▶2점 / 예 200명

04 예 ❶ 해 뜨는 시각을 구하면 5일은 7시 1분, 10일은 7시 2분, 15일은 7시 4분, 20일은 7시 7분입니다.

➡ 5일마다 해 뜨는 시각은 1분, 2분, 3분 늦어졌습니다. ▶3점

❷ 25일의 해 뜨는 시각은 20일보다 4분 늦어질 것으로 예상할 수 있습니다. 따라서 10월 25일의 해 뜨는 시각은 7시 7분+4분=7시 11분으로 예상할 수 있습니다. ▶2점 / 예 7시 11분

01

| 채점 기준 | ❶ 키의 차가 가장 작은 때 구하기 | 3점 |
| | ❷ 키의 차가 가장 작은 때의 키 구하기 | 2점 |

02

| 채점 기준 | ❶ 학생 수의 차가 가장 큰 때 구하기 | 2점 |
| | ❷ 학생 수의 차가 가장 큰 때의 학생 수의 차 구하기 | 3점 |

03

| 채점 기준 | ❶ 출생아 수는 매월 몇 명 많아졌는지 구하기 | 3점 |
| | ❷ 5월의 출생아 수 예상하기 | 2점 |

04

| 채점 기준 | ❶ 5일마다 해 뜨는 시각은 몇 분 늦어졌는지 구하기 | 3점 |
| | ❷ 10월 25일의 해 뜨는 시각 예상하기 | 2점 |

6. 다각형

| STEP1 • 한번더 개념 **완성하기** | 41쪽 |

1 가   **2** 예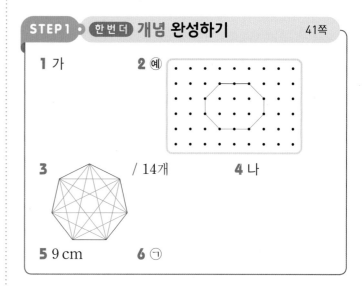

3 / 14개   **4** 나

5 9 cm   **6** ㉠

1 가: 변이 5개인 도형이므로 오각형입니다.
나: 변이 6개인 도형이므로 육각형입니다.
다: 변이 8개인 도형이므로 팔각형입니다.
중요 변이 ■개인 다각형은 ■각형입니다.

2 팔각형이므로 변이 8개인 도형을 그립니다.

3 서로 이웃하지 않는 두 꼭짓점을 선분으로 이으면 대각선은 모두 14개입니다.

4

가: 2개, 나: 5개,
다: 대각선을 그을 수 없습니다.
➡ 대각선의 수가 가장 많은 것은 나입니다.
참고 다각형의 꼭짓점의 수가 많을수록 그을 수 있는 대각선의 수도 많습니다.

5 마름모는 한 대각선이 다른 대각선을 똑같이 둘로 나눕니다.
➡ (선분 ㅁㄷ)=(선분 ㄱㅁ)=9 cm
참고 마름모의 두 대각선의 성질
① 두 대각선이 서로 수직으로 만납니다.
② 한 대각선이 다른 대각선을 똑같이 둘로 나눕니다.

6 만들 수 있는 사각형은 오른쪽과 같은 직사각형입니다.
㉠ 직사각형은 네 각이 모두 직각입니다.
㉡ 직사각형은 두 대각선이 서로 수직으로 만나지 않는 경우가 있습니다.

01

02 나, 라

03

04 다, 팔각형 　　　**05** 4 cm
06 정육각형 　　　**07** 144°
08 정육각형 　　　**09** 90°
10 세진
11 ⑩ ❶ 표시된 꼭짓점에서 그을 수 있는 대각선은
　　사각형은 1개, 오각형은 2개, 칠각형은 4개입니다.
　　▶3점

　　❷ (대각선의 수의 합)=1+2+4=7(개) ▶2점
　　/ 7개
12 5개
13 ⑩
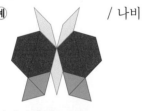
　　　/ 나비

14 직사각형에 ×표
15 ⑩

16 ⑩

　　　17 40 cm
　　　18 140°
　　　19 정십각형

20 ⑩ ❶ 바닥을 빈틈없이 채울 수 없습니다. ▶2점
　　❷ 정팔각형은 삼각형 6개로 나눌 수 있으므로
　　(모든 각의 크기의 합)=180°×6=1080°
　　➡ (한 각의 크기)=1080°÷8=135°
　　135°+135°=270°, 135°+135°+135°=405°이
　　므로 바닥을 빈틈없이 채울 수 없습니다. ▶3점

01 변의 길이와 각의 크기가 모두 같은 다각형을 찾아
색칠합니다.

02 곡선으로 이루어진 부분이 있는 도형은 다각형이 아
닙니다.

03 변이 5개인 단추는 빨간색, 변이 6개인 단추는 파란
색, 변이 8개인 단추는 노란색으로 색칠합니다.

04 변을 각각 세어 봅니다.
가: 6개, 나: 4개, 다: 8개, 라: 5개
따라서 변의 수가 가장 많은 다각형은 다이고, 다의
이름은 팔각형입니다.

05 정이십각형은 20개의 변의 길이가 모두 같으므로
(한 변의 길이)=80÷20=4(cm)

06 정다각형은 변의 길이가 모두 같으므로
변은 36÷6=6(개)입니다.
변이 6개인 정다각형은 정육각형입니다.
중요 변이 ●개인 정다각형은 정●각형입니다.

07 정십각형에는 각이 10개 있고 그 크기는 모두 같습
니다.
144°×10=1440°이므로 정십각형의 한 각의 크기
는 144°입니다.

08 정다각형은 모든 각의 크기가 같고,
120°×6=720°이므로 정육각형입니다.

09 접었다가 펼쳤을 때 접어서 생긴 두 선
분은 두 대각선입니다.
정사각형의 두 대각선은 서로 수직으로
만나므로 두 선분이 만나서 이루는 각의 크기는 90°
입니다.

10 정아: 두 대각선의 길이가 같은 사각형은 직사각형과
정사각형입니다.

11

채점기준	❶ 표시된 꼭짓점에서 그을 수 있는 대각선의 수 각각 구하기	3점
	❷ 표시된 꼭짓점에서 그을 수 있는 대각선의 수의 합 구하기	2점

12

➡ 오각형은 대각선을 5개 그을 수
있으므로 필요한 끈은 모두 5개
입니다.

13 길이가 같은 변끼리 겹치지 않게 이어 붙여 모양을 만들어 봅니다.

14  → 사다리꼴, 평행사변형

→ 정육각형

15 모양 조각을 여러 번 사용하여 평행사변형을 빈틈없이 채워 봅니다.

17 직사각형은 두 대각선의 길이가 같고, 한 대각선이 다른 대각선을 똑같이 둘로 나누므로
$$(선분\ ㄱㄷ)=(선분\ ㄴㄹ)$$
$$=10×2=20(cm)$$
→ (두 대각선의 길이의 합)$=20×2$
$$=40(cm)$$

18 정구각형은 삼각형 7개로 나눌 수 있으므로
(정구각형의 모든 각의 크기의 합)
$$=180°×7=1260°$$
정구각형은 9개의 각의 크기가 모두 같으므로
(정구각형의 한 각의 크기)$=1260°÷9$
$$=140°$$

19 선분으로만 둘러싸여 있고, 모든 변의 길이와 모든 각의 크기가 같으므로 정다각형입니다.
한 꼭짓점에서 그을 수 있는 대각선이 7개이므로 이 다각형의 꼭짓점은 10개입니다.
따라서 은주네가 산 타일의 모양은 정십각형입니다.

20

채점 기준	❶ 바닥을 빈틈없이 채울 수 있는지, 없는지 쓰기	2점
	❷ 이유 쓰기	3점

STEP3 · 한번더 서술형 해결하기 45쪽

01 예 ❶ 삼각형 ㄴㄷㄹ은 이등변삼각형이므로
(각 ㄴㄹㄷ)=(각 ㄹㄴㄷ)$=35°$입니다. ▶2점
❷ 마름모는 두 대각선이 서로 수직으로 만나므로
(각 ㄹㅁㄷ)$=90°$입니다.
삼각형의 세 각의 크기의 합은 $180°$이므로
(각 ㅇㄷㄹ)$=180°-90°-35°=55°$입니다. ▶3점
/ 55°

02 예 ❶ 직사각형은 두 대각선의 길이가 같고, 한 대각선이 다른 대각선을 똑같이 둘로 나누므로 삼각형 ㄱㄴㅇ은 이등변삼각형입니다.
→ (각 ㅇㄱㄴ)$=65°$ ▶2점
❷ 삼각형의 세 각의 크기의 합은 $180°$이므로
(각 ㄱㅇㄴ)$=180°-65°-65°=50°$입니다.
직선 위의 한 점을 꼭짓점으로 하는 각의 크기는 $180°$이므로
(각 ㄴㅇㄷ)$=180°-50°=130°$입니다. ▶3점
/ 130°

03 예 ❶ 정육각형은 모든 변의 길이가 같으므로 삼각형 ㄴㄷㄹ은 이등변삼각형입니다.
정육각형은 모든 각의 크기가 같으므로
(각 ㄴㄷㄹ)=(각 ㄱㅂㅁ)$=120°$입니다.
삼각형 ㄴㄷㄹ은 이등변삼각형이므로
(각 ㄹㄴㄷ)=(각 ㄴㄹㄷ)$=30°$입니다. ▶3점
❷ (각 ㄷㄹㅁ)=(각 ㄱㅂㅁ)$=120°$이므로
(각 ㄴㄹㅁ)$=120°-30°=90°$입니다. ▶2점 / 90°

04 예 ❶ 정십이각형은 모든 변의 길이가 같으므로 삼각형 ㅌㅋㅊ과 삼각형 ㅊㅇㅈ은 이등변삼각형입니다.
정십이각형은 모든 각의 크기가 같으므로
(각 ㅌㅋㅊ)=(각 ㅊㅈㅇ)=(각 ㄴㄷㄹ)$=150°$입니다.
삼각형 ㅌㅋㅊ은 이등변삼각형이므로
(각 ㅋㅊㅌ)$=15°$이고, 삼각형 ㅊㅇㅈ은 이등변삼각형이므로 (각 ㅇㅊㅈ)$=15°$입니다. ▶3점
❷ (각 ㅋㅊㅈ)=(각 ㄴㄷㄹ)$=150°$이므로
(각 ㅌㅊㅇ)$=150°-15°-15°=120°$입니다. ▶2점
/ 120°

01

채점 기준	❶ 각 ㄴㄹㄷ의 크기 구하기	2점
	❷ 각 ㅇㄷㄹ의 크기 구하기	3점

02

채점 기준	❶ 각 ㅇㄱㄴ의 크기 구하기	2점
	❷ 각 ㄴㅇㄷ의 크기 구하기	3점

03

채점 기준	❶ 각 ㄴㄹㄷ의 크기 구하기	3점
	❷ 각 ㄴㄹㅁ의 크기 구하기	2점

04

채점 기준	❶ 각 ㅋㅊㅌ과 각 ㅇㅊㅈ의 크기 각각 구하기	3점
	❷ 각 ㅌㅊㅇ의 크기 구하기	2점

● 단원 평가지

1. 분수의 덧셈과 뺄셈
46~48쪽

01 7

02 5, 2, 3, 3

03 $3\frac{2}{7}-1\frac{5}{7}=2\frac{9}{7}-1\frac{5}{7}=(2-1)+(\frac{9}{7}-\frac{5}{7})$
$=1+\frac{4}{7}=1\frac{4}{7}$

04 $4\frac{7}{8}$

05 $\frac{3}{14}$

06 (예) $\frac{4}{6}+\frac{5}{6}=\frac{4+5}{6}=\frac{9}{6}=1\frac{3}{6}$

07 $\frac{1}{4}$, $1\frac{5}{9}$

08 $2\frac{1}{7}$

09 $2\frac{4}{9}$

10 >

11 $7\frac{1}{9}$

12 ⑤

13 $6\frac{3}{7}$ kg

14 $3\frac{4}{8}$

15 $\frac{7}{12}$

16 ㉠, ㉣ / ㉡, ㉢

17 $9\frac{5}{7}+2\frac{3}{7}=12\frac{1}{7}$

18 (예) ❶ $1\frac{8}{10}+2\frac{5}{10}=(1+2)+(\frac{8}{10}+\frac{5}{10})$
$=3+\frac{13}{10}=3+1\frac{3}{10}$
$=4\frac{3}{10}$ ▶2점

❷ $1\frac{8}{10}+2\frac{5}{10}=\frac{18}{10}+\frac{25}{10}=\frac{43}{10}=4\frac{3}{10}$ ▶3점

19 (예) ❶ 색 테이프 2장의 길이의 합은
$9\frac{2}{5}+9\frac{2}{5}=18+\frac{4}{5}=18\frac{4}{5}$ (cm)입니다. ▶3점
❷ (이어 붙인 색 테이프의 전체 길이)
$=18\frac{4}{5}-1\frac{4}{5}=17$ (cm) ▶2점 / 17 cm

20 (예) ❶ $\frac{12}{13}-\frac{□}{13}=\frac{12-□}{13}$에서 □=5일 때 계산
결과가 $\frac{7}{13}$이 나오므로 □ 안에는 5보다 작은 수
가 들어가야 합니다. ▶3점
❷ □ 안에 들어갈 수 있는 수는 1, 2, 3, 4이므로
그중 가장 큰 수는 4입니다. ▶2점 / 4

07 • $2-1\frac{3}{4}=\frac{1}{4}$ • $5-3\frac{4}{9}=1\frac{5}{9}$

08 ♥$=1\frac{3}{7}+\frac{5}{7}=1+\frac{8}{7}=1+1\frac{1}{7}=2\frac{1}{7}$

09 $5\frac{2}{9}-2\frac{7}{9}=4\frac{11}{9}-2\frac{7}{9}=(4-2)+(\frac{11}{9}-\frac{7}{9})$
$=2+\frac{4}{9}=2\frac{4}{9}$

10 $3\frac{7}{10}+4\frac{2}{10}=7\frac{9}{10}$, $5\frac{5}{10}+2\frac{3}{10}=7\frac{8}{10}$
→ $7\frac{9}{10}>7\frac{8}{10}$

11 $4\frac{3}{9}>3\frac{8}{9}>2\frac{7}{9}$
→ $4\frac{3}{9}+2\frac{7}{9}=6+\frac{10}{9}=6+1\frac{1}{9}=7\frac{1}{9}$

12 ① $3\frac{2}{6}+2\frac{1}{6}=5\frac{3}{6}$ ② $1\frac{5}{6}+4\frac{3}{6}=6\frac{2}{6}$
③ $7\frac{1}{6}-1\frac{5}{6}=5\frac{2}{6}$ ④ $7\frac{4}{6}-2\frac{3}{6}=5\frac{1}{6}$
⑤ $9\frac{2}{6}-2\frac{4}{6}=6\frac{4}{6}$

13 (감의 무게)$=7\frac{5}{7}-1\frac{2}{7}=6\frac{3}{7}$ (kg)

14 $6\frac{3}{8}-□=2\frac{7}{8}$
→ $□=6\frac{3}{8}-2\frac{7}{8}=5\frac{11}{8}-2\frac{7}{8}=3\frac{4}{8}$

15 어떤 수를 □라 하면 $□+\frac{5}{12}=1$입니다.
→ $□=1-\frac{5}{12}=\frac{12}{12}-\frac{5}{12}=\frac{7}{12}$

16 $2\frac{5}{8}+2\frac{3}{8}=5$, $2\frac{2}{8}+2\frac{6}{8}=5$이므로 각각 ㉠과 ㉣,
㉡과 ㉢을 모아야 합니다.

17 가장 큰 대분수는 자연수 부분에 가장 큰 수를, 가장
작은 대분수는 자연수 부분에 가장 작은 수를 씁니다.
→ $9\frac{5}{7}+2\frac{3}{7}=11+\frac{8}{7}=11+1\frac{1}{7}=12\frac{1}{7}$

18

채점 기준	❶ 한 가지 방법으로 계산하기	2점
	❷ 다른 방법으로 계산하기	3점

19

채점 기준	❶ 색 테이프 2장의 길이의 합 구하기	3점
	❷ 이어 붙인 색 테이프의 전체 길이 구하기	2점

20

채점 기준	❶ □ 안에 들어갈 수 있는 자연수의 범위 구 하기	3점
	❷ □ 안에 들어갈 수 있는 자연수 중 가장 큰 수 구하기	2점

2. 삼각형

01 정삼각형   **02** ( ) (×) ( )

03 ②, ④   **04** ㉡   **05** 다, 라

06 9   **07** 예

08 ③   **09** 다   **10** 29 cm

11 이등변삼각형, 정삼각형, 예각삼각형에 ○표

12 14 cm   **13** 65°   **14** ⑤

15 4 cm   **16** 165°   **17** 27개

18 ❶ 승원 ▸2점

　　❷ 예 예각삼각형은 세 각이 모두 예각인 삼각형입니다. ▸3점

19 예 ❶ 삼각형의 세 각의 크기의 합은 180°이므로 나머지 한 각의 크기는 $180° - 55° - 20° = 105°$입니다. ▸3점

　　❷ 따라서 한 각이 둔각이므로 둔각삼각형입니다.
　　▸2점 / 둔각삼각형

20 예 ❶ 정삼각형의 한 각의 크기는 60°이므로 ㉠$= 180° - 60° = 120°$입니다. ▸2점

　　❷ 이등변삼각형은 두 각의 크기가 같으므로 ㉡$= 45°$입니다. ▸2점

　　❸ 따라서 ㉠$-$㉡$= 120° - 45° = 75°$입니다. ▸1점
　　/ 75°

---

01 세 변의 길이가 같은 삼각형을 정삼각형이라고 합니다.

02 두 변의 길이가 같은 삼각형을 이등변삼각형이라고 합니다.

03 ① 직각삼각형
　　③, ⑤ 둔각삼각형

04 이등변삼각형은 두 변의 길이가 같습니다.
　　따라서 이등변삼각형인 것을 찾으면 ㉡입니다.

05 세 변의 길이가 같은 삼각형을 모두 찾습니다.

06 이등변삼각형은 두 변의 길이가 같습니다.

07 세 각 중 한 각의 크기가 직각보다 크고 180°보다 작은 삼각형을 그립니다.

08 세 각이 모두 예각인 삼각형이 되어야 합니다.
　　①, ⑤ 한 각이 둔각 ➡ 둔각삼각형
　　②, ④ 한 각이 직각 ➡ 직각삼각형
　　③ 세 각이 모두 예각 ➡ 예각삼각형

09 두 변의 길이가 같고, 한 각이 둔각인 삼각형을 찾습니다.

10 이등변삼각형은 두 변의 길이가 같으므로 나머지 한 변은 8 cm입니다.
　　(세 변의 길이의 합)$= 13 + 8 + 8 = 29$ (cm)

11 세 변의 길이가 같으므로 정삼각형입니다.
　　정삼각형은 이등변삼각형이라고 할 수 있습니다.
　　또, 정삼각형은 예각삼각형입니다.

12 정삼각형은 세 변의 길이가 같으므로
　　(변 ㄱㄷ)$= 42 ÷ 3 = 14$ (cm)입니다.

13 변 ㄱㄷ과 변 ㄴㄷ의 길이가 같으므로 삼각형 ㄱㄴㄷ은 이등변삼각형입니다.
　　(각 ㄱㄴㄷ)$+$(각 ㄴㄱㄷ)$= 180° - 50° = 130°$이고,
　　이등변삼각형은 두 각의 크기가 같으므로
　　(각 ㄱㄴㄷ)$= 130° ÷ 2 = 65°$입니다.

14 나머지 한 각의 크기를 알아보면
　　① 105°, ② 90°, ③ 85°, ④ 100°, ⑤ 40°입니다.
　　➡ 두 각의 크기가 같은 삼각형은 ⑤입니다.

15 (만든 정삼각형 1개의 세 변의 길이의 합)
　　$= 11 + 11 + 11 = 33$ (cm)
　　따라서 남은 철사는 $70 - 33 - 33 = 4$ (cm)입니다.

16 이등변삼각형이므로 (각 ㄱㄷㄴ)$= 65°$입니다.
　　㉠$= 180° - 65° - 65° = 50°$
　　㉡$= 180° - 65° = 115°$
　　➡ ㉠$+$㉡$= 50° + 115° = 165°$

17 작은 삼각형 1개짜리: 16개
　　작은 삼각형 4개짜리: 7개
　　작은 삼각형 9개짜리: 3개
　　작은 삼각형 16개짜리: 1개
　　➡ $16 + 7 + 3 + 1 = 27$(개)

18

채점 기준	❶ 잘못 말한 사람의 이름 쓰기	2점
	❷ 이유 쓰기	3점

19

채점 기준	❶ 나머지 한 각의 크기 구하기	3점
	❷ 예각삼각형인지, 둔각삼각형인지 쓰기	2점

20

채점 기준	❶ ㉠의 각도 구하기	2점
	❷ ㉡의 각도 구하기	2점
	❸ ㉠과 ㉡의 각도의 차 구하기	1점

3. 소수의 덧셈과 뺄셈

52~54쪽

01 $\dfrac{27}{100}$, 0.27　　**02** 3.109, 삼 점 일영구

03 0.062　　**04** 재현　　**05** >

06 5.36　　**07** · ✕ ·　　**08** 3.402

09 8.44　　**10** 0.53 L　　**11** 10.53

12 4.33　　**13** ㉡, ㉠, ㉢

14 (위에서부터) 7, 4　　**15** 바람 전시실

16 4.96 m　　**17** 12.67

18 ❶ 예 소수점 아래의 숫자는 숫자만 읽어야 하는데 자릿값을 읽었습니다. ▶3점

　❷ 일 점 사오칠 ▶2점

19 예 ❶ 네 수의 크기를 비교하면
5.8>5.79>4.76>4.691이므로 가장 큰 수는 5.8, 두 번째로 작은 수는 4.76입니다. ▶2점

　❷ 따라서 가장 큰 수와 두 번째로 작은 수의 차는
5.8−4.76=1.04입니다. ▶3점
／ 1.04

20 예 ❶ 항아리에 들어 있는 간장은
3.46+2.3=5.76 (L)입니다. ▶2점

　❷ (더 담아야 하는 간장의 양)
　　=9.2−5.76=3.44 (L) ▶3점
／ 3.44 L

---

01 모눈 한 칸의 크기는 $\dfrac{1}{100}$=0.01이고 27칸을 색칠하였습니다.

분수로 나타내면 $\dfrac{1}{100}$이 27개이므로 $\dfrac{27}{100}$,

소수로 나타내면 0.01이 27개이므로 0.27입니다.

03 소수의 $\dfrac{1}{100}$은 소수점을 기준으로 수가 오른쪽으로 두 자리 이동합니다.

6.2의 $\dfrac{1}{100}$ ➡ 0.062

04 승주: 0.01의 1000배는 10입니다.

05 0.78 > 0.778
　　└8>7┘

06
$$\begin{array}{r} \overset{7\ 10\ 10}{8.\cancel{1}\cancel{4}} \\ -\ 2.7\ 8 \\ \hline 5.3\ 6 \end{array}$$

07 · 0.3+0.9=1.2, 0.7+1.8=2.5,
　4.3−2.6=1.7

· 0.9+0.8=1.7, 4.1−2.9=1.2,
　3.2−0.7=2.5

08 각 수에서 숫자 3이 나타내는 수를 알아봅니다.
4.1<u>3</u> ➡ 0.03, 2.<u>3</u>75 ➡ 0.3,
<u>3</u>.402 ➡ 3, 5.84<u>3</u> ➡ 0.003
3>0.3>0.03>0.003이므로 숫자 3이 나타내는 수가 가장 큰 수는 3.402입니다.

09 □=3.76+4.68=8.44

10 (마신 주스의 양)
　=(처음 주스의 양)−(남은 주스의 양)
　=2.31−1.78=0.53 (L)

11 7.28+5.64−2.39=12.92−2.39=10.53

12 0.1이 46개, 0.01이 28개인 수 → 4.88
➡ 4.88−0.55=4.33

13 ㉠ 1.64+0.95=2.59
㉡ 4.37−1.7=2.67
㉢ 0.83+1.64=2.47
➡ 2.67>2.59>2.47

14
$$\begin{array}{r} 5.\ 1\ ㉠ \\ +\ 2.\ ㉡\ 6 \\ \hline 7.\ 6\ 3 \end{array}$$
· ㉠+6=13 ➡ ㉠=7
· 1+1+㉡=6 ➡ ㉡=4

15 두 전시실의 세로는 같으므로 가로를 비교합니다.
5.96>5.958이므로 바람 전시실이 더 큽니다.
　└6>5┘

16 (구름 전시실의 가로)
　=17.34−6.42−5.96
　=10.92−5.96=4.96 (m)

17 어떤 수를 □라 하면
□−2.43=7.81, □=7.81+2.43=10.24입니다.
➡ 바른 계산: 10.24+2.43=12.67

18
채점 기준	❶ 이유 쓰기	3점
	❷ 바르게 읽기	2점

19
채점 기준	❶ 가장 큰 수와 두 번째로 작은 수 찾기	2점
	❷ 가장 큰 수와 두 번째로 작은 수의 차 구하기	3점

20
채점 기준	❶ 항아리에 들어 있는 간장의 양 구하기	2점
	❷ 더 담아야 하는 간장의 양 구하기	3점

4. 사각형

55~57쪽

01 수선   **02** 가, 나, 다, 라, 바

03 나, 라, 바   **04** 라   **05** 직선 다, 직선 마

06 ㉣   **07** (왼쪽에서부터) 135, 45

08 ㉖

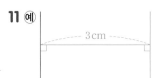

09 8 cm   **10** ㉖

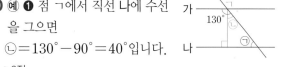

11 ㉖

3 cm

12 ㄱㄴ, ㅁㄹ / ㄴㄷ, ㅂㅁ / ㄱㅂ, ㄷㄹ

13 민혁   **14** 1개   **15** ②

16 5 cm   **17** 120°

18 ㉖ ❶ 마름모 ▶2점

❷ 네 변의 길이가 모두 같은 사각형이므로 마름모
입니다. ▶3점

19 ㉖ ❶ 변 ㄱㅂ과 변 ㄴㄷ 사이의 거리는 변 ㅂㅁ과
변 ㄹㄷ의 길이의 합과 같습니다. ▶3점

❷ 따라서 변 ㄱㅂ과 변 ㄴㄷ 사이의 거리는
5+7=12 (cm)입니다. ▶2점
/ 12 cm

20 ㉖ ❶ 점 ㄱ에서 직선 나에 수선
을 그으면
㉡=130°−90°=40°입니다.
▶3점

❷ 삼각형의 세 각의 크기의 합은 180°이므로
㉠=180°−40°−90°=50°입니다. ▶2점
/ 50°

02 마주 보는 두 쌍의 변이 서로 평행한 사각형은 평행
사변형, 마름모, 직사각형, 정사각형입니다.

03 네 변의 길이가 모두 같은 사각형은 마름모, 정사각형
입니다.

04 네 변의 길이가 모두 같고 네 각의 크기가 모두 같은
사각형은 정사각형입니다.

05 직선 다, 직선 마는 모두 직선 나와 서로 수직이므로
두 직선은 서로 평행합니다.

06 직각 삼각자의 직각 부분에 있는 변과 직선 가를 맞
춘 다음, 직각 부분에 있는 다른 변을 따라 수직인
직선을 긋습니다.

07 평행사변형은 마주 보는 각의 크기가 같습니다.

08 주어진 선분을 사용하여 평행한 변이 한 쌍이라도 있
는 사각형을 그립니다.

09 평행선 사이에 있는 수선의 길이는 8 cm입니다.

10 마주 보는 두 쌍의 변이 서로 평행한 사각형이 되도
록 선분을 긋습니다.

11 주어진 직선을 자의 눈금 0에 겹쳐 놓은 후 3 cm인
곳에 직각 삼각자를 대고 평행한 직선을 긋습니다.

13 마름모는 네 각의 크기가 모두 같은 것은 아니므로
정사각형이라고 할 수 없습니다.

14 한 점을 지나고 한 직선에 수직인 직
선은 1개 그을 수 있습니다.

가

o

15 ① 2쌍 ② 4쌍 ③ 1쌍 ④ 없습니다. ⑤ 2쌍

16 평행사변형은 마주 보는 두 변의 길이가 같습니다.
➡ (변 ㄴㄷ)=(변 ㄱㄹ)=11 cm
변 ㄱㄴ을 □cm라 하면 11+□+11+□=32,
□+□=10, □=5입니다.
따라서 변 ㄱㄴ은 5 cm입니다.

17 접힌 부분의 각도는 같으므로
㉡=180°−30°−30°=120°
사각형의 네 각의 크기의 합은
360°이므로
㉢=360°−90°−90°−120°=60°
➡ ㉠=180°−60°=120°

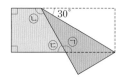

18

채점 기준	❶ 만들어진 도형의 이름 쓰기	2점
	❷ 이유 쓰기	3점

19

채점 기준	❶ 평행선 사이의 수직인 선분 알아보기	3점
	❷ 평행선 사이의 거리 구하기	2점

20

채점 기준	❶ 점 ㄱ에서 직선 나에 수선을 그은 후 각의 크기 구하기	3점
	❷ ㉠의 각도 구하기	2점

5. 꺾은선그래프

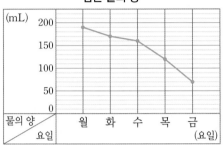 *(pages 58~60)*

01 꺾은선그래프 **02** 1 cm

03 6 cm **04** 예 12 cm

05 24, 28, 26, 16 **06** 28 ℃, 16 ℃

07 ③, ④ **08** 요일, 물의 양

09 예 10 mL

10

남은 물의 양

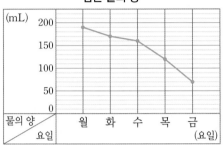

11 금요일 **12** (○)

(×)

13 32타 **14** 예 33.5 kg

15 예

강수량

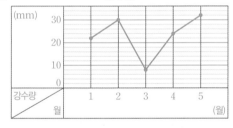

16 3월 **17** 0.4 cm

18 예 ❶ 세로 눈금 한 칸의 크기는 10÷5＝2 (℃)입니다. ▶2점

❷ 오전 11시는 10 ℃, 오후 1시는 18 ℃이므로 낮 12시의 기온은 중간의 값인 14 ℃로 예상할 수 있습니다. ▶3점 / 예 14 ℃

19 예 ❶ 세로 눈금 한 칸의 크기는 200대이므로 청소기 생산량은 1월에 34200대, 4월에 35200대입니다. ▶3점

❷ 따라서 1월과 4월의 청소기 생산량의 차는 35200－34200＝1000(대)입니다. ▶2점 / 1000대

20 예 ❶ 2월부터 5월까지 청소기 생산량은 매월 400대씩 늘어났습니다. ▶3점

❷ 5월의 청소기 생산량은 35600대이므로 6월의 청소기 생산량은 35600＋400＝36000(대)라고 예상할 수 있습니다. ▶2점 / 예 36000대

---

02 세로 눈금 한 칸: 5÷5＝1 (cm)

03 5일에 찍혀 있는 점의 세로 눈금을 읽으면 6 cm입니다.

04 9일과 13일의 중간점이 가리키는 곳의 세로 눈금을 읽으면 12 cm입니다.

05 세로 눈금 한 칸: 10÷5＝2 (℃)

07 ①, ②, ⑤ 자료의 크기를 비교할 때는 막대그래프로 나타내는 것이 좋습니다.
③, ④ 시간에 따른 변화는 꺾은선그래프로 나타내는 것이 좋습니다.

09 세로 눈금 한 칸의 크기는 변화하는 양을 모두 나타낼 수 있어야 하므로 10 mL로 하는 것이 좋습니다.

11 그래프에서 선이 가장 많이 기울어진 때는 목요일과 금요일 사이입니다.

12 세로 눈금 한 칸의 크기는 2타이므로 3주의 은혁이의 타수는 184타입니다.

13 1주: 166타, 5주: 198타 ➡ 198－166＝32(타)

14 솔미의 몸무게는 3월에 34.0 kg, 4월에 34.1 kg, 5월에 34.3 kg, 6월에 34.6 kg, 7월에 35.0 kg입니다.
따라서 8월 1일의 솔미의 몸무게는 35.0＋0.5＝35.5 (kg)으로 예상할 수 있습니다.

15 월별 강수량의 변화를 알아보려면 꺾은선그래프로 나타내는 것이 좋습니다.

16 두 선이 한 점에서 만나는 부분을 찾으면 3월입니다.

17 키의 차가 가장 클 때는 두 선 사이의 간격이 가장 많이 벌어진 때이므로 1월입니다.
1월의 태호의 키: 135.6 cm
1월의 지혜의 키: 135.2 cm
➡ 135.6－135.2＝0.4 (cm)

18

채점 기준	❶ 세로 눈금 한 칸의 크기 구하기	2점
	❷ 낮 12시의 기온 예상하기	3점

19

채점 기준	❶ 1월과 4월의 청소기 생산량 각각 구하기	3점
	❷ 청소기 생산량의 차 구하기	2점

20

채점 기준	❶ 2월부터 5월까지 매월 늘어난 청소기 생산량 구하기	3점
	❷ 6월의 청소기 생산량 예상하기	2점

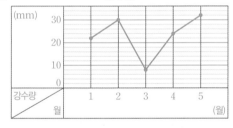

6. 다각형

61~63쪽

01 다각형 **02** 나, 마, 바

03 마

04

05 정팔각형

06 선분 ㄴㅁ, 선분 ㄷㅂ

07 (예)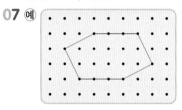

08 2, 2, 720 **09** ㄹ

10 90 **11** ④, ⑤

12 / 8조각

13 7 cm

14 (예)

15 9개 **16** 7 cm **17** 144°

18 (예) ❶ ▶2점

❷ 마주 보는 한 쌍의 변이 서로 평행합니다. ▶3점

19 (예) ❶ 정오각형에는 각이 5개 있고 그 크기는 모두 같습니다. ▶2점

❷ 따라서 정오각형의 모든 각의 크기의 합은 108°×5=540°입니다. ▶3점

/ 540°

20 (예) ❶ 직사각형은 두 대각선의 길이가 같고, 한 대각선이 다른 대각선을 똑같이 둘로 나누므로 삼각형 ㄱㅇㄹ은 이등변삼각형입니다.

➜ (각 ㄱㄹㅇ)=25° ▶2점

❷ 삼각형 ㄱㅇㄹ에서 (각 ㄱㅇㄹ)=180°−25°−25°=130°입니다.

➜ (각 ㄹㅇㄷ)=180°−130°=50° ▶3점

/ 50°

---

02 선분으로만 둘러싸인 도형을 찾으면 나, 마, 바입니다.

03 변의 길이가 모두 같고 각의 크기가 모두 같은 다각형을 찾으면 마입니다.

04 이웃하지 않는 두 꼭짓점을 선분으로 잇습니다.

05 변이 8개인 정다각형이므로 정팔각형입니다.

06 이웃하지 않는 두 꼭짓점을 이은 선분을 찾습니다.

07 변이 6개인 다각형을 그립니다.

08 육각형을 사각형 2개로 나눌 수 있습니다.

09

➜ 사다리꼴, 평행사변형, 마름모라고 할 수 있습니다.

10 마름모는 두 대각선이 서로 수직으로 만납니다.

11 두 대각선의 길이가 같은 사각형은 직사각형과 정사각형입니다.

13 정십이각형은 12개의 변의 길이가 모두 같으므로 한 변은 84÷12=7 (cm)입니다.

15 두 도형에 각각 대각선을 긋고, 대각선을 세어 봅니다.

0개 9개

➜ 0+9=9(개)

16 (정사각형의 네 변의 길이의 합)=14×4=56 (cm) 정팔각형은 8개의 변의 길이가 모두 같으므로 (정팔각형의 한 변)=56÷8=7 (cm)

17 정십각형은 사각형 4개로 나눌 수 있으므로 10개의 각의 크기의 합은 360°×4=1440°입니다.

➜ 144°×10=1440°이므로 한 각의 크기는 144°입니다.

18

채점 기준	❶ 다각형 만들기	2점
	❷ 만든 다각형의 특징 쓰기	3점

19

채점 기준	❶ 정오각형의 각의 성질 알기	2점
	❷ 정오각형의 모든 각의 크기의 합 구하기	3점

20

채점 기준	❶ 각 ㄱㄹㅇ의 크기 구하기	2점
	❷ 각 ㄹㅇㄷ의 크기 구하기	3점

독해의 핵심은 비문학

지문 분석으로 독해를 깊이 있게!

비문학 독해 | 1~6단계

올바른 문학 독서법

문학 갈래별 작품 이해를 풍성하게!

문학 독해 | 1~6단계

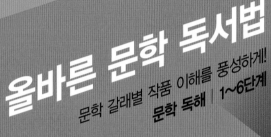

2023 NEW

결국은 어휘력

비문학 독해로 어휘 이해부터 어휘 확장까지!

어휘 X 독해 | 1~6단계

초등 문해력의 빠른시작 **빠작**

동아출판

큐브
수학
실력